10元家常菜1000样

湘式蒸梭鱼

粉蒸鸡块

豉汁蒸鲫鱼

红花绿叶

白菜扣虾

1000

10元家常菜1000样

酸菜蒸大肠

家家可以做　人人容易学

1000

家常炖蒸煮1000样

中国烹饪协会美食营养专业委员会 著

北京出版社 出版集团
北京出版社

目录 CONTENTS

1

目录 contents

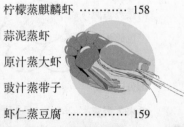

蛋类蒸品

其他蒸品

家常煮菜

煮菜秘诀

畜肉煮菜

猪肉煮菜

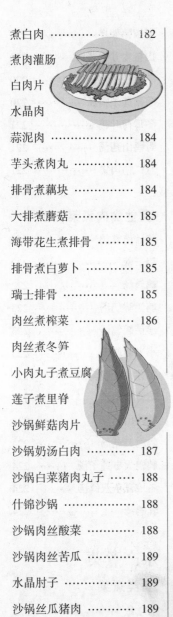

羊肉煮菜

其他畜肉煮菜

禽肉煮菜

鸡肉煮菜

牛肉煮菜

家常炖菜

炖菜,是最大众化的、最受人欢迎的菜肴之一,它不仅是餐馆酒楼的一大卖点,也是一种普通的家常菜。其烹调方法是将原料用大火烧开后再用小火慢炖。特点是主料软烂、汤醇味鲜,原汁原味。此外,食材用料广泛、制作方便、随意性强等特点,也是炖菜深受人们喜爱的重要原因。

按照炖菜的制作方法,大致可分为将原料、调料直接入锅炖制和把原料先加工,辅以其他烹调方法进行炖制两大类。炖制的器具也是五花八门,炖锅、炖盅、沙锅、高压锅、汽锅……各有特色。由于炖菜加热时间长,原料的营养可充分地融于汤水中,因此具有良好的滋补效果。本篇为你介绍的即是各种肉类、水产、蛋类及蔬菜的炖制方法,相信丰富多样的炖菜定会成为你的家庭餐桌上最引人胃口的美味佳肴。

炖菜秘诀

什么是炖

炖，是以带骨或韧性较大的生料为主料，或投入沸水锅中除去血污，或煸炒至倒性后，再爆锅、加调料、添汤，然后盖上锅盖，先用旺火烧开，后用小火保持汤汁的微沸状态，直至食材炖烂的一种烹饪技法。

适用于炖的主料是不易烂熟、形状较大、需要较长时间烹制的，而且多数在正式烹制前要进行初步加工处理，如焯水、煸炒等。

炖法的分类和特点

根据炖制容器是否直接与火接触，炖法可分为隔水炖、不隔水炖。

隔水炖：指将原料放在盛器中，隔水加热，使原料成熟。一般是先将原料洗净，过沸水烫，洗去腥、膻气味和血沫杂物等，再放入瓷制或陶制的盆钵内，用桑皮纸封口，然后将盆钵放入水锅中（锅内的水要低于盆钵口，以防止沸水进入盆钵中），用旺火加热至原料成熟即可。一定要保持水锅中的水始终滚沸，炖大约 3 个小时即可。其特点是汤汁澄清，原汁原味。

不隔水炖：指将原料洗净成形之后，放入陶制的器皿中，加水（水的量一般比原料的量稍多一些，如 500 克原料可加 750 克到 1000 克水），加上调料汤汁，盖上锅盖，然后直接放在火上即可。烹制时，应先用旺火煮沸，撇净浮沫，再移到微火上炖至熟烂。炖煮的时间，可根据原料的性质而掌握。

炖菜的烹制要领

烹饪炖菜时应掌握如下要领：

第一，炖菜取料比较广泛，要求不严格，多选用带骨、韧性较大以及富含蛋白质的原料。原料大多应在入锅前做焯水、过油处理，以除去部分血腥，保证汤汁的清醇。另外，炖菜对原料刀工的要求也不太精细，一般整条或整只的原料，或切成较大的块、段、条和丝的食材均可使用。

第二，炖菜要一次添足汤水。如果在烹调的过程中添汤水，就会破坏菜肴温度的平衡，影响菜肴的质量。如果需要后添汤，最好添热汤水。

第三,要正确用火。炖菜讲究质烂而形态完整,味醇汤浓。因此先宜大火炖,再用小火炖,使炖出来的汤汁澄清,保持菜的原汁原味。炖的过程中应特别注意防止溢锅,因为炖制用锅一般是沙锅,而溢锅容易造成沙锅底炸裂。另外,还要注意在炖的过程中及时撇净浮沫。刚开锅时,汤面多浮沫,即使是事前已焯水甚至已制熟的原料有时也会出现浮沫。

这时要及时将浮沫撇去,转为小火,保持汤汁微滚即可。若不将浮沫撇净,浮沫则会随着汤汁的翻滚与汤水混在一起,影响汤汁的口感。

第四,炖菜花费时间较长,最短也要半小时,长则两个小时,或者更长的时间。有的品种在炖时要不断翻锅,以便入味均匀。因炖菜时间较长,味道醇厚,有时要利用挥发性能强的调味品进行补充调味来增加菜肴的鲜度。

炖菜的主要器皿

1.炖锅:传统的炖锅一般是陶瓷器具,适于在 100℃左右的高温下,长时间微火慢炖食物。由于这种方法能最大程度地溶解食物中的营养成分,所以炖锅是传统炖品最理想的烹制器皿。

2.炖钵:炖钵是一种体积较小的陶制器具,经常被用来烹制农家炖菜。

3.炖盅:这是广东人的一种叫法,意思是一小盅、一小盅地用慢火煨炖的汤(羹)盅。通常是先将原料炖成半成品后,再放入炖盅中隔水蒸。食用时,则将炖盅直接作为餐具上桌,宴席上一人一盅,显得颇为别致。

4.电炖盅:电炖盅是利用蒸汽的温度,均匀地煲炖汤料。电炖盅的中间是一个白瓷质地的炖盅,内胆的四周可以放上水。炖盅内有一层隔离药材的设计,非常适合于烹制药膳滋补类的炖品。电炖盅的体积一般较小,其炖出的食物仅够一人食用。

5.沙锅:沙锅是用陶泥和细沙烧制而成,适于多汤、慢火的烹调方法。一般是先用大火将沙锅中的主料烧开,再用小火使之微沸,直至汤汁呈乳白色,主料酥烂、软嫩、入味。用沙锅烹制出的菜品具备汤菜合一的特点,而且汤汁要略比主料多。家庭中使用的沙锅宜选用那种浅底、口大,并配有盖的陶制沙锅。沙锅不耐高温,适宜用小火慢炖。

6.高压锅:高压锅是用铝合金制成的密封锅,锅盖上装有胶圈。高压锅受热时,锅内的气压就会升高,能够迅速地把食物烹熟。

7.汽锅:汽锅是云南的一种陶土容器,锅中间有一根汽柱。用汽锅炖出的食物既有炖锅使食材口感清爽、汤汁丰富的优点,又具有煮锅使食物富有弹性的特质。

8.炒菜锅:一般的炒菜锅也可以用来炖制菜肴。

畜肉炖品

猪肉炖品

2.将锅置于旺火上,倒入植物油,烧至五成热时,放入花椒、大料爆香,再放入葱段、姜末炝锅,接着倒入高汤,放精盐调味。

3.将酸菜丝、粉条放入锅中,开锅后放入煮好的肉块,炖至肉烂,加上味精即可。

猪肉炖粉条

【食材】猪五花肉300克,酸菜、粉条各100克。

【调料】植物油20克,花椒10克,大料5克,葱段、姜末各8克,高汤500克,精盐4克,味精1克。

【做法】1.将猪五花肉放入锅中,加水煮到七八成熟,取出,晾凉后切块;将粉条用水泡软;将酸菜切成细丝状。

白菜豆腐炖肉

【食材】猪五花肉200克,白菜、干豆腐各150克。

【调料】精盐4克,味精2克,鸡蛋30克,淀粉20克,葱段、姜末各10克,植物油30克,高汤500克,料酒、香油各10克。

【做法】1.将猪五花肉洗净后切成大片,加入精盐、味精腌五分钟;再用鸡蛋液和淀粉将猪五花肉片挂糊,投入烧热的油锅中炸至金黄色,捞出,沥净油备用。

2.将干豆腐、白菜洗净,切成块,先后投入沸水锅中汆一下,再放入冷水中投凉。

3.将锅置于旺火上,倒入植物油,烧至五成热时,放入葱段、姜末炸出香味;倒入高汤、

Tips

贮藏大白菜的窍门 大白菜适宜在阴凉通风、气温为0℃左右的环境中贮藏,例如楼房的阳台。贮藏白菜,要选择八九成心的青口菜。贮藏以前,要把大白菜最外面一层帮上的叶子撕掉,略晒,等外面一层帮上的叶子发蔫时便可一层根朝里、一层根朝外码成垛,这样可以避免烂心。

厨房小窍门

贮藏青菜的窍门 有人在存放青菜前总是先用水洗一洗,认为这样既可以让青菜干净,也可以让青菜吸收水分而保持鲜嫩。其实,这样做并不可取。因为青菜吸收水分是靠根部而不是靠茎叶,青菜水洗之后,茎叶细胞外的渗透压和细胞呼吸就会发生改变,造成茎叶细胞死亡溃烂,损失营养成分。

厨 房 小 窍 门

料酒,放入炸好的猪五花肉片,改用小火炖40分钟左右。至猪五花肉片熟烂,放入白菜块和干豆腐块再炖10分钟左右,加上精盐、味精,淋上香油即可。

豆泡炖肉

【食材】猪五花肉450克,豆泡25个,毛豆100克。

【调料】米酒30克,精盐4克,酱油8克,植物油30克。

【做法】1.将猪五花肉洗净,切块;将豆泡洗净,切成两半;将毛豆洗净,去掉外皮。

2.将锅置于旺火上,倒入植物油烧热后,放入猪五花肉块爆炒;放入精盐、米酒,翻匀后盖上锅盖,焖20分钟。

3.放入豆泡翻匀,加水至刚好盖过锅中的猪五花肉块和豆泡为止,加入精盐、酱油(至菜呈浅黄色)炖5分钟。

4.将毛豆倒入锅内翻匀,关火后焖2分钟即可。

猪肉黄豆炖豆腐

【食材】猪五花肉15克,豆腐200克,黄豆200

克,雪里蕻100克。

【调料】精盐4克,味精3克,葱段4克,姜末3克,猪油25克,高汤500克,花椒水10克。

【做法】1.将豆腐切块,放入沸水锅内烫一下,捞出,放入清水盆中;将黄豆洗净,用水泡涨;将猪五花肉切成丝。

2.将雪里蕻切成3厘米的长段,用温水浸泡,再投洗两次,减轻其中的咸味。

3.将锅置于旺火上,倒入猪油烧热,用葱段、姜末炝锅,加入高汤、精盐、花椒水,放入黄豆炖15分钟;再放入猪五花肉丝、豆腐块、雪里蕻段,用小火炖10分钟,加入味精即可。

肉末炖豆腐

【食材】猪瘦肉75克,豆腐300克,口蘑、青椒各50克。

【调料】葱段、姜末、蒜片各8克,料酒20克,酱油10克,高汤1000克,精盐6克,味精4克,植物油20克。

【做法】1.将猪瘦肉剁成肉末;口蘑洗净,切成块;青椒洗净去籽,切成块;豆腐切成块。

2.将锅置于旺火上,倒入植物油烧热后,用葱段、姜末、蒜片炝锅,放入猪瘦肉末,然后倒入高汤、料酒和酱油,用小火炖5分钟。

3.将豆腐块放入肉锅中炖10分钟,再放入青椒块和口蘑块;2分钟后加入味精、精盐,翻匀,起锅装盘即可。

炖酥肉

【食材】猪五花肉500克,鸡蛋3个。

【调料】干淀粉100克,精盐10克,植物油30克,高汤1000克,酱油15克,葱段、姜片各8克,花椒10粒,胡椒粉5克。

【做法】1.将干淀粉擀细,用鸡蛋调成干稀适中的蛋淀粉(手提时能流成线状即可)。

2.将猪五花肉切成小块,用精盐腌5分钟;放入蛋淀粉中挂糊。

3.将锅置于旺火上,放入植物油,烧至七成热时,将挂好糊的猪五花肉块放入锅内炸至金黄色,全部炸完后再重炸一次,捞出,沥净油备用。

4.取一沙锅置于旺火上,倒入高汤烧开;放入炸好的酥肉块,再放入葱段、姜片、花椒、胡椒粉和精盐、酱油;等汤开后,用小火炖至肉烂即可。

海带炖肉

【食材】猪五花肉300克,水发海带250克。

【调料】花生油25克,高汤500克,葱段10克,

姜片15克,大料3克,花椒10粒,精盐3克,酱油25克,米醋5克,白糖25克,味精2克。

【做法】1.将水发海带洗净,切成菱形片备用。

2.将猪五花肉洗净,切成大块,再放入沸水锅内煮几分钟,捞出后沥干水分。

3.将锅置于旺火上,倒入花生油,烧至五成热时加入白糖,炒至溶化后,放入猪五花肉块煸炒;加上高汤、大料、花椒、葱段、姜片、酱油、精盐和米醋,用旺火烧沸,再改用小火炖1个小时。

4.放入水发海带片和味精,炖20分钟;捞出大料、花椒、葱段、姜片不用,出锅即可。

香糟炖肉

【食材】猪五花肉750克,香糟75克。

【调料】葱末、姜片各8克,花椒10粒,精盐10克,草果25克,大料5克,冰糖渣75克,酱油8克,猪油25克。

【做法】1.将猪五花肉洗净,切成骨牌状的片。

2.将铝锅置于火上,放入猪五花肉片,加水(没过猪五花肉约2厘米深);开锅后撇净浮

沫,放入草果、葱末、姜片、花椒、精盐、酱油、香糟、大料。

3.另取一炒锅置于旺火上,放入猪油烧热;将冰糖渣放入炒锅中,炒成不深不浅的糖汁后,倒入铝锅内搅匀,再用微火将猪五花肉片炖至皮肉全烂、汤浓即可。

炖芝麻猪肉

【食材】猪瘦肉300克,黑豆200克,芝麻和浮小麦各50克。

【调料】料酒10克,精盐、味精各5克,五香粉4克。

【做法】1.将猪瘦肉洗净,放入锅中,加入清水(500毫升),置中火上烧沸后,改用小火炖1个小时,取出,晾凉后切成片。

2.将黑豆去杂,放入清水中浸泡1小时(冷天可用温沸水浸泡);将芝麻拣净后放入锅中,用微火煸炒出香味,趁热捻碎;浮小麦用洁净纱布包裹,再用细线扎紧。

3.将锅置于旺火上,放入适量的水,投入猪瘦肉片、黑豆、芝麻粉和浮小麦纱布包烧沸,烹入料酒,改用小火炖至黑豆、猪瘦肉片熟烂时取出纱布袋,撒上精盐、味精、五香粉,调匀即可。

红炖东坡肉

【食材】猪五花肉1200克。

【调料】葱段、姜片各10克,料酒15克,白糖

20克,精盐10克,大料5克,香叶、桂皮、丁香各4克,酱油30克。

【做法】1.将猪五花肉洗净,投入沸水锅中焯一下,去掉血污后切成小方块。

2.将锅中放入葱段、姜片(拍松)、猪五花肉块(皮朝上,整齐地排在上面)、白糖、精盐、大料、香叶、桂皮、丁香、酱油、料酒和适量的清水,盖上锅盖,置火上烧沸后,转用微火炖至肉质酥烂即可。

红枣炖猪肉

【食材】猪瘦肉500克,鸡蛋、红枣各100克。

【调料】面粉100克,料酒15克,酱油40克,白糖20克,味精2克,植物油500克(实耗约100克)。

【做法】1.将猪瘦肉切成片,放入盆中,加上酱油(15克)和料酒(10克)拌匀,腌5分钟左右,取出晾干水分;将鸡蛋打入碗内搅匀,加入面粉调成蛋粉糊;将猪瘦肉片投入蛋粉糊中挂糊。

贮藏鸡蛋的窍门(一) 草木灰保鲜法:用干燥、新鲜、没有受潮、未淋雨变质的草木灰贮藏鸡蛋效果很好,方法是:在备好的容器底层铺上一层约13厘米厚的草木灰,然后一层鸡蛋、一层草木灰,按顺序铺放,最上面一层的灰要盖厚一点,放到通风干燥处,每月检查1次,可以保存鸡蛋1年不变质。

Tips

畜肉炖品 \ 猪肉炖品

2.将锅置于旺火上,放入植物油烧至六成热,把挂好糊的猪瘦肉片下锅炸至深黄色,捞出备用。

3.取一沙锅置于旺火上,把炸好的猪瘦肉片放进锅内,加入料酒、酱油、白糖和红枣,加入清水(700毫升),烧沸后转微火炖2小时左右,撒上味精即可。

五花肉炖酸菜粉

【食材】猪五花肉500克,冻豆腐150克,水发粉条100克,海带丝50克,酸菜200克。

【调料】精盐8克,味精5克,花椒水5克,葱段10克,姜片5克,胡椒粉3克,白糖25克,植物油50克,高汤750克。

【做法】1.将猪五花肉切块,用沸水焯一下,捞出;将冻豆腐用凉水化透,切成方块,用沸水焯一下,挤干水分;将酸菜切薄,再切成细丝,用温水投洗两遍,挤干水分。

2.将锅置于旺火上,倒入植物油烧热,放入白糖熬成糖色;把焯好的猪五花肉块放入急速翻炒上色;在沙锅中添入高汤,放入五花肉、葱段、姜片、精盐、花椒水,用大火烧开后转入小火炖至猪五花肉块八成熟时,放入酸菜丝、水发粉条、冻豆腐块、海带丝,炖至猪五花肉块酥烂、冻豆腐块嫩软入味,加上胡椒粉、味精即可。

五花肉炖干西葫芦条

【食材】猪五花肉200克,干西葫芦条300克,粉条150克,干海米25克。

【调料】精盐4克,酱油5克,味精4克,料酒6克,花椒水3克,肉汤750克,葱末、姜末、蒜末各5克,猪油20克。

【做法】1.将猪五花肉切成长方形薄片;干西葫芦条用温水浸泡半小时,剪成段(7厘米长),放入沸水锅内焯一下,捞出后用冷水投凉;粉条用沸水浸泡,剪成段(10厘米长);干海米用温水浸泡后洗净,沥干水分。

2.将锅内放入猪油烧热,用葱末、姜末、蒜末炝锅,放入猪五花肉片煸炒;添入肉汤,放入干海米、西葫芦条,再加上精盐、料酒、酱油、花椒水,用旺火烧开后转入小火,炖至汤剩一半,粉条、西葫芦熟软时,加入味精即可。

薏米炖里脊

【食材】猪里脊肉250克,薏米50克。

【调料】香附子7克,味精、精盐各5克,料酒、酱油各10克。

【做法】1.将薏米洗净,去皮后投入热水中浸泡一夜;将猪里脊肉洗净,切成片,放入碗内,用料酒、酱油拌匀,腌20分钟左右。

2.将锅置于旺火上,把香附子放到纱袋中

Tips

贮藏鸡蛋的窍门(二) 麦、麸、小米保鲜法:将大麦、小麦、小米或麸皮中(任选一种)充分晒干,然后铺到容器底部(10厘米厚),然后放上一层鸡蛋,再放上一层麦、麸或小米,如此层层放满,最上面一层的麦、麸或小米要铺厚一点,存放于通风阴凉干燥处,2个月翻晒1次,可以保存禽蛋6~8个月不坏。

扎紧，与薏米一起放入锅中，加入清水（500毫升），炖1小时左右；取出香附子沙袋，倒入拌好的猪里脊肉片烧沸，改用小火炖15分钟左右，撒入精盐和味精即可。

慢炖里脊肉

【食材】猪里脊肉600克，鸭蛋2个。

【调料】面粉100克，料酒25克，酱油50克，白糖15克，精盐5克，味精2克，植物油1000克（实耗约80克），高汤500克。

【做法】1.将猪里脊肉洗净，切成形似玉兰片似的大片，放入碗中，加料酒、酱油腌5分钟；将猪里脊肉片放在竹垫上，晾干水汽。

2.将鸭蛋磕入碗内打散，加入面粉，搅成蛋粉糊；将腌好的猪里脊肉片挂糊。

3.将锅置于旺火上，放入植物油，烧至八成热，投入挂好糊的猪里脊肉片炸至深黄色，捞出，沥净油备用。

4.另取一锅置旺火上，依次放入炸好的猪里脊肉片、料酒、酱油、白糖、植物油（40克）、高汤，烧沸后改用小火炖至肉酥，撒上精盐和味精即可。

肉片口蘑炖白菜

【食材】猪肥、瘦肉共150克，水发口蘑100克，白菜200克，胡萝卜50克。

【调料】精盐4克，味精3克，料酒、酱油各10克，葱末、姜末各5克，熟豆油40克，香油3克，高汤500克，胡椒粉2克。

【做法】1.将猪肉切成薄片；水发口蘑洗净泥沙，切成片；白菜洗净，切成条。胡萝卜洗净，切成菱形片。

2.将锅置于旺火上，放入熟豆油烧热，加入葱末、姜末煸出香味，放入猪肉片煸炒；烹入料酒，添入高汤，加入酱油、精盐、料酒、味精、胡椒粉，烧开后撇净浮沫，转用小火炖10分钟左右。

3.另取一锅置于旺火上，放入熟豆油烧热，放入白菜煸炒至软，倒入猪肉片，加上水发口蘑、胡萝卜，烧沸后转用小火再炖10分钟，淋上香油即可。

炖四喜丸子

【食材】猪肥瘦肉（三肥四瘦）共400克，白菜250克，鸡蛋液50克。

【调料】植物油50克，干淀粉40克，胡椒粉5克，酱油、精盐、味精和料酒各10克，香油20克，葱末、姜末各5克，高汤800克。

【做法】1.将猪肉剁成末,放入盆内,加入精盐、味精和胡椒粉,顺一个方向搅拌后,倒入清水(250毫升)和鸡蛋液继续搅拌,再加入干淀粉拌匀,分成四份,团成球状,投入烧至六成热的油锅内炸至金黄色,捞出沥净油;将白菜洗净,切成条。

2.将锅置于火上,放入植物油烧热,用葱末、姜末炝锅,加入酱油、精盐、味精、料酒,倒入高汤和炸好的肉丸烧沸,改用小火炖20分钟左右,下入白菜再炖15分钟左右至丸子熟透,淋上香油即可。

清炖蟹粉狮子头

【食材】猪肋条肉400克,熟猪皮250克,青菜心200克,蟹黄50克,蟹肉100克。

【调料】味精2克,料酒15克,精盐6克,葱汁、姜汁各10克,湿淀粉50克,猪油30克。

【做法】1.将猪肋条肉细切、粗剁成米粒状,放入碗内,加入料酒、精盐、葱汁、姜汁、湿淀粉、蟹肉搅匀,分成4等份,逐份置于手掌中,用双手来回搓成大肉丸子,逐个嵌上蟹黄,制成狮子头生胚;将青菜心洗净,切成段。

贮藏大蒜头的窍门 (1)将大蒜头放入石蜡液中浸一下,捞出放在篮子中,挂在屋檐下,可以较长时间保鲜。(2)将大蒜头编成辫子,悬挂在阴面通风的地方,保存一冬天都没有问题。(3)春天时大蒜容易发芽,可以剥去蒜皮,紧密地摆在碗中或碟子里,然后注入清水,过几天就可以长出蒜苗。

2.将锅置于旺火上,放入猪油,烧至六成热时,放入青菜心煸炒,加入料酒、精盐、味精、清水烧沸,撇净浮沫。

3.取大沙锅一只,锅底平放上熟猪皮,整齐地摆入狮子头生胚,倒入炒好的青菜心和汤,在狮子头上盖上青菜叶,盖上锅盖烧沸,再改用微火炖90分钟左右,食用时揭去菜叶即可。

排骨炖地瓜

【食材】猪排骨750克,地瓜400克。

【调料】精盐4克,味精5克,葱段10克,姜片10克,花椒水5克,料酒5克,酱油10克,植物油500克(实耗70克),糖色10克,高汤750克。

【做法】1.将猪排骨剁成小段,用沸水焯一下捞出;倒上酱油腌10分钟左右;将地瓜去皮,切成滚刀块。

2.将锅置于旺火上,放入植物油烧至六成热,把地瓜块放入炸至金黄色捞出;再将植物油烧至八成热,将猪排骨段放入炸至变色捞出,上糖色。

3.另取一锅置于旺火上,添入高汤,加入葱段、姜片、花椒水、精盐、酱油、料酒烧开,把猪排骨段放入,转用小火炖半小时左右;将炸好的地瓜块放入炖烂,加入味精即可。

坛肉炖冻豆腐

【食材】猪五花肉750克，冻豆腐250克。

【调料】酱油75克，白糖25克，料酒15克，葱段15克，姜片10克，精盐15克，味精10克，熟豆油25克，花椒、大料、桂皮各3克，高汤1000克。

【做法】1.将猪五花肉洗净，切成块，用沸水焯透，捞出；将冻豆腐用凉水浸泡化透，切成2厘米见方块，用沸水烫一下，挤干水分。

2.将锅置于旺火上，放入熟豆油烧热，加上白糖炒成糖色；将焯好的猪五花肉块放入锅中，煸炒上色，添入高汤，加入酱油、料酒、葱段、姜片、花椒、大料、桂皮，用慢火炖至酥烂。

3.将冻豆腐块放入炖好的猪五花肉块中烧开，加上精盐、味精，拣出葱段、姜片、花椒、大料、桂皮不用，烧透入味即可。

排骨炖白菜

【食材】猪排骨300克，大白菜400克。

【调料】葱末、姜末各10克，植物油40克，精盐5克，味精2克，花椒水、香菜各10克。

【做法】1.将猪排骨洗净，剁成段；将大白菜洗净，切成块。

2.将锅中放入清水，烧沸后放入猪排骨段，撇去锅中浮沫，用小火炖熟。

3.另取一锅置于旺火上，倒入植物油，烧至五成热时，用葱末、姜末炝锅，放入白菜块煸炒。

4.将煸炒好的白菜块放入猪排骨段锅中，加入精盐、味精、花椒水，用小火炖烂；装盆，放上香菜即可。

黄豆炖排骨

【食材】猪排骨500克，黄豆100克。

【调料】葱段10克，姜块10克，精盐5克，味精1克，料酒10克，大料3克，胡椒粉1克。

【做法】1.将猪排骨剁成段（5厘米长），放入沸水中略烫，捞出备用；将黄豆放温水中浸泡回软。

2.将锅置于旺火上，加入猪排骨段、葱段、姜块、大料、料酒、胡椒粉和清水（1000毫升）烧沸，盖上锅盖，转用小火炖1个小时左右，加入精盐、味精、黄豆再炖40分钟，拣出葱段、姜

贮藏大葱的窍门 (1)将买来的葱挑一挑，把葱叶当作绳将葱5~6根捆一把，根朝下，头朝下，放在阴凉的地方即可。(2)将葱栽在地上，让它缓慢生长或埋住根部，吃时用多少拿多少。(3)选葱白粗大、不烂的大葱，葱根朝下竖直插在有水的盆中，这样大葱不仅不会烂空，还会继续生长呢！

Tips

厨房小窍门

块、大料不用,起锅盛入汤碗中即可。

乳汁炖排骨

【食材】猪排骨1000克,酱豆腐乳汁50克。

【调料】葱末10克,姜末5克,精盐3克,味精1克,酱油15克,料酒10克,大料3克,湿淀粉15克,植物油40克。

【做法】1.将猪排骨剁成块(5厘米长),放入沸水中略烫,捞出备用。

2.将锅置于中火上,放入植物油烧至五成热时,放入猪排骨块煸炒出油;再放入大料、葱末、姜末炝锅,依次加入酱豆腐乳汁、酱油、料酒和清水(400毫升),烧沸后撇净浮沫,改用小火炖80分钟左右;加入精盐、味精,改用中火炖至汤汁为原料的三分之一时,用湿淀粉勾芡搅匀即可。

豆芽炖排骨

【食材】猪排骨400克,黄豆芽150克。

【调料】葱丝10克,姜丝5克,姜1块,精盐5

克,料酒10克,酱油15克,胡椒粉1克,白糖10克,植物油30克,大料、桂皮、香叶各3克。

【做法】1.将猪排骨剁成段(3厘米长),投入沸水锅内焯一下,捞出放入另一锅内,加入料酒、姜块、大料、桂皮和香叶,烧沸后改用小火炖,至猪排骨段六成熟时捞出。

2.将一炒锅置于火上,放入植物油烧热,放入葱丝、姜丝煸炒出香味,加入黄豆芽煸干水分,放入料酒、酱油、猪排骨段及原汁、精盐、白糖和胡椒粉,用中火炖至熟透入味即可。

脊骨炖干白菜

【食材】猪脊骨500克,干白菜100克,粉条250克。

【调料】精盐4克,味精5克,酱油20克,胡椒粉2克,葱末10克,姜末5克,大料2克。

【做法】1.将猪脊骨按骨节剁成小块,放入沸水锅中焯透,捞出备用;将干白菜去掉根和黄叶,切成段(3厘米长),先用热水浸泡回软,再放入沸水锅中焯熟,捞出投凉,挤净水分。

2.将锅置于中火上,倒入清水(1500毫升),加上葱末、姜末、胡椒粉、大料,放入猪脊骨块,烧开后,转用小火保持开状;半小时后加入清水(250毫升),再改为中火烧开,然后

贮藏姜的窍门 把少量的黄沙放进坛子里,然后把鲜姜埋进去,或者找个有盖子的大口瓶子,在瓶底铺上一块着水的药棉(药棉湿了即可,水过多会使姜烂掉),然后把姜放在药棉上,盖上瓶盖,随用随取,非常方便。

用小火保持开状,这样反复用水,直至猪脊骨块酥烂离骨;放入干白菜段和粉条,加入精盐、味精、酱油,烧开后,用小火保持开状,焐20分钟即可。

松子方肉

【食材】猪五花肉200克,猪瘦肉50克,豌豆100克,松子仁50克,蛋黄液3克。

【调料】胡椒粉5克,料酒15克,酱油25克,葱汁、姜汁各10克,精盐5克,冰糖50克,面粉50克,猪油30克,高汤500克。

【做法】1.将猪五花肉的肉皮用火烤焦,刮净

Tips

贮藏海味的窍门(一) (1)海带、海虾、干鱼等海味,收藏不好容易发霉。如在收藏之前将海味烘干,将剥去皮的蒜瓣铺在坛子下面,等海味冷透后入坛,严封坛口,就能保存很长时间。(2)鲜鱼应该先去掉内脏、鱼鳞,洗净沥干后,分成小段,用保鲜袋包装好(防止干燥和腥味扩散),然后放入冷冻室。

厨房小窍门

猪毛,投入冷水中泡软;将猪五花肉的肉面每隔2厘米切成横竖相交的方块型(深而不透,肉皮相连)。将蛋黄液、面粉放入碗中,搅成蛋粉糊,抹在肉面上。

2.将猪瘦肉斩成肉泥,加葱姜汁、精盐少许,搅入蛋粉糊,并抹在肉上面。

3.将锅置于旺火上,放入猪油烧热,把肉方(皮朝上)煎成金黄色,取出备用。

4.取一沙锅,将竹篦放到沙锅底部垫底,肉方放在竹篦上面(皮朝下),加入高汤、料酒、精盐、酱油、胡椒粉、葱汁、姜汁、冰糖烧开;转用小火炖至酥烂,滤出汤汁,扣入盘中(皮朝上);再将汤汁加热变浓,最后浇在肉方上面即可。

炖合家团圆

【食材】猪肋条肉700克,猪肥肉、猪瘦肉各200克,豆腐700克。

【调料】葱末、姜末各10克,料酒、酱油各15克,白糖10克,精盐4克,味精5克。

【做法】1.豆腐淋水后冻结实,再入沸水锅中煮至其融化,捞出切成骨牌块;将猪肋条肉、猪肥肉和猪瘦肉洗净,切成碎丁。

2.将豆腐块、猪肉丁放入碗中,加入葱末、姜末、料酒、酱油、味精、白糖和精盐,充分搅拌使其黏性增强,分成10等份,团成圆形。

3.将锅置于旺火上,放入酱油、白糖、豆腐块和清水(1500毫升)烧沸;将10等份肉丸逐份下入锅中,烧沸后改用小火炖至熟透入味即可。

肘子肉炖土豆

【食材】猪肘子1个(约1000克),土豆400克。

【调料】酱油10克,精盐5克,味精5克,料酒20克,植物油500克(实耗100克),葱

段、姜片10克，花椒水5克。

【做法】1.将猪肘子放入温水中浸泡，刮净皮面，放入清水锅中，加入葱段、姜片，煮40分钟，至猪肘子肉熟透捞出，拆去骨头，切成方块；土豆去皮切成滚刀块，放入五成热的油锅中炸至金黄色捞出，沥净油。

2.将锅置于旺火上，倒入煮猪肘子的汤，加上酱油、精盐、味精、花椒水、料酒，再放入猪肘子肉块、土豆块，烧开后转入小火炖10分钟即可。

冰糖炖肘

【食材】猪肘子1个（约800克）。

【调料】姜片10克，葱段10克，精盐15克，冰糖30克，白糖汁8克，料酒15克，高汤1000克。

【做法】1.将猪肘子刮洗干净。

2.将锅置于中火上，倒入高汤，放入猪肘子，烧开后撇去血沫，放入精盐、冰糖、白糖汁、姜片、葱段、料酒，炖烂后捞出盛于盘中。

3.将汤汁倒入炒锅中收成浓汁，淋在猪肘子上即可。

雪菜炖黄豆肘子肉

【食材】猪肘子肉750克，泡涨的黄豆200克，腌雪里蕻200克。

【调料】味精3克，葱末5克，姜末5克，植物油20克，花椒水5克，葱段5克，姜片5克，香油2克。

【做法】1.将猪肘子肉刮洗干净，放入水锅内，加上葱段、姜片，煮至七成熟，捞出拆去骨头，切成块（3厘米见方）；腌雪里蕻用温水浸泡后再投洗2次，以减轻咸味，切成段（2厘米长）。

2.将锅置于旺火上，倒入煮猪肘子肉的汤，放入猪肘子肉块和黄豆，加上葱末、姜末、花椒水，烧开后转用小火炖至猪肘子肉块、黄豆酥烂，加入腌雪里蕻和味精，再炖10分钟，淋上香油即可出锅。

豌豆炖肘

【食材】猪肘子1个（约1000克），大豌豆200克。

【调料】精盐8克，味精1克，料酒15克，大料2

贮藏海味的窍门（二）（1）熟的鱼类食品必须用保鲜袋密封后放入冰箱内。（2）冷冻新鲜的河虾或海虾，可先用水洗净后，放入金属盒中，注入冷水，浸没虾，再放入冷冻室内冻结。待冻结后将金属盒取出，在外面稍放一会儿，倒出冻结的虾块，再用保鲜袋密封包装，放入冷冻室内贮藏。

厨房小窍门

克,葱段、姜块(拍松)各20克,高汤2500克,猪骨5根。

【做法】1.将猪肘子刮洗干净,同猪骨一起放入沸水中氽一下;大豌豆洗净。

2.取沙锅一只,在底部垫上猪骨,再放入猪肘子、大豌豆、葱段、姜块、大料、料酒、精盐,倒入高汤,用大火烧开,再改用小火煨炖至猪肘子和大豌豆均软烂,拣出葱段、姜片不用,加入味精即可。

沙锅肘子

【食材】去骨猪肘1只(约1000克),青菜心100克,冬笋、冬菇各50克。

【调料】葱段20克,姜片10克,大料2克,丁香2粒,精盐5克,味精1克,料酒15克。

【做法】1.将去骨猪肘子刮洗干净,在肘子里面割上间距2厘米的刀纹,刀纹深度以刚至猪皮为宜,放入沸水中略烫捞出,皮向下放入沙锅中;冬笋、冬菇切成长方片,放入沸水中焯一下,捞入盛肘子的沙锅中。

2.将沙锅置于旺火上,倒入清水(1500毫升),加入料酒、大料、丁香、葱段、姜片烧沸,撇净浮沫,盖上锅盖,改用小火炖2小时,加入精盐、味精炖入味,再放入青菜心略炖片刻即可。

虎皮肘子炖菜粉

【食材】猪肘子500克,包心白菜心250克,水发粉条100克,胡萝卜30克,芹菜30克。

【调料】酱油10克,精盐8克,味精5克,花椒水10克,葱段10克,姜片5克,糖色25克,植物油25克,高汤750克。

【做法】1.将猪肘子刮洗干净,放入沸水锅中焯透,捞出备用;换水煮至八分熟,将皮面擦干,抹上一层糖色,放入九成热的植物油中炸至皮面呈虎皮色,取出晾凉后切成块(2厘米见方);白菜心洗净,撕成大块;胡萝卜切成菱形片;芹菜切成段。

2.锅内放入底油烧热,用葱段、姜片爆锅,添入高汤,加酱油、精盐、花椒水,放入猪肘子炖20分钟,再依次加入水发粉条、白菜心、胡萝卜片,最后加芹菜段,撒入味精即可。

酥肉肘子炖酸菜

【食材】猪精肉250克,猪肘子1个(500克),酸菜300克,水发粉丝150克。

【调料】精盐5克,味精4克,酱油3克,花椒粉2克,鸡蛋1个,面粉25克,植物油300克(实耗20克),高汤500克,葱段5克,姜片4克,香油2克。

贮藏植物油的窍门 (1)将花生油、豆油放入锅加热,放入少许花椒、茴香,待油冷却后,倒进搪瓷或陶瓷容器中存放,不但能久不变质,而且能使烹饪出来的菜肴味道更香。(2)在油中加维生素C,用量为每市斤植物油加0.1克,或每公斤加1粒维生素E胶丸,也可长时间贮藏。

【做法】1.将猪精肉切成三角形的块；猪肘子刮洗干净，放入锅内煮至半熟取出，拆去骨头，切成方块；酸菜切成细丝，用冷水投洗2次，挤干水分；水发粉丝剪成段（10厘米长）。

2.用鸡蛋、面粉、精盐（2克）、花椒粉和成糊，将猪精肉块放入，抓匀挂上一层糊，放入六成热的植物油中炸至金黄色捞出。

3.将锅置于旺火上，倒入高汤，放入炸好的猪精肉块和猪肘子肉，加入酱油、精盐、葱段、姜片，烧开后转入小火炖半小时，放入酸菜丝后再炖20分钟，放入粉丝和味精，再炖10分钟，拣出葱段、姜片，淋上香油即可。

双豆炖猪蹄

【食材】净猪蹄500克，水发黄豆、水发红豆各100克。

【调料】葱段、姜末各10克，精盐6克，蚝油15克，味精1克，酱油8克，香菜10克，高汤500克，植物油30克，香油5克。

【做法】1.将净猪蹄从中间劈开，剁成小块，投入沸水锅中氽一下，捞出投凉；香菜洗净，切段。

2.将炒锅置于旺火上，放入植物油烧热，加入葱段、姜末、猪蹄块、蚝油和酱油炒至上色，加入高汤、精盐、味精、水发黄豆和水发红豆炖35分钟至猪蹄块酥烂，淋上香油，撒上香菜段即可。

花生仁炖猪蹄

【食材】猪蹄400克，花生米200克。

【调料】葱末10克，姜块（拍松）10克，精盐5克，胡椒粉3克，味精2克。

【做法】1.将猪蹄毛浸泡后刮洗干净，猪蹄对剖后剁成块（3厘米见方）；花生米用温水浸泡后去皮。

2.将沙锅置于旺火上，倒入清水（2500毫升），放入猪蹄，烧沸，撇净浮沫，放入花生米、姜块炖至猪蹄块半熟时，改用小火，放入精盐继续煨炖；猪蹄块炖烂后，起锅盛入汤碗，撒上胡椒粉、味精、葱末即可。

炖冰糖蹄花

【食材】猪蹄1200克，冰糖30克。

【调料】酱油15克，葱段10克，姜片8克，精盐6克，料酒25克，大料1克，味精2克，高汤1000克，植物油30克。

【做法】1.将猪蹄刮洗干净，一剖两半（骨断肉

贮藏香油的窍门 把香油装进一小口玻璃瓶内，以每500克油加入精盐1克，将瓶口塞紧不断地摇动，使食盐溶化，放在暗处3日左右，再将沉淀后的香油倒入洗净的棕色玻璃瓶中，拧紧瓶盖，置于避光处保存，随吃随取。要注意的是，装油的瓶子切勿用橡皮等有异味的瓶塞。

连),斩掉爪筋,投入沸水锅中焯5分钟,捞出备用。

2.将锅置于中火上,放入植物油,烧至七成热,放入葱段、姜片煸炒出香味,加入猪蹄、酱油、料酒、大料、冰糖、精盐和高汤烧沸,撇净浮沫,改用小火炖至猪蹄熟烂,拣出葱段、姜片和大料不用,撒入味精即可。

里脊炖猪蹄

【食材】猪蹄500克,猪里脊肉200克,腌猪肉100克,虾仁20克,薏仁60克。

【调料】葱段10克、姜片6克、精盐5克、味精2克,花椒2克。

【做法】1.将猪蹄去尽细毛,刮洗干净,从骨缝处劈开,剁成大方块;将猪里脊肉和腌猪肉分别切成小方块;虾仁和花椒分别洗净,连同腌猪肉块用纱布包好扎紧口;薏仁淘洗干净。

2.将猪蹄块、猪里脊肉块和腌猪肉块分别投入沸水锅中氽一下,捞出后用温水洗净。

3.将锅置于旺火上,放入猪蹄块、猪里脊肉块、葱段、姜片、纱布包,倒入清水(1500克),烧沸,撇净浮沫,炖10分钟左右,取出纱布包,改用小火炖1个半小时,放入薏仁再炖半小时,至猪里脊肉块、猪蹄块熟烂时,撒入味精和精盐即可。

菜花炖蹄筋

【食材】水发猪蹄筋800克,菜花800克,熟鸡肉200克,熟火腿50克。

【调料】精盐10克,味精4克,料酒25克,猪油15克,高汤1500克,食用碱5克。

【做法】1.将水发猪蹄筋用温水浸泡,加上食用碱除去油腻,用水洗净,切成两半;菜花洗净,切成小块,投入沸水锅中略焯,取出备用;熟鸡肉、熟火腿均切成片。

2.将菜花块、猪蹄筋、熟鸡肉片、熟火腿片和高汤一起放入锅中,加入料酒、精盐、味精和猪油烧沸后,改用小火炖至汤浓、猪蹄筋入味即可。

炖鸡蛋蹄子

【食材】猪前蹄1200克,鸡蛋100克。

【调料】葱段12克,姜片8克,料酒25克,精盐5克,冰糖20克,酱油15克,高汤750克,植物油100克(实耗30克)。

贮藏猪油的窍门 (1)猪油在热天容易变坏,炼油时可以放几粒茴香,盛油时放一片萝卜或几颗黄豆,且在油中加一点白糖、食盐或豆油,可久存无怪味。(2)猪油炼好后,趁其未凝结时,加进一点白糖或食盐,搅拌后密封,可以久存而不变质。

Tips

【做法】1.将猪前蹄的余毛刮尽,剔出骨头,洗净,投入沸水锅中焯10分钟,捞出用清水洗净。

2.将锅置于旺火上,倒入高汤,放入猪蹄(肉皮朝下)、葱段、姜片、料酒、冰糖、酱油、精盐,烧沸,撇净浮沫,再改用小火炖。

3.另取一锅置于中火上,放入植物油,烧至七成热,将煮熟剥去壳的鸡蛋下锅炸至金黄色,倒入漏勺沥油;待猪蹄炖至八成烂时,放入鸡蛋;待蹄子酥烂时起锅离火,拣出葱段和姜片,将猪蹄翻转至肉皮朝上,鸡蛋围在周围即可。

冬菇炖蹄筋

【食材】水发冬菇50克,水发猪蹄筋200克,芸豆40克,蒲菜40克。

【调料】高汤125克,酱油10克,葱末10克,姜末8克,料酒5克,味精3克,精盐4克,湿淀粉5克,花椒油10克,猪油25克。

【做法】1.将水发猪蹄筋洗净,切成段(33厘米长),切成两片,两头划刀口;芸豆、蒲菜洗净切成段(3厘米长)。

2.将锅内置于中火上,倒入清水(500毫升),烧开后放入猪蹄筋片,加入酱油推搅,煮开后捞出,挤净水分放入盘内。

3.将锅放中火上,加入猪油,烧至六成热时,放入葱末、姜末爆锅,再倒入酱油、高汤、

猪蹄筋片、芸豆段、蒲菜段、水发冬菇、精盐,煨炖5分钟后撇净浮沫,待猪蹄筋烂熟后用漏勺将食材捞在大盘内。装盘时,将蹄筋片放在中央,冬菇围在四周。

4.将锅内剩余的汤重新烧开,用湿淀粉勾薄芡,加入料酒、味精、花椒油,然后浇在冬菇蹄筋上片面即可。

炖猪蹄筋

【食材】水发猪蹄筋500克,胡萝卜100克,黄瓜100克。

【调料】精盐10克,味精5克,酱油8克,料酒8克,葱段10克,姜丝5克,湿淀粉8克,花生油20克。

【做法】1.将水发猪蹄筋切成似拇指粗长条洗净,放入沸水锅中稍煮一下,捞出控净水分;将黄瓜、胡萝卜洗净,切条。

2.将锅置于旺火上,倒入花生油烧热,放

保鲜鱼类的窍门(一)(1)在活鱼的嘴里灌几滴白酒,或让鱼吸进二氧化碳和氧的混合物(1:1),或用细绳将鱼唇和肛门缚成"弓形",都可使鱼多活一些时间。(2)将新钓来或新买的鱼立刻用湿纸膜贴上鱼眼,这样短时间离开水的鱼,再放到水中,仍然能够存活。

入姜丝、葱段煸炒,烹入料酒、酱油、清水,稍炖后将猪蹄筋条、精盐、味精放入锅内,开锅后转用小火炖,待猪蹄筋条烂时,放入胡萝卜条、黄瓜条再炖10分钟,用湿淀粉勾芡即可。

豆腐炖大肠

【食材】熟猪大肠400克,豆腐300克,泡辣椒2个,青菜心50克。

【调料】酱油10克,料酒15克,精盐6克,味精3克,植物油30克,高汤500克。

【做法】1. 将熟猪大肠和泡辣椒均用斜刀切成马蹄段;豆腐切成厚片;青菜心洗净,控干水分。

2.将锅置于火上,放入植物油,烧至八成热,放入豆腐片炸至金黄色,捞出沥净油;将猪大肠段和炸豆腐片分别放入沸水锅内焯一下,捞出备用。

3.将锅置于旺火上,放入高汤、猪大肠段、豆腐片、泡辣椒段、酱油、料酒和青菜心烧沸,撇净浮沫,改用小火炖至熟透入味,撒上精盐和味精即可。

肥肠炖干豆腐

【食材】熟猪肥肠、干豆腐各250克,油菜心100克,胡萝卜25克。

【调料】酱油、精盐各3克,味精4克,料酒、花椒水、葱末各5克,姜末、蒜片各3克,猪油20克,香油2克,高汤500克,红油2克。

【做法】1.将熟猪肥肠切成马蹄块,放入沸水锅内焯一下捞出,沥干水分;干豆腐切成长为4厘米的菱形片,用沸水焯一下;油菜心洗净,劈成单叶;胡萝卜去皮,切成小菱形片。

2.将锅置于旺火上,放入猪油烧热,用葱末、姜末、蒜片炝锅,再放入猪肥肠块、胡萝卜

煸炒,添入高汤,加入酱油、精盐、料酒、花椒水,再放入干豆腐片,烧开后转用中火炖15分钟,放入油菜心、味精、红油,再炖3分钟,淋上香油即可。

白菜炖肥肠

【食材】熟猪肥肠50克,白菜200克。

【调料】葱段25克,姜片15克,精盐5克,料酒15克,味精2克,湿淀粉20克,鸡汤150克,植物油30克,明油20克。

【做法】1.将白菜瓣去外帮,切去菜稍,切成两半,放在沸水锅中焯一下,放入水中投凉,沥干水分,顺长切成条(1厘米宽),每条菜根部分菜心、菜帮相连,菜帮向下码在盘中;熟猪肥肠切成斜厚片,摆在白菜的两旁。

保鲜鱼类的窍门(二) (1)将鱼放入隔日的自来水中,并保证每天换一次水,这样鱼能存活一个月左右。(2)将活鱼剖杀后,不要刮鳞,也不要用水冲洗,用布去血污后,放在凉开水中泡一小时后,取出晒干,再涂上点油,挂到阴凉处,可将鱼存放多日,味道如初。

厨房小窍门

2.将锅置于旺火上,倒入植物油,烧至五成热时放入葱段、姜片炝锅,添入鸡汤,加入精盐、料酒和味精,开锅后捞出葱段、姜片不用,将白菜条、熟猪肥肠片推入锅内,改用慢火炖5分钟,再移到旺火上,用湿淀粉勾芡,淋上明油即可。

豌豆炖肥肠

【食材】猪肥肠1000克,干豌豆250克。

【调料】葱段、姜片各30克,葱末5克,花椒10粒,精盐5克,味精2克,醋8克,胡椒粉3克。

【做法】1.将猪肥肠切除肠头圈口,用精盐在大肠内外反复揉洗,去净杂质,然后放入清水中洗净;再用醋反复搓洗,冲洗干净,放入沸水锅中煮15分钟左右,捞出备用。

2.将干豌豆用温水浸泡12个小时,水量以淹过豌豆3厘米为度,泡涨后淘洗1次,沥干水分。

3.将煮过的猪肥肠切成数段,下入沸水锅中,加入葱段、姜片、花椒、胡椒粉,用旺火烧开,然后改用小火炖至七成烂时,捞出猪肥肠,切成约12厘米长的节,再同

Tips

保鲜冬笋的窍门 (1)选完整无伤的冬笋,放入塑料袋中,扎紧袋口,可存放一个月。(2)在木箱底层铺2～3寸湿黄沙,把冬笋尖朝上摆好,再用湿黄沙埋好并将沙子拍实,放在阴凉通风处,可存放1～2个月。(3)在竹笋切面上涂抹一些食盐,然后放入冰箱中冷藏,可使其吃起来鲜嫩爽口。

厨房小窍门

畜肉炖品／猪肉炖品

豌豆一起下锅,继续炖至猪肠烂、汤白、豌豆裂口。

4.食用时在猪肥肠内放入葱末和味精即可。

桂枣炖猪心

【食材】猪心1个,桂圆肉、酸枣仁、柏子仁各10克。

【调料】葱段、姜片各10克,精盐6克,料酒、酱油各8克,味精4克。

【做法】1.将桂圆肉、酸枣仁、柏子仁分别摘洗干净,塞入洗去血水的猪心中。

2.将锅置于旺火上,放入有桂圆肉、酸枣仁、柏子仁的猪心,加入清水(1000毫升)、葱段、姜片、料酒、精盐和酱油烧沸,撇净浮沫,改用小火炖至猪心熟烂,拣出葱段和姜片不用,撒上味精即可。

炖酸笋肥肠

【食材】猪大肠800克,酸笋丝、火腿各200克,水发玉兰片100克,水发香菇150克。

【调料】小苏打、香油各40克,味精、胡椒粉各4克,精盐20克,姜末、蒜末各10克,青椒、香菜各10克,高汤2000克。

【做法】1.用小苏打和香油将猪大肠揉洗,再用清水洗净,放入锅内煮沸 10 分钟;捞出清洗,再下入锅中煮沸 40 分钟,捞出晾凉,切成圆片(直径为 1.5 厘米)备用;将火腿切成片;水发香菇洗净切成片;香菜、青椒洗净切末。

2.将锅置于旺火上,放入高汤烧沸,加入猪大肠片、火腿片和酸笋丝烧沸,再炖20分钟左右,加入水发玉兰片、香菇片、胡椒粉、姜末、蒜末、香菜末和青椒末略炖片刻,撒上味精和精盐即可。

金腿炖猪腰

【食材】熟金华火腿100克,猪里脊肉200克,猪腰300克。

【调料】精盐2克,料酒25克,葱段5克,姜片5克。

【做法】1.将熟金华火腿切成菱形厚片(长 1.5 厘米);猪里脊肉切成小块(1.2 厘米见方);将猪腰撕去外皮,在猪腰的两面直划上 3~5 厘米刀口。

2.将猪里脊肉块、猪腰放入沸水锅中,烫去血污,捞出放入清水中洗净。

3.将猪里脊肉块、猪腰和熟金华火腿片、姜片、葱段放入汤盅中,加入清水(500毫升),上笼隔水蒸炖(用旺火)50分钟左右,撇净浮沫;取出猪腰子横切成腰段(1厘米厚)放入汤盅内,加上精盐、料酒,用中火继续炖50分钟即可。

咸菜炖猪肚

【食材】熟猪肚400克,潮州咸菜1袋。

【调料】干红椒15克,高汤500克,料酒15克,精盐10克,味精3克,胡椒粉2克,香菜10克。

【做法】1.将熟猪肚、潮州咸菜冲洗干净后切成片,分别投入沸水锅中焯一下,捞出备用;香菜、干红椒洗净,切成段。

2.将锅置于旺火上,放入熟猪肚片、潮州咸菜片、料酒、干红椒段和高汤烧沸,撇净浮沫,盖上锅盖,改用小火炖10分钟左右,撒上精盐、味精、胡椒粉和香菜段即可。

炖猪肚蹄汤

【食材】熟猪肚200克,熟猪蹄500克,水发木耳50克,青菜心50克。

做腊肉的窍门 可将1000克猪肉切成33厘米长、27厘米厚的长条,把已经混合好的酒(5克)、盐(50克)、酱油(100克)和五香粉(10克)均匀地搓入肉中,放置一夜。然后用细绳穿过肉条的一头拴好,把肉放入开水锅中烫,烫到外表不红为止,再挂到屋外晾晒,60天左右就可以食用。

Tips

【调料】葱段10克，姜片、精盐各5克，味精3克，胡椒粉1克，料酒15克，植物油30克。

【做法】1.将熟猪蹄洗净后剔去骨头，与熟猪肚一起切成片；水发木耳择洗干净，撕成小朵；青菜心洗净切成段。

2.将锅置于旺火上，放入植物油，烧至四成热时，放入葱段、姜片煸炒出香味，倒入清水（1000毫升）、熟猪肚片、熟猪蹄片、水发木耳、精盐、味精、料酒、胡椒粉烧沸，撇净浮沫，改用小火炖半小时左右，放入青菜心段再炖7分钟即可。

火腿炖猪肾

【食材】猪肾800克，火腿200克，冬笋500克，豌豆苗50克。

【调料】鸡汤500克，料酒20克，精盐6克，味精4克，葱段、姜片各10克。

【做法】1.将猪肾剥去外层薄膜，剖开洗净腰臊，在其两面分别直划几刀，投入沸水锅内焯一下，捞出洗净，顶刀切成薄片；冬笋除掉老根和硬尖，剥去笋叶，削净老皮，与火腿均切成骨牌片，分别投入沸水锅内焯一下；豌豆苗择洗干净。

2.将锅置于旺火上，放入焯好的猪肾片、火腿片和冬笋片，加入料酒、精盐、鸡汤、葱段和姜片烧沸，撇净浮沫，改用小火炖至熟烂，拣出葱段、姜片不用，撒入味精和豌豆苗再烧沸即可。

慢炖猪肚肺

【食材】熟猪肚500克，熟猪肺300克，冬笋、香菇各30克。

【调料】料酒30克，植物油50克，葱段、姜片各10克，味精3克，高汤1000，精盐10克。

【做法】1.将熟猪肚切成片，熟猪肺切成柳叶片，分别放入沸水中氽一下，捞出备用；冬笋、香菇分别洗净，切成片。

2.将锅置于旺火上，放入植物油烧热，将葱段和姜片炸出香味，加入高汤、精盐、料酒、冬笋片、香菇片、熟猪肚片和熟猪肺片，烧沸后改用小火炖至酥烂入味，撇净浮沫，撒上味精即可。

Tips

去肥肉腻味的技巧（1）啤酒去腻法：在烹调时，加1杯啤酒，可去肥肉腻味，吃起来会很爽口。（2）腐乳去腻法：把肥肉切成薄片，加调料炖在锅里，按500克猪肉1块腐乳的比例，将腐乳放在碗里，加适量温水，搅成糊状，等开锅后倒入锅里，再炖3~5分钟即可。这种方法炖出来的肥肉不腻且味道鲜美。

牛肉炖品

2.将炒锅置于旺火上,倒入植物油,烧至五成热时, 依次放入牛瘦肉片炸成深红色捞出;在锅内留底油(10克),放入花椒煸炒出香味,烹入料酒、酱油,倒入高汤,放入炸好的牛瘦肉片,加入白糖、精盐、味精,烧开锅,改用小火炖,待牛瘦肉炖烂后再改用大火收汁,至汤浓即可。

蚕豆炖牛肉

【食材】牛瘦肉500克,蚕豆250克。

【调料】精盐6克,味精2克,料酒10克,姜片5克。

【做法】1.将牛瘦肉放入锅中,加入清水(800毫升),置火上稍煮后捞出,切成块。

2.将锅置于旺火上,放入牛瘦肉块、蚕豆、精盐、料酒、姜片和清水(1000毫升),烧沸后改用小火慢慢炖至牛瘦肉块熟烂, 撒上味精即可。

土豆炖牛肉

【食材】牛肉300克,土豆250克。

【调料】葱段5克,姜片5克,咖喱粉25克,精盐5克,味精2克,酱油25克,料酒5克。

【做法】1.将土豆洗净去皮,切成三角块;牛肉切成块,放入沸水中焯一下,捞出备用。

2.将锅置于慢火上,加入清水(600毫升),放入牛肉块、料酒、葱段、姜片烧开,撇净浮沫;放入土豆块,待快熟时,加入精盐、酱油、咖喱粉,熟后加入味精即可。

陈皮炖牛肉

【食材】牛瘦肉500克。

【调料】陈皮50克,姜段、葱片各30克,干红椒10个,白糖15克,料酒15克,花椒3克,精盐5克,味精3克,酱油15克,植物油50克,高汤1000克。

【做法】1.将牛瘦肉斜切薄片;陈皮洗净,沥干水分;干红椒洗净,沥干水分,切成段。

炖猪肉的技巧 (1)小火慢炖法:炖猪肉时,在旺火烧开后,改用小火慢慢地炖,肉质就能酥烂,且能肥而不腻。(2)沙锅炖肉法:沙锅比铁锅、铝锅传热缓慢而均匀,沙锅的内壁和盖子涂有一层釉,可使食物不会产生化学反应,炖出的肉色正、味美,保持食物原有的味道,所以用沙锅炖肉香。

厨房小窍门

炖牛肉胡萝卜

【食材】牛肉1000克,胡萝卜250克。

【调料】酱油30克,料酒15克,精盐4克,白糖
10克,葱段、姜片各25克,花椒、大料
各2克,植物油15克。

【做法】1.将牛肉切成块,放入沸水锅中焯一
下,捞出控净水,再用清水冲去浮沫;胡萝卜
洗净,切成滚刀块。

2.将锅置于旺火上,倒入植物油烧热,放
入花椒、大料、葱段、姜片煸炒出香味,放入焯
好的牛肉块煸炒,加上料酒、酱油、清水(没过
牛肉块5厘米)、白糖,烧沸后转入小火,炖至
牛肉块八成熟时加上精盐和切好的胡萝卜
块,炖至牛肉块、胡萝卜块熟透即可。

清炖牛肉三样

【食材】牛肋条肉1000克,土豆150克,尖辣
椒100克,西红柿150克。

【调料】精盐4克,料酒5克,味精5克,花椒水
5克,番茄酱25克,葱段8克,姜片8
克,白糖5克。

【做法】1.将牛肋条肉洗净,切成方块;土豆
去皮,切滚刀块,放入清水盆内;尖辣椒去
蒂、去籽,洗净,切斜刀块;西红柿去蒂,切成
瓣状。

2.将锅置于旺火上,加入清水(1500毫
升),放入牛肋条肉块烧开,连续往外撇沫;待
浮沫已基本撇净,转入小火,加上葱段、姜片、
精盐、花椒水、料酒,炖40分钟左右;加入土豆
块和番茄酱,炖至土豆块软烂,再加尖辣椒块
和西红柿瓣、味精、白糖,再炖3分钟即可。

清炖香牛肉

【食材】牛肉500克。

【调料】味精20克,花椒25克,大料25克,葱
段200克,姜块100克,香菜50克,精
盐10克。

【做法】1.将牛肉洗净后切成块,放入清水中
浸泡1个小时,捞出放入沸水锅内氽透,取出
用温水洗净;花椒和大料装入白纱布做成的
调料袋;香菜洗净,切成段。

2.将锅置于旺火上,倒入泡牛肉块的水烧
沸,撇净浮沫;加入牛肉块、有花椒和大料的
调料袋、葱段、姜块和精盐再烧沸,改用小火
炖至酥烂,拣出葱段、姜块和调料袋,盛入大
汤碗内,撒入味精和香菜即可。

保鲜酱油和醋的窍门 (1)购买前,先把容器中残留的酱油、醋倒掉,然后用水洗刷干净,再用开水烫一下。(2)酱油、醋买回后,最好先放入锅中烧开,待凉后再装瓶,且要盖严瓶盖。(3)在酱油、醋里加一段葱白或几瓣大蒜,可以防止发霉。(4)醋最好用玻璃、陶瓷器皿贮藏。

厨房小窍门

挑选鲜萝卜的窍门 (1)萝卜的形状有长、圆、扁圆、卵圆、纺锤、圆锥等,皮色有红、绿、白、紫等。在挑选时应选大小均匀、无病变、无损伤的鲜萝卜。(2)应选皮细嫩、光滑的萝卜,用手指弹碰其腰部,声音沉重、结实表示萝卜没有糠心,如果声音混浊,则多为糠心萝卜。

红枣炖牛肉

【食材】牛肉500克,红枣300克。

【调料】植物油50克,番茄酱200克,精盐5克,味精1克,酱油5克,老汤750克,葱段、姜块各8克,姜末4克,香油3克,白糖10克,料酒20克,胡椒粉2克。

【做法】1.将牛肉切成块(5厘米见方),投入沸水锅内氽去血沫,放入高压锅内,加入葱段、姜块、精盐和酱油煮熟;红枣洗净去核后用清水浸泡半小时。

2.将锅置于中火上,放入植物油烧热,放入葱段、姜末煸炒出香味,再放入番茄酱煸炒片刻,加入老汤、精盐、白糖、酱油、料酒、牛肉块和红枣炖25分钟至熟透入味,撒入胡椒粉和味精,淋上香油即可。

金针炖牛肉

【食材】牛肉200克,水发金针菜、水发黑木耳各80克,去核红枣2颗。

【调料】精盐3克,姜片5克,香油5克,味精2克,植物油60克,酱油4克,干淀粉4克,小苏打1克,高汤500克,胡

椒粉2克。

【做法】1.将牛肉切片,与酱油、小苏打、干淀粉、清水放入碗内拌匀,加入植物油10克,腌半小时即可。

2.将锅置于旺火上,放入植物油烧热,放入姜片、腌牛肉片爆炒;倒入高汤,放入水发金针菜、水发黑木耳、去核红枣和精盐,烧沸后全部倒入炖锅中,用小火炖至腌牛肉片熟透,撒入胡椒粉和味精,淋上香油即可。

西芹炖牛肉

【食材】牛肉600克,西芹200克。

【调料】葱段10克,姜末5克,大料4克,白糖15克,味精3克,料酒30克,酱油25克,湿淀粉20克,植物油50克,精盐8克,香油3克。

【做法】1.将牛肉放入沸水锅中烧沸,改用小火炖至牛肉酥烂时,捞出晾凉后切成方条,整齐地排在盘中,牛肉汤备用;西芹洗净切段,放入菜盘中,加精盐拌和。

2.将炒锅置于旺火上,放入植物油,烧至六成热,放入葱段、姜末和大料煸炒出香味,把牛肉条整齐地推入锅中,加入酱油、白糖、料酒和牛肉汤,盖上锅盖烧沸,转用小火炖15分钟至入味,用湿淀粉勾芡。

3.将炖锅置于火上,放入植物油烧热,将西芹段爆出香味,随即把牛肉条整齐地滑入炖锅中,撒入味精,淋上香油,盖上锅盖烧沸即可。

炖五香牛肉

【食材】牛肉500克。

【调料】酱油150克,葱段、姜片各7克,花椒、大料各5克,桂皮10克,白糖20克,植物油300克(实耗50克)。

【做法】1.将牛肉切成块;花椒和大料装入纱布袋中扎好口。

2.将锅置于旺火上,放入植物油烧热,把牛肉块炸成杏黄色,捞出控油。

3.另取一锅置于旺火上,放入清水1000毫升、有花椒和大料的纱布袋、酱油、白糖、桂皮、葱段和姜片,烧沸后放入炸好的牛肉块,用菜盘将牛肉块压在锅底,改用小火炖至牛肉块酥烂、汤汁接近收干为止。

香菇炖牛肉

【食材】牛肉500克,柿子300克,水发香菇200克。

【调料】植物油50克,高汤750克,鸡精5克,

番茄酱100克,酱油10克,葱末、姜末各5克,精盐5克,味精3克,胡椒粉2克,香油3克。

【做法】1.将牛肉洗净,切成块,投入沸水锅中余去血沫,捞入高压锅内加清水1000毫升煮熟;水发香菇去根洗净;柿子洗净,切成滚刀块。

2.将锅置于中火上,放入植物油烧热,放入葱末、姜末煸炒出香味,加入精盐、味精、胡椒粉、鸡精、番茄酱、酱油、高汤、牛肉块、水发香菇和柿子块炖20分钟左右至熟透入味,淋上香油即可。

洋葱炖牛肉

【食材】牛里脊肉400克,洋葱2个,鸡蛋清半个。

【调料】植物油100克(实耗约50克),精盐5克,味精2克,料酒10克,酱油10克,苏打粉3克,胡椒粉2克,高汤500克,干淀粉8克,湿淀粉10克,香油2克,姜丝、蒜蓉各20克,葱末4克。

【做法】1.将牛里脊肉洗净,切成薄柳叶片,沥干水分,放入碗内,加入料酒、蒜蓉、苏打粉、精盐和清水搅拌上劲,再用半个蛋清和干淀粉拌和上浆,放入植物油15克拌匀;洋葱去

挑选冬瓜的窍门 冬瓜应该选择瓜体肥壮、坚硬、无伤痕霉烂且没受过剧烈震动,外表带有一层白霜的。不要购买有纹肉、瓜身较轻的冬瓜。肉质有花纹,是因为瓜肉变松;瓜身很轻,表示冬瓜已经变质,味道也苦。冬瓜要放在阴凉、通风、干燥的地方存放。

厨房小窍门

皮洗净,切粗丝。

2.将锅置于旺火上,放入植物油75克烧至六成热,投入牛里脊肉片炸至八成熟,倒入漏勺沥净油。

3.在原锅内留底油10克烧热,放入洋葱、姜丝和蒜蓉煸香,加入料酒、精盐、酱油和高汤,烧沸后用湿淀粉勾芡,放入牛里脊肉片拌匀,撒上葱末、味精和胡椒粉,淋上香油,盖上锅盖再炖片刻即可。

炖牛肋条肉

【食材】牛肋条肉1200克。

【调料】葱段10克,姜片10克,精盐8克,味精3克,胡椒粉2克,花椒2克,料酒20克,酱油30克,植物油15克。

【做法】1.将牛肋条肉切成块3厘米见方,放入沸水锅内余一下,撇净浮沫,随即将牛肋条肉块捞到温水盆中洗去血沫。

2.将锅置于旺火上,放入植物油烧热,将葱段、姜片和花椒煸出香味,加入牛肋条肉块、酱油、料酒及少许澄清过的煮牛肋条肉块的汤烧沸,加入精盐和胡椒粉,调成咸鲜味,再用小火炖至肉烂汁浓,撒入味精即可。

粉丝牛腿肉

【食材】牛后腿肉300克,绿豆粉丝200克。

【调料】料酒20克,大料1克,桂皮2克,香叶2克,酱油15克,姜片7克,葱段5克,干

红椒4克,花椒5粒,精盐5克,胡椒粉2克,香油3克,香菜4克,味精2克,高汤500克,植物油20克。

【做法】1.将牛后腿肉洗净,放入汤锅中,加入料酒、大料、桂皮、香叶、酱油、姜片和清水1000毫升,烧沸后改用小火炖1个小时至牛后腿肉九成熟,捞出晾凉后切成薄片;绿豆粉丝用温水浸泡1个小时,捞出剪成段;香菜洗净切成段。

2.将锅置于旺火上,放入植物油烧热,将葱段、姜片、干红椒和花椒煸炒出香味捞出,加入高汤、精盐和酱油,烧沸后放入绿豆粉丝段和牛后腿肉片,再烧沸,改用小火炖2分钟,撒入香菜段、胡椒粉和味精,淋上香油即可。

冬笋牛腱肉

【食材】牛腱子肉(牛前腿根部的肌肉)1200克,冬笋100克。

挑选苦瓜小窍门 判断苦瓜好坏,要靠苦瓜身上一粒一粒的果瘤。果瘤颗粒越大、越饱满,表示苦瓜的瓜肉越厚;颗粒愈小,表示瓜肉越薄。此外,还要挑选果形直立、颜色洁白、漂亮的。因为如果果瓜出现黄化,就说明已经过熟,果肉不够脆,会失去苦瓜应有的口感。

厨房小窍门

畜肉炖品\牛肉炖品

27

识别银耳的优劣 （1）优质银耳：呈乳白色或米黄色，略有光泽，朵形大而圆整，肉肥厚，无杂质，无脚耳，水发胀性好，略有清香。（2）次质银耳：色泽不纯，耳质较硬，嚼之有声，耳基未除尽，水发胀性差。（3）变质银耳：呈灰黄色或暗绿色，瘦小不成形，肉薄不透明，无弹性，易碎，有斑点。

厨房小窍门

【调料】植物油 750 克（实耗 100 克），料酒、葱段、姜片各 15 克，酱油 50 克，白糖和精盐各 3 克，味精 4 克，大料、桂皮和花椒各 1 克，鸡汤 1000 克。

【做法】1.将牛腱子肉剔去杂物洗净，切成块；冬笋洗净，切成滚刀块；大料、桂皮和花椒用纱布袋包好，扎紧口。

2.将锅置于旺火上，放入植物油烧热，投入牛腱子肉块炸透捞出，再放入冬笋块炸透，与牛腱子肉块一起倒入另一锅内。

3.原锅内留底油 20 克，重新置于中火上烧热，将葱段和姜片略煸出香味，倒入鸡汤、料酒、酱油、白糖、精盐，以及有桂皮和花椒的调料包烧沸，撇净浮沫，倒入盛有牛腱子肉块的锅内，烧沸后改用小火炖至肉烂，撇净浮沫，拣出葱段、姜片和调料包不用，撒上味精即可。

酸青菜炖牛肉

【食材】牛里脊肉 400 克，泡酸青菜 40 克。

【调料】湿淀粉 50 克，鸡汤 750 克，胡椒粉 3 克，醋 6 克，香油 3 克，精盐 3 克，味精 3 克，料酒 10 克，虾油 18 克，姜片 18 克，葱白段 25 克，姜汁 12 克，葱汁 20 克。

【做法】1.将牛里脊肉洗净，除尽油筋，剁成块；泡酸青菜洗净，切成粒。

2.取一小盆，放入牛里脊肉块，用姜汁、葱汁、清水、料酒腌 15 分钟。

3.将炒锅置于旺火上，放入鸡汤、姜片、葱白段、料酒烧沸，撇净浮沫；取勺搅转高汤，慢慢倒入牛里脊肉块，用小火炖至牛肉块熟烂，加入胡椒粉、精盐、味精、虾油、泡酸青菜粒，炖入味，加湿淀粉勾芡，轻轻推动后放入醋、香油，盛入碗内即可。

麻辣牛肉块

【食材】牛肉 500 克。

【调料】姜块 10 克，姜末 8 克，葱段 8 克，花椒 20 粒，辣椒粉 15 克，胡椒粉 8 克，精盐 5 克，料酒 10 克，酱油 45 克，熟芝麻 15 克，味精 15 克，香油 15 克，植物油 50 克。

【做法】1.将牛肉去筋，切成块，放入清水锅内烧开，撇净浮沫，加入姜块（拍松）、葱段、花椒，用小火煮至断生捞起，晾凉备用。

2.将锅置于旺火上，放入植物油，烧至六成热,放入牛肉块,炸出牛肉中的水分后捞出。

3.锅内留底油20克烧热,放入辣椒粉、姜末,用小火炒出红色后倒入煮牛肉块的汤,放入牛肉块,加精盐、酱油、料酒,烧开后改用小火慢炖。

4.汤快干时要不停地翻锅,汤汁炖至转浓时加入味精、香油调匀,起锅装入盘内,加入胡椒粉、熟芝麻,淋上香油,拌匀晾凉即可。

咖喱炖牛蹄

【食材】牛蹄800克,土豆500克,洋葱50克,胡萝卜150克。

【调料】料酒和面粉各50克,香叶5片,精盐8克,白糖5克,油咖喱30克,植物油500克(实耗约60克)。

【做法】1.将牛蹄用温水洗净,切成小方块,投入沸水锅中焯一下,捞出洗净血污;胡萝卜切成滚刀块,投入沸水锅中焯一下沥干水分;土豆去皮切成滚刀块;洋葱切成末和丝。

2.将炒锅置于旺火上,放入植物油,烧至六成热,投入土豆块炸至金黄色,放入漏勺内沥净油。

3.原锅置火上,留底油10克烧热,取一半洋葱末煸炒出香味,加入牛蹄块、料酒、土豆块、胡萝卜块、香叶和清水1000毫升,烧沸后改用小火炖至牛蹄块酥烂。

4.另取一炒锅置中火上,放入植物油烧热,将另一半洋葱末入锅煸炒出香味,随即下入面

粉炒香,加入油咖喱炒匀后,把烧牛蹄块的汤滗入炒匀,放入牛蹄块、精盐和白糖烧至入味,起锅后倒入放好洋葱丝的热锅中略炖片刻即可。

葱头炖牛蹄

【食材】煮熟的牛蹄400克,洋葱头1个。

【调料】料酒25克,酱油30克,白糖5克,植物油50克,白汤300克。

【做法】1.将煮熟的牛蹄切成厚片;洋葱头切成块。

2.将锅置于中火上,放入植物油烧热,放入洋葱块炒出香味,加入牛蹄片、料酒、酱油、白糖和白汤烧沸,盖上锅盖,略炖片刻即可。

牛筋炖土豆

【食材】牛蹄筋750克,土豆500克。

鸡鸭注水巧识别 (1)注水的鸡鸭肉特别有弹性,拍一下会有"噗噗"的声音。(2)鸡鸭的翅膀下有红针点或呈乌黑色。(3)如果鸡鸭的皮层打滑,则一定是注过水的鸡鸭。(4)用手指在鸡鸭腔内膜和网状内膜上面轻轻地一抠,注过水的鸡鸭肉会流出水来。皮下注过水的鸡鸭,肉会高低不平。

Tips

畜肉炖品／牛肉炖品

【调料】酱油25克,精盐、味精各5克,葱段10克,姜片、花椒水、料酒、白糖各5克,植物油500克(实耗30克),高汤1000克。

【做法】1.用高压锅将牛蹄筋炖烂取出,晾凉后切成块(2厘米长);土豆去皮,切成滚刀块,放入用油锅中炸至金黄色,捞出备用。

2.将锅置于中火上,放入植物油(20克)烧热,用葱段、姜片爆锅,添入高汤,加入酱油、精盐、料酒、花椒水、白糖,再放入牛蹄筋块和炸好的土豆块,炖至土豆块酥烂,放入味精即可。

牛筋炖双萝

【食材】煮熟的牛蹄筋200克,白萝卜150克,胡萝卜150克。

【调料】精盐2克,味精1克,酱油5克,干红椒8克,高汤150克,香菜段5克。

【做法】1.将熟牛蹄筋切成小方块备用;胡萝卜、白萝卜洗净,切成菱形块,并放入沸水锅

中焯一下,捞出备用。

2.将锅置于中火上,倒入高汤,放入熟牛蹄筋块、胡萝卜块、白萝卜块,加入精盐、酱油、味精、干红椒,炖8分钟,出锅撒上香菜段即可。

炖牛筋土豆小萝卜

【食材】煮熟的牛蹄筋300克,土豆200克,小水萝卜50克。

【调料】葱段10克,姜片10克,精盐3克,味精8克,酱油6克,花椒3克,大料2克,干红椒10克,高汤750克,猪油25克。

【做法】1.将熟牛蹄筋切成小方块;土豆切成大方块;干红椒切成细丝。

2.将锅内放猪油烧热,用葱段、姜片爆锅炒出香味,添入高汤,加入酱油、花椒、大料、干红椒丝,放入熟牛蹄筋块、土豆块,加入精盐,炖至土豆块酥烂,再放入小水萝卜炖3分钟,加入味精即可出锅。

香菇炖牛筋

【食材】牛筋600克,水发香菇100克,红枣10颗,枸杞15克,莲子15克。

【调料】料酒15克,精盐、味精各5克,高汤1000克。

【做法】1.将牛筋去油,整理干净,切成方块,放入沸水锅中略烫,捞出沥干水分;将水发香菇去蒂,对切成两半;红枣、枸杞、莲子洗净备用。

鲜蛋、陈蛋的辨别 可以用精盐测试禽蛋是否新鲜。取一盆清水,加上1匙精盐,将精盐搅匀,使其溶化;把蛋放入盐水中,如果是新鲜的蛋则会沉入水底,不新鲜的蛋则浮在水上,放置时间较长的蛋会半沉半浮。可以根据蛋的鲜度不同来选择不同的烹调方法。

厨房小窍门

2.将锅置于旺火上,放入牛筋块、香菇、红枣、枸杞、莲子,倒入高汤,加入料酒、精盐、味精,烧开后改用小火炖3个小时,炖至牛筋块烂熟即可。

枸杞炖牛筋

【食材】水发牛筋600克,枸杞30克。

【调料】精盐6克,白糖5克,料酒10克,香油5克,味精4克,胡椒粉2克,湿淀粉8克,奶汤300克,葱段、姜片各3克,植物油100克(实耗60克)。

【做法】1.将水发牛筋投入沸水锅中滚煮片刻,捞出洗净,切成条(5厘米长);枸杞洗净。

Tips

鉴别鲜蛋质量 (1)新鲜的鸡蛋表面完整、无裂纹,蛋壳上有霜状粉末;在耳边轻轻振荡没有声音;在日光或灯光下透视,蛋内呈鲜红色,蛋黄轮廓清晰;空头小,较重。(2)不新鲜的鸡蛋表面光滑无霜末,在日光或灯光照射下,有黑点或混浊,空头大、重量轻,放在水中不下沉,打开后有异味。

2.将锅置于火上,放入植物油烧至六成热,放葱段、姜片爆出香味,投入牛筋条炸上色,倒入漏勺沥油。

3.将锅置于旺火上,倒入奶汤,加入精盐、料酒、白糖、牛筋条和枸杞,烧沸后改用小火炖至牛筋条软糯、汤浓时,用湿淀粉勾芡,撒入味精和胡椒粉,淋上香油即可。

肉末炖牛筋

【食材】水发牛筋300克,猪肉末100克。

【调料】豆瓣酱25克,酱油6克,白糖、料酒20克,味精3克,胡椒粉2克,植物油200克(实耗50克),奶汤250克,湿淀粉10克,蒜蓉20克,葱末、姜末各10克。

【做法】1.将水发牛筋投入沸水锅中焯一下,捞出沥干水分,切成均匀的段;豆瓣酱斩成碎末。

2.将锅置于旺火上,放入植物油烧热,投入牛筋段滑油,倒入漏勺沥油。

3.将原锅留底油烧热,放入葱末、姜末和蒜蓉炒出香味,放入猪肉末炒散,再加入豆瓣酱炒出红油,加入酱油、料酒、白糖和牛筋段烧至上色,倒入奶汤烧沸;转用小火炖至牛筋段酥烂入味;再改用旺火炖10分钟,用湿淀粉勾芡,撒入味精和胡椒粉即可。

洋葱炖牛筋

【食材】牛筋500克,洋葱100克。

【调料】料酒5克,蚝油30克,白糖10克,味精3克,酱油15克,湿淀粉6克,白汤150克,植物油、葱段、姜块各7克,葱油10克。

【做法】1.将牛筋洗净,投入沸水锅中焯一下,取出放入冷水锅中;加入姜块(拍松)、葱段和料酒,置火上烧沸,用小火炖至牛筋发软捞出,再换冷水,盖上锅盖烧酥;将洋葱洗净,切成丝。

2.将锅置于旺火上,放入植物油烧热,放入葱段和姜块炸出香味,倒入白汤烧沸,拣出葱段和姜块不用,加入烧酥的牛筋、料酒、酱油、蚝油和白糖烧沸,改用小火炖至汤浓,再转用旺火炖,用湿淀粉勾芡。

3. 另取一锅置旺火上,放入植物油(15克)烧热,放入洋葱丝爆香,将牛筋连汤倒入,撒入味精,淋上葱油,盖上锅盖,炖沸2分钟即可。

酸辣牛筋笋

【食材】牛筋500克,莴笋250克,西红柿2个。

【调料】精盐5克,酱油10克,茄汁100克,辣椒酱7克,白糖、蒜蓉各5克,醋3克,干红椒6克,葱段、姜片各7克,陈皮2克,香油3克,植物油30克。

【做法】1.将牛筋投入加植物油、葱段、姜片和醋的水中浸泡2个小时,倒出水分,冲洗干净;莴笋去皮洗净,切成块;西红柿洗净,切成块;陈皮放入水中泡软;干红椒洗净,切成末。

2.将锅置于中火上,放入植物油烧热,放入葱段、姜片炒出香味,投入牛筋略炒几下,加入莴笋块、西红柿块、陈皮、干红椒末、茄汁、辣椒酱、白糖、蒜蓉、精盐、香油、酱油和清水500毫升烧10分钟后改用小火炖20分钟左右,关火后放10分钟。

3.锅再置火上,如此反复三四次(如果水分不足可以加入沸水补充)即可。

蒜头炖牛筋

【食材】水发牛筋600克,蒜头150克。

【调料】蚝油25克,白糖、香菜各15克,料酒30克,味精、精盐各3克,酱油50克,胡椒粉2克,葱段、姜片各20克,奶汤200克,鸡汤300克,植物油500克(实耗50克)。

【做法】1. 将水发牛筋投入沸水锅中焯一下,捞出沥干水分;蒜头去皮,切成末;香菜洗净,切成末。

2.将锅置于旺火上,放入植物油,烧至八成热,投入牛筋滑油后,倒入漏勺沥净油;热锅放回火上,加植物油,放入葱段、姜片煸出香味,倒入奶汤和料酒烧沸,投入滑过油的牛筋,盖上锅盖改用小火炖15分钟左右,拣出葱段、姜片不用,捞出牛筋沥干。

3.另取一锅置于旺火上,放入植物油烧热,放入葱段、姜片爆出香味,放入牛筋稍炒后,加入酱油、白糖、蚝油和精盐,烧至上色后,加入鸡汤烧沸,转用小火炖40

保存虾米的窍门 (1)淡质虾米可摊在太阳光下,待其干后,装入瓶内,保存起来。(2)咸质虾米,切忌在阳光下晾晒,只能将其摊在阴凉处风干,再装进瓶中。(3)无论是保存淡质虾米,还是保存咸质虾米,都可将瓶中放入适量大蒜,以避免虫蛀。

厨房小窍门

畜肉炖品/牛肉炖品

分钟左右,加入用植物油炒香的蒜末,撒入香菜末、味精和胡椒粉,盖上锅盖略炖片刻即可。

莲子炖牛尾

【食材】牛尾1条,莲子50克,芡实10克。

【调料】盐适量。

【做法】1.将牛尾刮去皮毛,洗净切小段。

2.莲子洗净,入沸水锅中焯10分钟,捞出后去莲衣、莲心;芡实洗净,放入清水中浸泡。

3.锅内注入适量清水,放入牛尾、莲子、芡实,用旺火烧开后撇净浮沫,改中火炖3小时,至牛尾熟烂,下盐调味即可。

花生炖牛腩

【食材】牛腩肉500克,花生仁50克,牛奶500克,红枣10枚。

【调料】陈皮10克,姜10克,盐适量。

【做法】1.牛腩肉洗净后放沸水锅中煮5分钟,取出洗净切小块;花生仁用热水烫过,去衣。

2.红枣洗净去核;陈皮浸软,去瓤洗净;姜去皮切片。

3.锅中注入适量清水烧开,放入牛腩块、花生仁、红枣、陈皮、姜片,煮开后撇净浮沫,用小火炖3小时,将收汁时下盐调味即可。

田七党参炖牛尾

【食材】牛尾250克,田七15克,党参25克。

【调料】姜10克,盐适量。

【做法】1.牛尾去残毛,洗净切段,入沸水锅内焯一下,捞出洗净。

2.田七、党参分别洗净,田七打碎;姜去皮切片。

3.炖锅内注入适量清水,将田七、党参、牛尾、姜片放入,用旺火煮开,然后改小火炖煮3小时,下盐调味即可。

腌肉的窍门 腌肉时,加入适量的白糖,能改善成品的滋味,缓冲咸味,使肉具有特殊的鲜美味,促进肉中的胶元蛋白质膨胀、肉组织柔软多汁,增加其营养价值,对腌肉的质量起到良好的效果。但是白糖也不宜添加过多,否则可能引起盐液发酵和肉质腐败。

Tips

羊肉炖品

参片炖羊肉

【食材】羊肉250克,白萝卜200克,西洋参片
　　　　5克。

【调料】葱段、姜片各15克,精盐4克,味精1
　　　　克,料酒30克。

【做法】1.将羊肉洗净,切成条,放入沸水锅中
汆透,捞出备用;白萝卜洗净削皮,切成条;西
洋参片用温水泡软。

　　2.将锅置于旺火上,倒入清水1000毫升,加
入羊肉、西洋参片、葱段、姜片、料酒,烧沸后改
用小火慢炖至羊肉软烂,拣出葱段、姜片不用,
加入精盐、白萝卜条、味精再炖10分钟即可。

豆腐炖羊肉

【食材】羊肉、豆腐各400克,河虾50克。

【调料】料酒30克,花椒10粒,精盐6克,味精
　　　　3克,植物油30克,蒜蓉5克,葱段、姜
　　　　片各10克。

【做法】1.将羊肉洗净,切成块;将豆腐切成
块。

　　2.将锅置于旺火上,放入植物油,烧至四
五成热,放入花椒炸出香味,捞出不用,放入
蒜蓉炒出香味,再放入羊肉块炒至水干,加入
清水、河虾、料酒、葱段和姜片烧沸,改用小火
炖至羊肉酥烂,加入豆腐块再炖10分钟,撒上
精盐和味精即可。

炖羊肉鲜蘑香菜

【食材】带骨羊肋骨肉500克,蘑菇250克,香
　　　　菜250克。

【调料】奶油25克,高汤500克,红葡萄酒50
　　　　克,植物油100克(实耗约50克),番
　　　　茄酱10克,辣椒粉5克,胡椒粉2克,
　　　　精盐5克。

【做法】1.将蘑菇洗净,去蒂,切成薄片;将带

洗猪肉的窍门 (1)生猪肉粘上了脏物,用水冲洗时油腻腻的,越洗越脏。如果用温淘米水洗两遍,再用清水洗,就能除去脏物。(2)拿一团和好的面,在脏肉上来回滚动,也能很快将脏物粘下。(3)鲜肉粘上煤油味(包括柴油、机油),可以用浓红茶水泡,30分钟后冲掉,油味异味即可除。

厨房小窍门

大料、花椒、酱油、精盐，翻动均匀后盖上锅盖，火烧开后改用小火保持开状，过10分钟后翻动一次，再烧开，焖锅6分钟，放入香菜段、味精即可。

洗猪肠的窍门（一） （1）将猪肠放在淡盐醋混合溶液中浸泡片刻，摘去脏物，再将其放入淘米水中泡一会儿，然后在清水中轻轻搓洗两遍即可。若在淘米水中放几片橘皮，异味更易除去。（2）将猪肠翻卷过来，然后将洗净的葱结捣碎，按照葱结和肠1:10的比例放在一起搓揉，直至无滑腻感时，反复用水冲洗，异味即除。

厨房小窍门

骨羊肋骨肉洗净，剁成小块；香菜洗净，切成段。

2.将锅置于旺火上，放入植物油烧热，放入羊肋骨肉块，把两面都煎上色；锅内留底油，添入高汤，加入精盐、胡椒粉、辣椒粉和红葡萄酒，烧开后转用小火焖15分钟，再加入番茄酱、香菜段。

3.另起油锅烧热，放入奶油、蘑菇片煽炒，然后倒入羊肉锅内，再炖5分钟即可。

羊肉炖茄子

【食材】羊肉250克，茄子750克。

【调料】葱段8克，姜片、蒜片各6克，香菜10克，大料、花椒各2克，味精3克，酱油10克，精盐8克，高汤400克，植物油30克。

【做法】1.将羊肉洗净，切成薄片；茄子洗净去蒂，切成滚刀块；香菜洗净，切成段。

2.将锅置于旺火上，放入植物油烧热，放入羊肉片轻煸几下，加入葱段、姜片、蒜片，再放入茄子块轻煸几下，添入高汤，加上

萝卜炖羊肉

【食材】羊肉300克，白萝卜200克。

【调料】苹果、陈皮、姜各4克，精盐6克，香油4克，味精2克，葱段10克，姜片5克。

【做法】1.将羊肉剔去筋膜，洗净，投入沸水锅中焯一下，去掉血水，捞出后再用凉水洗净，切成丁；萝卜洗净，切成片；苹果、陈皮和姜放入纱布袋内，扎紧袋口。

2.将锅置于旺火上，放入羊肉丁和装有苹果、陈皮和姜的纱布袋，加入清水600毫升、姜片、葱段烧沸，撇净浮沫，改用小火炖（待羊肉丁八成熟时下入萝卜片）至肉熟烂，捞出纱布包，除去葱段、姜片不用，撒入精盐和味精，淋上香油即可。

炖新疆羊肉

【食材】羊肉600克，豆腐1块（约250克），雪菜、水发香菇各25克，粉丝50克。

【调料】精盐8克，姜丝5克，葱段10克，香油4

克，料酒20克，胡椒粉2克，味精2克，花椒水20克，香菜5克。

【做法】1.将羊肉洗净后切成片；豆腐切成小块；雪菜切成段；香菜切成末。

2.将锅置于旺火上，放入羊肉片，加入清水1000毫升烧沸，撇净浮沫，改用小火炖至羊肉片四成熟时，加入豆腐块、精盐、姜丝、葱段、料酒和花椒水，炖至羊肉片七成熟后，加入水发香菇、粉丝和雪菜段，再炖至羊肉片熟烂，撒上味精、香菜末和胡椒粉，淋上香油即可。

炖糖醋羊肉

【食材】带皮嫩羊肉500克，鸡蛋清50克，干红椒2个。

【调料】酱油15克，精盐5克，料酒20克，五香粉8克，干淀粉5克，姜末5克，葱末10克，白糖3克，醋5克，湿淀粉6克，植物油200克（实耗50克）。

【做法】1.将带皮嫩羊肉洗净，切成大块，用精盐、料酒和五香粉腌五分钟，放入干淀粉和鸡蛋清抓拌上浆；将姜末、葱末放入碗内，加入

白糖、酱油、醋和湿淀粉制成糖醋汁；干红椒洗净，切成丝。

2.将羊肉块放入烧至六成热的油锅内，炸至肉皮呈金黄色、六成熟，撇出锅内的植物油，放入干红椒丝、糖醋汁和清水1000毫升，先用旺火烧沸，再用小火炖至羊肉熟烂即可。

冬瓜炖羊排

【食材】羊排500克，冬瓜500克。

【调料】葱末10克，姜末10克，高汤750克，红油20克，植物油20克，精盐6克，味精2克，大料2克，鸡精2克，香菜段5克，胡椒粉1克。

【做法】1.将羊排洗净后剁成段，投入沸水锅内汆去血沫，捞入冷水中投凉，取出放入高压锅内将羊排煮烂（约15分钟）；冬瓜去皮及瓤，洗净后切块。

2.将锅置于旺火上，放入植物油烧热，将葱末、姜末和大料炸出香味，加入味精、精盐、胡椒粉、红油、高汤、羊排和冬瓜块烧沸，改用小火炖至冬瓜块熟透，撒入香菜段即可。

炖什锦羊排

【食材】煮熟的羊排骨500克，熟毛肚400克，腐竹200克，粉皮200克，香菇40克，冬瓜200克，油菜150克，香菜10克。

【调料】精盐6克，白糖10克，味精5克，料酒10克，辣椒酱15克，红油5克，葱段8克，姜片5克，羊肉汤1000克。

【做法】1. 将煮熟的羊排骨剁成段；腐竹泡软，切成段；粉皮切成条，香菇泡软去根，从中间切一刀；冬瓜切长方片；油菜只用菜心；香菜切成段。

2. 将锅置于旺火上，放入羊肉汤烧开，放入羊排骨段，加入精盐、白糖、料酒、辣椒酱、葱段、姜片，然后将腐竹、冬瓜、熟毛肚、香菇等放入，烧开后改用小火炖20分钟，再加入油菜心、粉皮条，再炖3分钟，撒上香菜段，浇上红油，加上味精即可。

鲫鱼炖羊肉

【食材】熟羊肉400克，鲫鱼2条（约500克）。

【调料】葱段15克，姜片10克，料酒10克，精盐10克，味精3克，植物油50克，红油10克，煮羊肉原汤500克，胡椒粉2克，青蒜末5克。

【做法】1. 将鲫鱼刮鳞、去鳃、除去内脏，洗净，在鲫鱼两面剞上花刀；将熟羊肉切成小块。

2. 将锅置于旺火上，放入植物油烧热，用葱段、姜片炸锅，放入鲫鱼略煎再放入熟羊肉块、煮羊肉原汤、料酒和清水，烧开后撇净浮沫，盖上锅盖，改用小火炖10分钟，见汤汁乳白时，加入精盐和味精、红油、胡椒粉，盛入汤碗内撒上青蒜末即可。

双菇炖羊肉

【食材】羊肉500克，鲜香菇250克，草菇150克，尖辣椒50克。

【调料】酱油、精盐各4克，味精5克，葱段、姜片3克，花椒水5克，料酒10克，植物油25克，高汤500克。

【做法】1. 将羊肉剁成小方块，放入冷水盆中浸泡12小时，再放入沸水锅内焯透捞出；鲜香

去冻肉异味的技巧 (1)啤酒浸泡法：将冷冻过的肉放入啤酒中浸泡10分钟捞出，用清水洗净再烹调，便可除去异味，增进香味。(2)盐水去味法：冻肉如用盐水化解，不仅有利于去除冰箱的异味，而且还能不失肉的鲜味。(3)姜汁去味法：将冷冻肉用姜汁浸泡可除去异味。

Tips

厨房小窍门

畜肉炖品 \ 羊肉炖品

煮猪蹄的技巧 (1)加山楂法:煮猪蹄时,按1000克猪蹄加50克山楂,可使猪蹄易烂,且味道鲜美可口。(2)加醋法:煮猪蹄时,如加适量醋,不仅能使骨头中的胶质分解出钙和磷,提高其营养价值,而且猪蹄中的蛋白质也便于人体吸收。

厨房小窍门

菇去蒂,斜刀切两半;将草菇硬根摘去,洗净,顺长切成两半;尖辣椒去蒂去籽,斜刀切成段。

2.将锅置于旺火上,放入植物油烧至七成热,放入羊肉块煸炒,再加葱段、姜片煸炒,再加入高汤炖50分钟,再加香菇、草菇炖10分钟,加入酱油、花椒、精盐、料酒、味精,放入尖辣椒段,再炖片刻即可。

羊肉鲫鱼汤

【食材】羊瘦肉300克,鲫鱼2条(约600克)。

【调料】葱丝10克,姜丝5克,精盐5克,香菜15克,味精1克,料酒10克,醋10克,胡椒粉1克,奶汤750克,香油2克,植物油20克。

【做法】1.将羊瘦肉洗净后切成片,放入清水中泡去血水,捞出控干水分;将鲫鱼去鳞、鳃和内脏后洗净;香菜洗净切成段(2厘米长)。

2.将锅置于旺火上,放入植物油,烧至5成热时放入鲫鱼略煎,再加葱丝、姜丝炝锅,烹入醋,待出现醋香味时加入奶汤、羊瘦肉片和清水(1500毫升),烧开后撇净浮沫,改用小火炖1小时左右,加入精盐、味精、胡椒粉、料

酒,炖至入味后撒上香菜段,淋上香油搅匀,起锅盛入汤碗内即可。

冬瓜炖羊腩

【食材】羊腩500克,冬瓜500克,粉条100克。

【调料】精盐5克,味精1克,香油3克,料酒10克,胡椒粉2克,枸杞4克,高汤750克,植物油30克,葱段、姜片各8克,香菜5克。

【做法】1.将羊腩洗净后切成小块,投入沸水锅内氽透,捞出;粉条用温水泡软;冬瓜去皮和瓤,洗净后切成同羊腩一样大小的块,放入沸水锅内氽透。

2.将锅置于旺火上,放入植物油烧热,将葱段、姜片煸炒出香味,加入高汤和羊腩块烧沸,改用小火炖2个小时左右至羊腩块酥烂,放入冬瓜块、粉条、精盐、料酒、味精、胡椒粉和枸杞炖10分钟左右,淋上香油即可。

胡萝卜炖羊肉

【食材】羊肉180克,胡萝卜300克。

【调料】色拉油25克,料酒3小匙,葱、姜、蒜

末各3克,糖、盐各4克,香油5克,水1200克。

【做法】1.胡萝卜与羊肉洗净沥干,并将胡萝卜及羊肉切块备用。

2.将羊肉放入开水汆烫,捞起沥干。

3.炒锅烧热,注入色拉油,将羊肉大火快炒至颜色转白。

4.将胡萝卜、水及其他调味料(除香油外)一起放入锅内用大火煮开。

5.改小火炖约1小时后熄火,淋入香油即可。

豆浆炖羊肉

【食材】羊肉500克,淮山药150克,豆浆500克。

【调料】熟植物油油20克,盐6克,姜10克。

【做法】1.羊肉洗净沥干,切4厘米见方块;姜块切片;淮山药洗净切2厘米段。

2.将豆浆注入炖锅内加热,将开时加入熟植物油、羊肉块、淮山药、姜片,炖至羊肉熟烂即可。

香辣鳕鱼炖羊肉

【食材】羊腿肉1斤(最好是带皮的),鳕鱼1斤,胡萝卜100克。

【调料】植物油50克,洋葱、蒜、姜各150克,干红椒30克,椰汁100克,清水适量,蜂蜜100克。

【做法】1.鱼肉洗净,切块;羊肉去骨洗净,切拳头大块,开水煮15分钟后捞出;洋葱、胡萝卜、蒜、姜洗洗净切片,干红椒切段。

2.深底不粘锅烧热,加入植物油,将洋葱、蒜、姜片、干红椒爆炒出香味,然后将羊肉、鳕鱼、胡萝卜一起炒5分钟,再倒入椰汁和清水,旺火烧开,转中火炖45分钟。

3.把蜂蜜和盐加入锅里搅拌均匀,再炖10分钟至羊肉熟烂即可。

香炖羊肉

【食材】羊肉1000克。

【调料】姜50克,料酒25克,红豉油20克,猪油1000克(耗150克),上汤50克,猪五花肉250克,干面粉20克,酱油10克,葱末、川椒末各5克,蒜10克,香油8克,盐10克,干淀粉15克,味精3克,高汤适量。

食用酱油品质的鉴别(一) (1)看:质量好的酱油,色泽红润,呈红褐色或棕褐色,澄清时不浑,没有沉淀物。用质量好的酱油烹调出来的菜肴色泽红润,气味芳香。(2)闻:质量好的酱油闻时有轻微的酱香香味儿,没有其他异味。(3)尝:质量好的酱油,味道鲜美,适口。

Tips

厨房小窍门

畜肉炖品／羊肉炖品

【做法】1.将羊肉洗净,红豉油、干淀粉拌匀涂在羊肉皮上,下油锅炸至金黄色时捞起。

2.将炸好羊肉放入炖锅内(用竹蔑垫底),加入高汤、料酒、姜、蒜、盐、红豉油、猪五花肉(先切块炒香)用旺火煮沸后,用文火炖至羊肉软烂,取出,捡去猪五花肉,羊肉切块,摆入盘中。

3.用1小碗,放入酱油、味精、香油、高汤、淀粉水调成芡汁。

4.将羊肉放入蒸笼蒸20分钟,取出,撒上干淀粉。

5.炒锅烧热,下猪油,把羊肉倒入略炸后取出;川椒末、葱末炒香,投入羊肉,烹入料酒,加入芡汁拌匀,起锅装盘即可。

红枣海马炖羊肉

【食材】羊肉250克,去核红枣6颗,海马10克。

【调料】姜3克,盐5克,清水1000毫升。

【做法】1.羊肉去毛洗净切件;红枣洗净。

2.将羊肉放入开水中煮3分钟,去除膻味。

3.将所有材料洗净放入炖锅,用文火炖3小时,加盐调味即可。

附片炖羊肉

【食材】羊肉500克,附片30克。

【调料】姜、盐各5克,料酒、葱各10克,味精、胡椒粉各3克。

【做法】1.将附片用纱布袋装好扎口;羊肉用清水洗净,放入沸水锅内,加姜、葱煮至断红色。

2.将羊肉捞出剔骨,切成3厘米见方块,再入清水中浸漂去血水;骨头拍断,姜拍松,葱缠成团。

3.炖锅内加入清水,置于大火上,将羊肉、生姜、葱、料酒、药包放入汤内,先用大火烧沸,再用文火炖至羊肉酥烂,加入盐、味精、胡椒粉即成。

竹笋炖羊肉

【食材】羊肉500克,竹笋250克。

【调料】味精3克,盐5克,胡椒粉2克,酸汤500克,辣椒油10克,大料、蒜、葱、姜各4克。

【做法】1.羊肉加大料、姜块、盐炖熟,取一半切成小条形,另一半切成小丁,竹笋切成小圆形。

2.炖锅置火上,放入酸汤,下羊肉丁和一半切好的竹笋,放入味精、盐、胡椒粉、蒜、葱花、姜块烧开入味,装于小竹桶内即可。

3.用同样的方法,将条形羊肉和切好的另一半竹笋调好味加红油烧入味,盛入小竹桶,即成辣味菜肴。

续断炖羊腰

【食材】羊腰4只(250克),续断15克。

Tips

食用酱油品质的鉴别(二) 看体态:将酱油瓶子倒竖,看瓶底是否留有沉淀,再将其竖正摇晃,看瓶子壁是否留有杂物,瓶中液体是否浑浊,是否有悬浮物。优质酱油应澄清透明,无沉淀、沉渣,无霉花浮膜。再摇晃瓶子,观察酱油沿瓶壁流下的速度快慢。优质酱油因黏稠度较大,浓度较高,因此流动稍慢。

厨房 小 窍 门

畜肉炖品／羊肉炖品

【调料】料酒10克，姜5克，葱10克，盐3克，鸡精3克，鸡油25克，胡椒粉3克，清水1500毫升。

【做法】1.将续断润透，切薄片；羊腰洗净，切开，除去白色臊腺；姜切片，葱切段。

2.将续断、羊腰、料酒、姜、葱同入炖锅内，加水置武火烧沸，再用文火炖煮25分钟，加入盐、鸡精、鸡油、胡椒粉调味即成。

西红柿炖羊排

【食材】羊肋排750克，去皮西红柿300克。

【调料】葱段20克，高汤1000克，植物油25克，料酒10克，盐6克，味精3克，胡椒粉、花椒油各4克，香菜5克。

【做法】1.羊排剁成寸段，用沸水冒透，冲洗干净；西红柿切大滚刀块。

2.炒锅加油烧热，将西红柿煸软后取出待用。锅留底油，放葱姜炒香，加入羊排煸炒，烹入料酒，加高汤、盐烧开。

3.慢火炖至羊排熟烂，放入西红柿继续炖15分钟，再加入味精、胡椒粉、花椒油调味，撒上香菜即成。

胡萝卜炖羊排

【食材】羊肋条肉750克，胡萝卜250克。

【调料】葱段15克，姜片10克，大料2个，料酒

25克，香菜10克，鸡精8克，盐5克。

【做法】1.将羊肋条肉洗净，切成4厘米左右寸段，放入开水里面余一下。

2.胡萝卜洗净，切厚片；香菜洗净切段。

3.炖锅内放入水，放进羊肉、葱段、姜片、大料、料酒，大火烧开后改小火炖25分钟。

4.羊肉熟烂后放进胡萝卜、盐接着炖，直到羊肋条肉脱骨，加进鸡精、撒上香菜即可。

南乳炖羊肉

【食材】羊肉750克。

【调料】红豉油15克，料酒25克，南乳汁60克，姜25克，蒜、葱各5克，酱油10克，高汤100克，味精3克，胡椒粉2克，湿淀粉10克，香油8克。

【做法】1.羊肉洗净切细块，用开水焯熟后捞起，放入炖盅，加入红豉油、料酒、姜、蒜、葱、酱油、南乳汁和高汤，炖约3小时取出。

2.捡去葱、姜、蒜，拆去羊骨，羊肉切件装入碗中，加入原汁，放进蒸笼蒸热。

3.取出翻置装盘，加入味精、香油、胡椒粉，用淀粉勾薄糊，淋在羊肉上即成。

沸,改文火炖一小时即成,可分次食用。

天麻洋参炖羊脑

【食材】羊脑1个。

【调料】天麻15克,西洋参20克,川芎、黄芪各10克,羊骨高汤200克,味精3克,鸡精、食盐各5克,胡椒粉2克,葱、姜各10克。

【做法】1.用清水漂洗羊脑,剔净血筋。

2.炒锅加水,放入姜、葱煮开,将羊脑放水中氽一下,使之略为凝结并除去异味。

3.将川芎和黄芪配清水煮成药汤待用。

4.将羊脑放进炖锅,加入天麻片、西洋参片、味精、鸡精、食盐、胡椒粉,倾入适量川芎、黄芪汤和羊骨高汤,加盖旺火炖1小时即成。

桂圆炖羊脑

【食材】羊脑1个,桂圆肉20克。

【调料】盐5克,姜、葱各10克。

【做法】1. 羊脑用清水漂洗干净,剔净血筋;桂圆肉洗净。

2.炒锅加水,放入姜、葱煮开,将羊脑放水中氽一下,除去异味。

3.将羊脑和桂圆肉一起放入沙锅,加水煮

白芨炖羊肺

【食材】羊肺1具。

【调料】白芨、料酒、葱各15克,姜10克,盐4克,味精3克,水2500克。

【做法】1.将白芨洗净,润透,切成薄片;姜拍松,葱切段。

2.羊肺用清水反复冲洗干净,用沸水氽去血水,切成2厘米宽、4厘米长的块。

3.将白芨、羊肺、葱、姜、料酒同放锅内,加入水,置武火上烧沸,再用文火炖煮35分钟,加入盐、味精即成。

肉苁蓉炖羊肾

【食材】羊肾1对,肉苁蓉30克。

【调料】胡椒末3克,味精2克,盐4克,水4000克。

【做法】1.将羊肾剖开,挖去白色筋膜和臊腺,清洗干净;肉苁蓉洗净切片。

2.将羊肾与肉苁蓉一并放在炖锅内,加入清水,先用武火煮沸,再用文火炖煮20-30分钟,以羊肾熟烂为度。捞去肉苁蓉片,酌加适量胡椒末、味精和盐。当菜或点心食用。

羊肾炖乳粉

【食材】羊肾1只,乳粉20克。

【调料】白糖10克,盐3克。

【做法】1.将羊肾剖开,挖去白色筋膜和臊腺,清洗干净,放在炖锅内,加入清水炖煮30分钟左右。

2.待羊肾熟烂,加入乳粉,继续炖5分钟即可。

禽肉炖品

鸡肉炖品

香菇炖鸡

【食材】白条鸡1只(约750克),香菇250克。

【调料】葱末、姜末各10克,蒜片5克,精盐4克,味精1克,料酒10克,酱油25克,大料2克,花椒1克,植物油30克。

【做法】1.将白条鸡洗净,剁成块,放入沸水中略烫,捞出备用;将香菇洗净,用手撕成块。

2.将锅置于旺火上,放入植物油,烧至五成热时放入大料、花椒、葱末、姜末和蒜片煸炒出香味,放入白条鸡块、香菇块略煸炒,加入精盐、料酒、酱油、味精和清水1000毫升烧沸,撇净浮沫,改用小火炖至白条鸡块肉熟烂即可。

小鸡炖元蘑

【食材】小仔鸡1只(约750克),水发元蘑100克,水发粉条150克。

【调料】酱油4克,精盐5克,味精3克,料酒10克,葱段4克,姜片3克,白糖25克,熟豆油30克,高汤1500克。

【做法】1.将小仔鸡收拾干净,剁成小方块,放入沸水锅内烫透,捞出备用;将水发元蘑去掉根蒂,洗净泥沙,斜刀片成厚片;将水发粉条剪成段。

2.将锅置于旺火上,放入熟豆油烧热,放入白糖炒成糖色,迅速将焯好的小仔鸡块放入,煸炒成火红色时,添入高汤,加入料酒、酱油、精盐、葱段、姜片烧沸,撇净浮沫;放入元蘑

洗猪肚的窍门 (1)把猪肚内翻外,先用清水洗一遍,略沥干水后,在猪肚中放入花生油15克,用双手反复搓揉2~4分钟,再用清水冲洗,这样既能洗净猪肚,又能使煮熟后的猪肚可口、芳香。(2)将猪肚用清水洗一二次,然后放进水快开的锅里,经常翻动,不等水开就把猪肚取出来,再把猪肚两面的污物除掉即可。

Tips

片,转入小火炖半小时左右;加上粉条段,炖至仔鸡肉块、粉条段软烂,汤已剩1/2时放入味精即可。

炖啤酒鸡

【食材】小仔鸡一只(1000克),啤酒150克。

【调料】猪油150克,精盐5克,料酒2克,味精4克,葱段50克,姜片15克,糖色3克,鸡汤250克。

【做法】1.将小仔鸡洗净,剁成块,放入沸水锅内烫透,捞出控净水分。

2.将锅置于旺火上,放入猪油烧热,放上葱段、姜片煸出香味,把小仔鸡块放入煸炒断生,烹入料酒,继续煸炒,加入鸡汤、啤酒、精盐、味精,用糖色调成浅黄色,转用小火炖至小仔鸡块肉酥烂;捞出葱段、姜片,盛入大汤碗内即可。

清炖双冬鸡腿

【食材】鸡腿500克,水发冬菇50克,冬瓜

100克。

【调料】精盐3克,味精、花椒水各5克,葱末10克,姜末5克,猪油25克,鸡汤750克,香油、香菜各5克。

【做法】1.将鸡腿剁成段,放入沸水锅中水烫透,捞出备用;水发冬菇洗净去根,斜刀片开;冬瓜洗净,切成大方丁;香菜洗净,切段。

2.将锅置于旺火上,放入猪油烧热,放入葱末、姜末煸炒出香味来,倒入鸡汤,加入精盐、花椒水、冬菇片、鸡腿段,烧开后改小火炖20分钟;放入冬瓜丁再炖15分钟,加入味精,撒上香菜段,淋上香油即可。

豆腐炖鸡块

【食材】净母鸡300克,豆腐300克,熟火腿50克,青菜心25克。

【调料】葱段10克,姜块10克,精盐4克,味精1克,料酒10克,香油2克。

【做法】1.将净母鸡剁成块,放入沸水中余一下捞出,用沸水冲去血水备用;将豆腐切成大片,熟火腿切成长方片,青菜心切成段。

2.将锅置于旺火上,加入清水1500毫升、净母鸡块和豆腐片烧沸,改用小火炖50分钟,放入熟火腿片、青菜心段、葱段、姜块、精盐、味精、料酒,炖至原料入味,淋上香油搅匀即可。

笨鸡炖土豆金针菇

【食材】笨鸡(家鸡)半只(约750克),土豆500

Tips

洗猪心、猪肝的窍门 (1)买回来的猪心、猪肝有股异味,可在面粉中"滚"一下,放置1个小时左右,再用清水洗净,这样烹炒出来的猪心猪肝味美纯正。(2)猪肝常有一种特殊的异味,烹制前,先用水将肝血洗净,然后剥去薄皮,放入盘中,放适量牛乳浸泡,异味即可消除。

厨房小窍门

克,金针菇150克。

【调料】酱油25克,精盐5克,味精3克,花椒水10克,葱末、姜末各8克,白糖20克,高汤750克,大料3克,植物油300克(实耗50克)。

【做法】1.将笨鸡肉洗净剁成块,倒入酱油腌20分钟;土豆去皮,切成滚刀块;金针菇去掉老根,洗净。

2.将锅置于旺火上,放入植物油,烧至七成热时,将土豆放入炸至金黄色捞出;将植物油继续加热至八九成热时,将笨鸡块分次放入炸至变色捞出。

3.另取一锅置于旺火上,放入底油烧热,用葱末、姜末炝锅,添入高汤,加入酱油、精盐、花椒水、大料、白糖,放入笨鸡块,烧开后转用小火炖25分钟;加入土豆块和金针菇,再炖15分钟,放入味精即可。

山鸡炖白菇

【食材】山鸡1只(约750克),白菇100克,胡萝卜15克,水发粉条100克。

【调料】精盐8克,味精3克,料酒10克,花椒水5克,酱油10克,葱段5克,姜片5克,植物油25克,香油5克,高汤1000克。

Tips

洗猪腰子、猪肺的窍门 (1)将猪腰子剥去薄膜,剖开,剔去筋,切成所需的片或花,用清水漂洗一遍,捞起沥干。(2)1000克猪腰用100克烧酒拌和、捏挤,用水漂洗两三遍,再用开水烫一遍,即可去膻臭味。(3)把猪肺管套在水龙头上,将水灌进猪肺里,让血管充分被水冲洗,肺变白即可。

厨房小窍门

【做法】1.将山鸡剥皮、开膛、去内脏,洗净,剁成块,用沸水烫透,捞出备用;白菇择去老根,洗净;胡萝卜洗净,切成菱形片。

2.将锅置于火上,放入植物油烧热,放入山鸡块煸炒变色;添入高汤,加入葱段、姜片、精盐、花椒水、料酒、酱油,放入山鸡块和白菇,炖25分钟左右,加入水发粉条、胡萝卜片,再炖10分钟,加入味精,淋上香油即可。

沙锅炖母鸡

【食材】母鸡1只(约750克),冬笋35克,水发冬菇25克,熟火腿35克,淡菜25克,豌豆苗35克。

【调料】料酒50克,葱段、姜片各25克,精盐15克,鸡汤1000克。

【做法】1.将母鸡去内脏洗净,鸡肫(用刀剖开,去掉内膜黄皮及杂物)和鸡肝洗净留用,鸡油批下漂洗干净;将冬笋、水发冬菇洗净,切片;将熟火腿切片。

2.取沙锅一个,用竹算垫底,将母鸡胸脯朝上连同鸡肫和鸡肝一起放入沙锅内,倒入鸡汤,放入料酒、葱段、姜片,置于旺火上烧沸,撇净浮沫;盖上锅盖移小火上炖3个小时左右,至鸡肉酥烂。

3.将鸡肫和鸡肝捞出,切片,同淡菜一起放

洗咸肉的窍门 用清水漂洗咸肉并不能达到退盐的目的,但如果用盐水来漂洗(只是所用盐水浓度要低于咸肉中所含盐分的浓度),漂洗几次,咸肉中所含的盐分就会逐渐溶解在盐水中,最后再用淡盐水清洗一下就可以做烹制用的原料了。

厨房小 窍 门

入沙锅,再炖15分钟。

4.将沙锅中的竹箅取出,放入冬笋片、熟火腿片、冬菇片和豌豆苗,加入精盐,淋上熟鸡油,上火烧沸即可。

沙锅鸡块

【食材】净母鸡半只 (约500克),熟火腿25克,水发香菇25克,水发海米25克,青菜心25克。

【调料】葱段10克,姜片5克,精盐5克,味精1克,料酒10克,奶汤200克。

【做法】1.将鸡洗净后剁成块,放入沸水中烫透,捞出备用;将熟火腿、水发香菇分别切成长方片;青菜心从中间劈成两半。

2.取沙锅一个,放入奶汤、鸡块、海米、熟火腿片、香菇片、葱段、姜片、料酒和清水1000毫升,盖上锅盖,用小火炖至鸡块熟烂;放入青菜心,加上精盐炖10分钟,撇净浮沫即可。

枸杞炖鸡

【食材】母鸡一只(约500克),枸杞100克。

【调料】姜块20克,味精、胡椒粉各1克,精盐2克。

【做法】1.将母鸡宰杀煺毛,斩去头脚,掏出内脏,洗净;将姜块、枸杞用白纱布包上。

2.将锅置于旺火上,放入母鸡,加上清水1000毫升烧开,撇净浮沫;放上有姜块、枸杞的白纱布包,转用小火炖4个小时后取出;将鸡肉用筷子拨开,去掉脊背骨,拣出老姜、枸杞不用。

3.食用时,将鸡肉和鸡汁盛于汤碗内,加上味精、精盐、胡椒粉调味即可。

当归炖鸡

【食材】母鸡一只(约1000克),当归5克。

【调料】葱段、姜片各10克,精盐3克,料酒10克,味精1克。

【做法】1.将母鸡宰杀煺毛,剁去脚爪,剖腹洗净,放入沸水锅中氽透,再放入凉水中洗净,沥干水分;将当归洗净,按块质大小,顺切几刀。

2.取沙锅一个,将当归、葱段、姜片装入鸡腹内,然后将母鸡腹朝上放入沙锅内,倒入清水1500毫升,加入精盐、料酒,置于大火上烧开;再改用小火炖至鸡肉酥烂,加入味精即可。

五子炖鸡

【食材】乌鸡1只(约750克),莲子50克,枸杞、红枣、松仁、五味子各8克。

【调料】葱段、姜片各30克,料酒15克,精盐5克。

【做法】1.将乌鸡宰杀洗净,斩断鸡爪,拍断脊骨和胸骨,放入加有姜片、葱段的沸水锅中汆水捞出,再冲洗干净;莲子用温水泡涨;枸杞、红枣、松仁、五味子用水洗净。

2.取一大砂锅,加入清水1500毫升、料酒,放入乌鸡、莲子,用大火烧开,撇净浮沫;改小火炖2小时左右至鸡肉烂时,放入红枣、松仁、五味子、枸杞同炖15分钟,加入精盐即可。

参百炖乌鸡

【食材】净乌鸡1只(约800克),鲜人参1支,干百合、红枣、当归、薏仁、枸杞共50克。

【调料】高汤1000克,料酒15克,香油2克,精盐5克,味精2克。

【做法】1.将净乌鸡洗净后剁成块,冲洗干净,沥去水分;干百合、红枣、当归、薏仁和枸杞搓洗干净,沥去水分。

2.将锅置于旺火上,放入清水1000毫升烧沸;把乌鸡块和鲜人参放入沸水中汆一下。

3.另取一锅置于旺火上,放入高汤、料酒和乌鸡烧沸,撇净浮沫;加入人参、干百合、红枣、薏仁、当归和枸杞,盖好盖,改用小火炖至乌鸡块熟烂,加上精盐和味精,淋上香油即可。

鹌蛋炖乌鸡

【食材】乌鸡1只(约750克),薏仁20克,鹌鹑蛋10只。

【调料】料酒10克,精盐10克,味精3克,白酒5克。

【做法】1.将乌鸡宰杀煺毛,剖腹洗净,把鸡头和鸡脚放入鸡体内;将鹌鹑蛋煮熟后去壳;薏仁洗净。

2.将乌鸡放入炖锅内,倒入料酒、清水(1000毫升),加上薏仁,隔水置火上炖2个小时左右;加入白酒和鹌鹑蛋,再炖40分钟左右,撒入精盐和味精即可。

清炖乌鸡

【食材】乌鸡1只(约1000克)。

【调料】料酒20克,葱段、姜片各7克,精盐10克。

【做法】1.将乌鸡宰杀洗净后,从颈部刀口处取出内脏,剁去翅尖和爪尖等,放入沸水锅中汆一下,捞出用温水洗净;将鸡内脏中的鸡胗用刀剖开,去掉内膜黄皮及杂物,连同鸡肝、

洗鱼的窍门(一) (1)将鱼泡入冷水内,加入两汤匙醋,过两个小时后再去鳞,则很容易刮净。(2)带鱼的鱼鳞较难去除,可将其放入80℃左右的水中,烫10秒钟,然后立即浸入冷水中,再用布擦洗一下,很快能去掉鱼鳞。(3)如果鱼比较脏,可用淘米水擦洗,不但可以洗净鱼,而且手也不至于太腥。

Tips

厨房小窍门

鸡心用水洗净后,入沸水锅中氽一下,捞出用温水洗净。

2.将锅置于旺火上,放入乌鸡块、鸡肫、鸡肝、鸡心、料酒、葱段、姜片和清水1500毫升烧沸,撇净浮沫,盖上锅盖,改用小火炖至乌鸡肉酥烂后,撒入精盐再炖片刻即可。

山药炖乌鸡

【食材】乌鸡1只(约1200克),山药300克。

【调料】料酒15克,精盐10克,味精2克,香油、葱段和姜片各5克。

【做法】1.将乌鸡宰杀煺毛,除去内脏,洗净后剁成大块;山药洗净,削去皮,切成滚刀块。

2.将锅置于旺火上,放入乌鸡块和清水烧沸,撇净浮沫;加入姜片、葱段、料酒和山药块后再烧沸后,改用小火炖至乌鸡肉酥烂、山药块熟透,撒入精盐和味精,淋上香油即可。

笋腿炖母鸡

【食材】母鸡1只(约1500克),冬笋50克,水发香菇25克,熟火腿50克。

【调料】料酒10克,葱段15克,姜片8克,精盐30克,醋10克。

【做法】1.将母鸡宰杀去杂后洗净,斩去鸡爪,在颈部划一小口,取出气管和食管,再沿脊骨处剖开,取出内脏,摘去鸡胆,挤去鸡心内的淤血;剖开鸡肫,除去污物,撕去肫皮,用精盐和醋擦洗。

2.将母鸡和鸡肫、鸡肝、鸡心用清水洗净,一起投入沸水锅中烫半分钟左右,捞出洗净;另将鸡油漂洗干净;将冬笋、香菇洗净切片。

3.将锅内用竹箅垫底,依次放入母鸡(腹朝下)、鸡油、鸡肫、鸡肝、鸡心和熟火腿,倒入清水(1500毫升,以淹没鸡身为准),加入料酒、葱段和姜片,用一圆盘压住鸡身,盖上锅盖,置于中火上烧沸,撇净浮沫,改用小火炖3个小时左右至酥烂。

4.揭开锅盖,取出圆盘、竹箅、葱段和姜片,捞出鸡肫、鸡肝、鸡心和熟火腿,并分别切成片。

5.另将锅内鸡翻身(腹朝上),撒上精盐、笋片、香菇片、熟火腿片、鸡肫片、鸡肝片和鸡心片,盖上锅盖,炖至熟透入味即可。

温蛋炖母鸡

【食材】老母鸡1只(约1500克),火腿200克,

洗鱼的窍门(二) (1)加工鱼时,万一不小心弄破了苦胆,可快速在有苦胆的地方放上小苏打,或者撒点酒,然后用清水洗净,就可去除苦味。(2)鱼身上都有黏液,黏液易沾上污物。洗鱼时,用细盐将鱼身撸一遍,然后用清水冲一下,就能将鱼洗得很干净。

鸡蛋5个,油菜叶5片。

【调料】精盐10克,味精4克,料酒、葱段、姜片各25克,鸡汤1000克,米饭10克,味精2克。

【做法】1.将火腿用刀修边后洗净,取瘦肉(25克)切成细末,其余均切成方块;油菜叶洗净后切成细末。

2.将老母鸡从脊背处开膛,除去内脏,冲洗干净,投入沸水锅中焯一下捞出,用清水冲洗干净,与火腿块一起放入锅中,倒入鸡汤950克及清水(以浸没鸡身为准),同时放入葱段、姜块和料酒,置于旺火上烧沸后改用小火炖至酥烂,捞出葱段和姜块不用,再撒入精盐和味精。

3.将每个鸡蛋都从一头打一个小洞,抽出蛋清不用,再将蛋黄倒入碗中,加入鸡汤(50克)、味精、精盐、火腿块、火腿末和油菜末放在一起搅匀;取一个蒸盘放一层米饭摊平。

4.将蛋壳用温水洗净并控干水分后,将调好的蛋黄与火腿末等灌入蛋壳里,口朝上放置在米饭上,上笼置于中火上蒸熟,取出剥去蛋壳,用刀一切两半即成"温蛋"。再将"温蛋"用沸水烫一下,立刻捞在装有母鸡的锅内烧沸即可。

洗香菇、蘑菇的窍门 (1)将香菇放入盆内,用60℃左右的温水浸泡一个小时,然后朝一个方向搅转,使香菇的伞褶慢慢张开,沙粒会随之徐徐落入盆底;轻轻捞出香菇,用清水冲洗,再缓缓挤出水分即可用于烹饪。(2)洗蘑菇时,将蘑菇放到盐水里泡一会儿再洗,就很容易洗掉泥沙。

厨房小窍门

炖五香母鸡

【食材】母鸡1只(约750克)。

【调料】精盐10克,白糖10克,五香粉5克,酱油10克,料酒15克,葱段、姜片各8克,高汤1000克,香油3克,植物油800克(实耗约50克)。

【做法】1.将母鸡宰杀煺毛,从背脊处剖开后除去内脏,洗净,沥干水分,放入盆子里,加入料酒、精盐和酱油,腌制1个小时左右。

2.将锅置于旺火上,放入植物油,烧至七八成热,投入母鸡炸至枣红色捞出。

3.另取一锅置于旺火上,放入植物油20克,放入葱段、姜片煸出香味,加入精盐、料酒、酱油、白糖、五香粉、高汤和母鸡,盖上锅盖烧5分钟后,改用小火炖至卤汁变厚、鸡肉酥烂时,淋上香油即可。

板栗炖鸡块

【食材】净嫩公鸡肉600克,板栗150克,鸡蛋1个。

【调料】湿淀粉30克,葱段、姜片各5克,酱油35克,高汤800克,植物油500克(实耗约80克),味精、料酒、糖色和精盐各适量。

【做法】1.将鸡肉连骨剁成小核桃块,放入用鸡蛋和湿淀粉加糖色少许搅成的糊中浆匀；板栗肉大的切开，小的整用。

2. 将锅置于旺火上，放入植物油烧至五成热，将板栗炸黄捞出，再把鸡块下锅炸成老红色。

3. 将锅置于旺火上，放入高汤、鸡块、葱段、酱油、姜片和料酒烧沸，改用小火炖至七成熟时，加入板栗再炖至肉烂汁浓时，撒上精盐和味精即可。

炖百鸟朝凤

【食材】净嫩鸡1只（约1200克），猪腿肉200克，面粉100克，腿骨1块。

【调料】葱段、葱末各3克，姜块5克，料酒25克，精盐15克，熟鸡油各15克，味精和香油各5克。

【做法】1.将嫩鸡投入沸水锅中汆一下，捞出洗净；猪腿肉剁成末，放入精盐、料酒、味精和清水，搅拌至有黏性，再加入葱末和香油拌成馅料；将面粉和成面团，与馅料一起包成鸟形水饺，煮熟备用。

2.取锅一个，用竹箅子垫底，放上葱段、姜块、腿骨，加入清水（2500毫升），置于旺火上烧沸；放入嫩鸡和料酒，再烧沸，改用小火炖至嫩鸡酥熟，拣出姜块、葱段、腿骨不用，取出竹箅子，撇净浮沫。

3.加入精盐和味精，将饺子放入锅，围在鸡的周围，再将锅置于旺火上烧沸，淋上熟鸡油即可。

葱油炖全鸡

【食材】嫩鸡1只（约1500克）。

【调料】葱段15克，姜块8克，精盐15克，料酒20克，桂皮、大料各8克，小茴香5克，山奈、玉果各3克，酱油、植物油各100克。

【做法】1.将嫩鸡宰杀煺毛，开膛除去内脏，斩去脚爪，冲洗干净后投入沸水锅中煮50分钟左右，捞出再洗干净，沥干水分。

2.将炒锅置于旺火上烧热，放入玉果、山奈、桂皮、大料和小茴香一起烘炒3分钟左右，取出装入纱布袋内，扎紧袋口放入锅内。

3.另取一锅置旺火上，放入植物油，烧至六成热，端离火口，待油冷却，倒入装有纱布袋的锅里，并加入料酒、精盐、葱段、姜块（拍松）以及清水1500毫升烧沸，制成油卤。

4. 将嫩鸡放入油卤中，用一圆盘压在鸡上，盖上锅盖烧沸，再改用小火使油卤保持间

甲鱼胆汁除腥味 甲鱼肉的腥味较难除掉，光靠洗或加葱、姜、酒等调料，都不能达到令人满意的效果。在宰杀甲鱼时，从甲鱼的内脏中捡出胆囊，取出胆汁，待将甲鱼洗涤后，将甲鱼胆汁中加些水，涂沫于甲鱼全身。稍待片刻，用清水漂洗干净。甲鱼胆汁不苦，不用担心会使甲鱼肉变苦。

隔冒小泡,炖1个小时左右即可。另备酱油味碟供蘸食。

麻酱炖肉鸡

【食材】肉鸡1只(约1500克)。

【调料】酱油20克,白糖10克,姜末10克,胡椒粉1克,芝麻酱、料酒各50克,干淀粉、味精各15克,水发香菇25克,冬笋150克,猪骨头汤100克,植物油100克,猪油700克(实耗约150克)。

【做法】1.将肉鸡宰杀煺毛,除去内脏,剔除大骨洗净,用酱油、味精、料酒和白糖调匀成汁涂于肉鸡身上。

2.将炒锅置于旺火上,放入猪油,烧至七成热,投入肉鸡炸至金黄色,放入漏勺控去油;将冬笋洗净,切成块。

3.将锅置于旺火上,倒入猪骨头汤,加入芝麻酱、植物油、味精、酱油、料酒、白糖、胡椒粉和姜末调匀,再放入过油的肉鸡和水发香菇、冬笋块炖半个小时;将锅移至小火上再炖半个小时至八成熟,起锅时汤汁滗在大碗里备用。

鸡脯炖蘑菇

【食材】鸡脯肉400克,干贝50克,火腿100克,蘑菇350克,冬笋和腐竹各100克。

厨房小窍门

【调料】奶汤1500克,精盐3克,味精10克,料酒15克,熟鸡油各15克,猪油1000克(实耗50克),姜片、葱段各7克。

【做法】1.将鸡脯肉洗净,切成三角块;干贝去筋洗净;火腿切成片;冬笋用刀拍松,切成块,腐竹洗净,切成段;蘑菇洗净,切成片;将干贝、腐竹段和冬笋块分别放入沸水锅中焯一下,捞出备用。

2.将炒锅置于火上,放入猪油,烧至七成热,将鸡脯肉块、蘑菇片分别放入,炸至金黄色捞出,沥净油备用;将锅内留底油30克,放入葱段、姜片煸炒出香味,加入料酒、奶汤、精盐、味精烧沸,撇净浮沫,待汤翻白后倒入炖锅内。

3.将炖锅端到灼热的生铁炉板上,放入鸡脯肉块、火腿片、蘑菇片、干贝、腐竹段和冬笋块,待蘑菇片和鸡脯肉块炖至软烂,撇净浮沫,淋上熟鸡油即可。

莲藕黑豆炖老鸡

【食材】老母鸡1只,莲藕500克,黑豆100克,红枣4颗

【调料】姜10克,盐适量。

【做法】1.黑豆放入锅内(不加油),炒至豆衣裂开,洗净沥水。

2.老母鸡宰杀后去毛、头爪、内脏及油脂,冲洗干净。

3.莲藕洗净,去皮切块;姜去皮切片;红枣洗净去核。

4.锅内注入适量清水烧开,放入老母鸡、莲藕块、黑豆、姜片、红枣,煮开后撇净浮沫,用小火炖煮约3小时,加盐调味即可。

北芪桂圆炖老鸡

【食材】老母鸡1只,北芪、桂圆肉各20克,红枣4颗。

【调料】陈皮10克,精盐适量。

【做法】1.老母鸡宰杀,去毛及内脏,洗净。

2.北芪、桂圆肉洗净;红枣洗净去核;陈皮浸透,去瓤洗净。

3.锅内注入适量清水烧开,将鸡、北芪、桂圆、红枣、陈皮放入,用中火炖约3小时,下精盐调味即可。

核桃肉苁蓉炖鸡

【食材】公鸡1只,核桃肉150克,肉苁蓉40克。

【调料】陈皮10克,精盐适量。

【做法】1.将公鸡宰杀,去毛、内脏及油脂,洗净。

2.核桃肉保留红棕色的桃衣,用清水浸透洗净;肉苁蓉洗净;陈皮浸软,去瓤洗净。

3.锅内注入适量清水,用旺火煮至水开,放入公鸡、核桃肉、肉苁蓉、陈皮,待水再开时,撇净浮沫,改用中火炖煮3小时,下精盐调味即成。

鹿尾炖乌鸡

【食材】乌鸡1只,鹿尾30克,山药20克,红枣2颗。

【调料】北芪、党参各20克,枸杞15克,姜10克,白酒8克,精盐3克。

【做法】1.将乌鸡宰杀,去毛、内脏,洗净后放入沸水锅中煮5分钟,取出切大块。

2.枸杞洗净,去杂质,用温水浸泡回软;山药洗净,去皮切片;鹿尾洗净切片。

3.姜去皮切片;红枣洗净去核;北芪、党参分别洗净。

4.将以上原料放入炖锅内,加入白酒和清水适量,盖上锅盖,隔水炖4小时,下精盐调味即可。

鹿筋炖鸡肉

【食材】鸡肉200克,发好的鹿筋300克,香菇40克,豌豆苗30克。

【调料】料酒10克,葱、姜各10克,精盐3克,味精、胡椒粉各2克,香油少许。

【做法】1.将发好的鹿筋洗净,切成约4厘米长的段;鸡肉去筋膜,洗净切条。

2.豌豆苗择洗干净;香菇浸软,洗净切丝;葱切段,姜切片。

3.锅内注入适量清水,放入鸡肉,先用旺火烧开,撇去浮沫,再放入鹿筋、精盐、葱段、姜片,用小火炖约1小时,待鹿筋熟烂时,拣去葱、姜不要,放入香菇丝、味精、胡椒粉、料酒煮开,再撒上豌豆苗,起锅盛入汤碗内,淋入香油即成。

烹调鲜鸡放花椒、大料的技巧 鸡的肉质内含谷氨酸钠,可以说是"自带味精"。烹调鲜鸡时只需放油、精盐、葱、姜、酱油等,味道就很鲜美。如果再放入花椒、大料等厚味的调料,反而会把鸡的鲜味驱走或掩盖。但买回的冻光鸡由于没有开膛,常有一股恶味儿,做时可以适当放些花椒、大料,有助于驱除恶味儿。

鸭肉炖品

2.将鸭肉、猪瘦肉块和熟火腿片放入炖锅内，加入料酒、姜片、葱段、精盐和沸水750毫升，用中火隔水炖2小时左右，拣去葱段和姜片，撇净浮沫，投入鲜荔枝和鲜荷花瓣，再炖5分钟左右，撒入味精即可。

炖荷花肥鸭

【食材】肥鸭子1只(1200克)，猪瘦肉60克，熟火腿15克，鲜荔枝150克，鲜荷花1朵。

【调料】精盐6克，料酒10克，味精2克，葱段10克，姜片5克。

【做法】1.将肥鸭子宰杀，从背部切开，去掉嘴和内脏，用清水漂洗干净，投入沸水锅中汆1分钟，取出备用；将熟火腿切成片；猪瘦肉洗净，切成块；鲜荔枝剥去外壳、内核，切成两半；摘下鲜荷花瓣，放入沸水锅中汆一下捞出。

炖老鸭八珍

【食材】拆骨老鸭1只(约1200克)，薏仁5克，百合2克，断生鞭片200克，水发香菇、猪瘦肉各15克，火腿10克，白果肉、去壳板栗和水发莲子各50克，佛手果5克。

【调料】葱段10克，姜片10克，香油3克，精盐5克，味精2克，植物油20克，料酒15克，胡椒粉2克，干淀粉5克，高汤1000克。

【做法】1.将薏仁蒸熟；百合用清水泡透；将猪瘦肉切丁，拌上干淀粉后投入滚水锅中焯一下；将水发香菇、火腿分别切丁。

2.将锅置于火上烧热，放入水发香菇丁、猪瘦肉丁、火腿丁、白果肉、薏仁、板栗肉、水发莲子和百合，加入葱段、姜片和料酒炒成馅料，塞入拆骨老鸭腹腔内。

切猪肉小窍门 (1)猪肉的肉质比较嫩，肉中筋少，横切易碎，顺切又易老，所以要斜着纤维纹路切，这样才能达到既不易碎，又不易老的目的。(2)切肥肉时，可先将肥肉蘸一下凉水，然后放到案板上，一边切一边洒点凉水，这样切着省力，肥肉也不会滑动，且不易粘案板。

Tips

切猪肝的窍门 猪肝要现切现炒，新鲜的猪肝切后放置时间一长胆汁会流出，不仅损失养分，而且炒熟后有许多颗粒凝结在猪肝上，影响菜肴的外观和质量，所以猪肝切片后，应迅速使用调料和水淀粉拌匀，并尽早下锅。

厨房小 窍 门

3.用竹针在老鸭身上扎孔，将老鸭腹朝上放入锅中，加入断生鞭片、佛手果和高汤；将锅置于旺火上，烧沸后改用小火炖至熟烂，撒入胡椒粉、精盐、味精、淋上香油即可。

炖八宝全鸭

【食材】填鸭1只（约1200克），糯米150克，香菇、莲子和冬笋各15克，核桃仁、桂圆肉各10克，熟火腿、虾仁各30克。

【调料】精盐4克，葱段20克，姜片8克，大料3克，味精2克，料酒15克。

【做法】1.将填鸭开膛，除去内脏洗净，投入沸水锅中焯一下，捞出用冷水洗净；糯米淘洗干净；莲子泡软，去掉外皮及心后分成两半；香菇、冬笋和熟火腿分别切丁。

2.将糯米、香菇丁、核桃仁、桂圆肉、莲子、冬笋丁、熟火腿丁和虾仁放入碗内，加入清水（300毫升）用旺火蒸熟，制成八宝糯米饭。

3.将锅置于旺火上，放入清水1000毫升烧沸，把洗净的填鸭下锅，加入葱段、姜片和大

料烧至锅再开时，改用小火炖至填鸭九成熟时捞出；将炖填鸭原汤内的调料捞出，撇净浮油，过筛备用。

4.待填鸭晾凉后，从脊骨处将骨剔出（拆骨要注意保持脯面整齐），脯朝下码放在一个大碗内，碎填鸭肉放在上边，最后将八宝糯米饭摊在上边，上笼用旺火蒸透。

5.另取一锅，放入炖填鸭的原汤、料酒、精盐和味精，烧沸后浇在填鸭上即可。

老鸭炖笋干

【食材】净老鸭1只（约800克），笋干250克。

【调料】高汤1000克，葱段、姜片各10克，料酒20克，精盐5克，香油2克，味精2克，葱末5克。

【做法】1.将净老鸭剁成块，用水冲去血污，沥干水分；笋干用温水泡软切成条；将净老鸭块和笋干放入沸水锅内焯一下，捞出备用。

2.将锅置于旺火上，放入净老鸭块、笋干条、料酒、姜片、葱段和高汤，烧沸后撇净浮沫，盖好锅盖，改用小火炖至净老鸭块熟烂，拣去葱段、姜片不用，撒上精盐、味精和葱末，淋上香油即可。

火腿炖填鸭

【食材】填鸭1只(约2000克),熟火腿150克。

【调料】料酒20克,葱段15克,姜片10克,白糖3克,精盐5克,味精3克。

【做法】1.将填鸭从脊背开膛,掏出内脏,剁下鸭掌,去掉腰臊,冲洗干净,在脊背处剁几刀,投入沸水锅内焯一下,洗净血沫;将熟火腿切成片。

2.将填鸭胸脯朝下放入有竹垫垫底的炖锅内,加入料酒、白糖、精盐、葱段、姜片和清水(能淹没鸭身),盖上锅盖,置于旺火上烧沸,再改用小火炖至填鸭八成熟时,拣出葱段和姜片不用。

3.两手提起竹垫,将填鸭翻身,胸脯朝上,再整齐地铺上熟火腿片,撒入味精,继续在火上炖至填鸭烂熟即可。

鸭肉炖河蚌

【食材】净鸭肉1200克,河蚌肉400克。

【调料】精盐5克,酱油12克,白糖3克,茴香2克,高汤1000克,姜末5克,葱末8克,料酒20克,香油2克,鸡精1克,味精2克,湿淀粉5克,植物油30克。

【做法】1.将净鸭肉洗净后切成块,漂洗干净;河蚌肉洗净,切成块;将净鸭肉块和河蚌肉块分别投入沸水锅中焯一下,

捞出备用。

2.将锅置于旺火上,放入植物油烧热,放入净鸭肉块滑一下油,捞出净鸭肉块。

3.将锅内留底油10克,把净鸭肉块和河蚌肉块一起倒入锅中,加入茴香、葱末、姜末、酱油、料酒、白糖、精盐和高汤烧沸,改用小火炖至净鸭肉块酥烂;用湿淀粉勾芡,撒上鸡精和味精,淋上香油即可。

炖响铃仔鸭

【食材】光仔鸭1只(约1500克),猪五花肉150克,冬笋50克,馄饨皮22张。

【调料】植物油500克(实耗约20克),精盐5克,葱段10克,姜片8克,味精2克,料酒20克。

【做法】1.将猪五花肉洗净,剁成肉蓉,加入精盐、料酒、味精拌匀成馅,包入馄饨皮内做成

切牛肉小窍门 牛肉质老(即纤维组织),筋多(即结缔组织多),因此必须横着纤维纹路切,即顶着肌肉的纹路切(又称为顶刀切),才能把筋切断,以便于烹制适口菜肴。如果顺着纹路切,筋腱会保留下来,烧熟后肉质柴艮,咀嚼不烂。

22 个馄饨;将光仔鸭从背部剖开,去掉内脏,除去鸭臊,投入沸水锅中焯一下,洗去油污;将冬笋切成片。

2.将光仔鸭胸脯朝下放入锅中,加入料酒、葱段、姜片和清水(以淹没鸭身为度)烧沸,撇净浮沫,盖上锅盖,改用小火炖至光仔鸭酥烂。断火揭盖,拣去葱段和姜片不用,放入冬笋片和精盐,置于中火上烧沸。

3.将炒锅置于旺火上,放入植物油,烧至八成热,投入馄饨炸呈金黄色,捞入炖好的光仔鸭中,撒上味精即可。

炖三套鸭子

【食材】肥鸭1只(约2000克),野鸭1只(约700克),鸽子1只(约200克),熟火腿300克,冬笋100克,水发香菇50克。

【调料】料酒100克,精盐3克,味精1克,海米5克,姜块25克,葱段10克。

【做法】1.将肥鸭煺毛,用刀在肥鸭的宰口处切断颈骨,在近背部的颈处划破鸭皮,抽出颈骨,将鸭皮肉向下翻,割开骨肉相连处,抽出骨架;剔除鸭腿和翅部的骨头;将鸭皮肉翻还原形,去除爪和翅;将鸭肝去掉胆,鸭肫去掉污皮,与肥鸭一齐洗净。

2.将野鸭和鸽子煺毛,并用同样的刀法处理干净,分别放入沸水锅中焯透,洗净;将冬笋、熟火腿切成片。

3.将净鸽由野鸭刀口处套入其腹内,并取熟火腿片、冬笋片和水发香菇(各占1/3的量)置入鸽子与野鸭之间;再将野鸭由肥鸭的刀口处套入其腹内,再取熟火腿片、水发香菇和冬菇(各一半的量)置于野鸭和肥鸭的两腹之间;提出鸽头、野鸭头和肥鸭头,分三个方向露在三"鸭"体外,使人一目了然。

4.将"三套鸭"投入沸水锅中焯透,洗净;将鸭肝、鸭肫放入冷水锅中烧沸,置小火上炖透,捞出洗净。

5.将锅置于旺火上,锅底放上竹垫,放入套鸭(腹部朝下)、鸭肫、鸭肝、葱段、姜块及清水(能淹没套鸭),烧沸后撇净浮沫;放入海米和料酒,盖好锅盖,改用小火炖3小

切鱼的窍门 (1)鱼肉要切块。鱼肉质细,纤维短,极易破碎,切时应将鱼皮朝下,刀口斜入,最好顺着鱼刺,切起来要干净利落,这样炒熟后形状完整。(2)鱼的表皮有一层黏液非常滑,所以切起来不太容易,若在切鱼时,将手放在盐水中浸泡一会,切起来就不会打滑了。

厨房小窍门

时左右,至鸭肉软烂,离火后拣出葱段、姜块不用。

6.提起竹垫,将套鸭翻身(腹部朝上),拿去竹垫,取出鸭胗和鸭肝切成片,与余下的熟火腿片、冬笋片和水发香菇一起铺在鸭身上,盖上锅盖,用小火炖半小时左右,撒上精盐和味精即可。

炖桂花鸭子

【食材】肥鸭1只(约1500克),芋头500克,桂花1克。

【调料】精盐4克,料酒20克,味精2克,葱段10克,姜片5克。

【做法】1.将肥鸭煺毛洗净,在鸭翅下开一长6厘米的刀口,取出内脏,洗去血水,剁成骨牌块,投入沸水中焯透,捞出沥干水分;将芋头去皮,洗净泥沙,投入沸水锅中煮3分钟,捞出后再洗净。

2.将锅置于旺火上,放入鸭块、葱段、姜片和清水1500毫升,烧沸后撇净浮沫,转至小火炖至鸭块八成烂时,加入芋头,烧沸后改用小火炖至鸭块、芋头均酥烂,放入精盐、料酒和桂花,再改用旺火烧沸,撒上味精即可。

炖什锦野鸭

【食材】肥嫩野鸭1只(约1000克),猪肉100克,熟火腿10克,白菜150克,蘑菇25克,鸡蛋清1个。

【调料】葱丝10克,姜丝15克,醋25克,高汤1500克,淀粉5克,精盐12克,味精2克,海米15克,料酒15克,胡椒粉1克,香油5克,香菜8克。

【做法】1.将肥嫩野鸭去皮,除去内脏,洗净血污,剁成块(2厘米见方),投入沸水锅中焯一下,捞出洗净;将猪肉剁馅装入碗中,加入鸡蛋清、淀粉和精盐2克,搅匀上浆;白菜洗净去叶留梗,切成骨牌块;蘑菇洗净,切成小片;熟火腿切片;香菜洗净切段。

2.将锅内放入清水500毫升烧沸,投入白菜块焯一下,过水冷却;锅内另换高汤500克,烧至八成热时,将调好味的猪肉馅挤成丸子(直径为2厘米)入锅余熟备用。

3.另取一锅置于旺火上,放入高汤1000克、野鸭块、蘑菇片、精盐、醋、料酒和味精,烧沸后改用小火炖至野鸭块九成熟时,加入白

炖鸡省时间的技巧 可以用下面的方法:将鸡切成块,用清油翻炒,等水分炒干时,迅速倒入陈醋(1只鸡加50克陈醋)急忙翻炒,炒至锅内发出噼啪爆响时,就可加热水没过鸡肉,用旺火烧10分钟后,加调料改用小火炖四五十分钟,鸡肉便可酥烂。

厨房小窍门

菜块、猪肉丸子、海米、熟火腿片、葱丝、姜丝，继续炖至白菜块酥烂，撒入胡椒粉和香菜段，淋上香油即可。

甘草绿豆炖白鸭

【食材】 白鸭肉100克，绿豆90克，生甘草20克。

【调料】 精盐5克。

【做法】 1.把生甘草润透，洗净，切片；绿豆洗净，除去杂质；白鸭肉洗净。

2. 把白鸭肉、甘草片、绿豆放入炖锅内，倒入清水500毫升；将炖锅置于旺火上烧沸，再改用小火炖50分钟，加上精盐，搅匀即可。

绿茶饺炖水鸭

【食材】 肥鸭1只（约1000克），绿茶50克，面粉150克，猪肉馅100克。

【调料】 葱末、姜末各10克，姜片10克，精盐5克，味精1克，植物油40克。

【做法】 1.将肥鸭洗净切成块，放入沸水中焯一下捞出；绿茶用沸水冲泡，滤出茶汁备用。

2.将猪肉馅中放入葱末、姜末、精盐、味精、植物油，搅拌均匀调成饺子馅，再用茶汁和面粉揉成面团，再切成小块擀成皮，放入肉馅包成饺子。

3.将锅置于旺火上，放入清水1000毫升和茶汁、姜片、鸭子块，开锅后改小火炖，再把饺子放入锅中，待饺子浮起即可。

炖文武鸭

【食材】 烧鸭、白光鸭各半只（每半只约1100克），熟火腿25克，水发冬菇20克。

【调料】 料酒30克，葱段25克，姜片25克，精盐10克，高汤2000克。

【做法】 1.将白光鸭的鸭头、鸭颈斩下，用刀颠散脊骨，剔去鸭膜；将熟火腿、水发冬菇切成片。

2.取一只大沙锅，将鸭头、鸭颈放入锅内垫底，将烧鸭、白鸭并齐肚腹一起放入沙锅内，加入料酒、葱段、姜片，倒入高汤，用一平盘压住鸭身，盖上锅盖，置于旺火上烧沸，再改用小火炖2个小时至酥烂。

3.揭去平盘，拣去葱段、姜片不用，加入精盐，将熟火腿片、冬菇片铺在鸭身上，盖上锅盖再炖2分钟即可。

Tips

去鸡肉腥味的窍门 （1）现宰鸡：将刚宰杀的鸡放入清水中，然后加入啤酒、胡椒粉和精盐，来回旋转鸡肉（持续两分钟），再将鸡肉浸泡二十分钟，鸡肉捞出后就没有腥味了。（2）冻鸡：将鸡放入有姜末和酱油的容器中腌制十分钟，就能除去鸡肉中的怪味。

厨房小窍门

鸽肉炖品

土豆炖乳鸽

【食材】乳鸽1只（约300克），土豆400克。

【调料】植物油40克，香菜、葱段、姜片各5克，大料2粒，高汤750克，料酒20克，精盐3克，味精、胡椒粉各2克。

【做法】1.将乳鸽宰杀去毛及内脏，洗净后剁成块（5厘米见方），投入沸水锅内氽透，捞出备用；土豆去皮洗净后切成小块；香菜洗净切成段。

2.将锅置于旺火上，放入植物油烧热，放入姜片、葱段和大料炸出香味，放入乳鸽块、土豆块煸炒片刻，倒入高汤，加入料酒、精盐和味精烧沸，改用小火炖至乳鸽块酥烂，出锅时撒上胡椒粉、香菜段即可。

鱼肚炖乳鸽

【食材】乳鸽2只（约600克），水发鱼肚300克，猪肉100克，火腿25克。

【调料】猪油20克，精盐、胡椒粉各3克，味精、枸杞、葱段、姜片各5克，料酒10克，姜汁5克，高汤600克。

【做法】1.将猪肉和火腿均切成小粒；乳鸽宰杀，煺净毛，去内脏，洗净后投入沸水锅中氽透，捞出；水发鱼肚洗净后投入沸水锅中氽一下。

2.将锅置于中火上，放入乳鸽、精盐、味精和料酒、高汤炖2小时左右至乳鸽熟透，取出乳鸽剥去腔骨和锁喉骨；原汤滤过，倒入锅内，乳鸽腹部向上放入，加入猪肉粒、火腿粒、葱段、姜片和枸杞。

3.另取一锅置旺火上，放油烧热，将葱段和姜片炸出香味，倒入鱼肚略炒，加入高汤、姜汁和精盐继续煸炒片刻，倒入乳鸽锅内，置中火上炖15分钟左右，撒入胡椒粉即可。

啤酒炖乳鸽

【食材】肥嫩乳鸽2只（约600克），啤酒400克，冬笋25克，鲜蘑菇25克，熟火腿10克。

【调料】精盐5克，葱段、姜块各7克，味精2克，料酒10克，白糖6克，鸡汤700克，植物油30克。

青蟹的挑选 (1)举起青蟹，背光察看蟹壳锯齿状的顶端，如果是完全不透光的，说明比较肥满；反之，则不饱满。(2)青蟹底部呈白色甚至透明状，代表蟹刚换完壳。蟹由于换壳时消耗了大部分能量，所以通常也是肉不多；底部较脏的往往肉比较肥满。

厨房小窍门

【做法】1.将乳鸽去内脏,洗净后斩成4大块;冬笋、鲜蘑菇和熟火腿分别切成片;将乳鸽块、冬笋片和蘑菇片分别投入沸水锅中焯一下,乳鸽块捞出后洗净血水。

2.将锅置于旺火上,放入植物油烧热,放入葱段、姜块爆出香味,倒入鸡汤,放入乳鸽块、啤酒、料酒、精盐和白糖,烧沸后改用小火炖至七成熟,加入冬笋片、蘑菇片和熟火腿片,继续炖至乳鸽酥烂,拣去葱段和姜块不用,撇净浮沫及表面的浮油,撒上味精即可。

枸杞炖乳鸽

【食材】乳鸽3只(约750克),枸杞30克,青菜心25克。

【调料】葱段10克,姜片5克,精盐5克,味精1克,料酒10克,胡椒粉1克,香油2克。

【做法】1.将乳鸽宰杀后褪毛,开膛除去内脏,用清水冲洗干净,每只剁成4块,放入沸水中捞出,再用清水冲去血沫;枸杞放入碗中,加温水泡软备用;青菜心择洗干净,切成段(3厘米长)。

2.炒锅置于旺火上,加入清水1000毫升,放入鸽块、枸杞、料酒、葱段、姜片烧沸,改用中火炖1个小时,撇净浮沫,挑出葱段、姜片不用,再加入青菜心段、精盐、味精、胡椒粉炖20分钟左右,入味后盛入汤碗内,淋上香油即可。

火腿炖乳鸽

【食材】嫩乳鸽2只(约500克),熟火腿100克,青菜心50克。

【调料】葱段10克,姜片5克,精盐5克,味精1克,料酒10克,香油2克。

【做法】1.将乳鸽宰杀后烬毛,除去内脏,剁成块,放入沸水中略烫捞出,用清水冲去血沫;熟火腿切成长方片;青菜心切成段。

2.将炒锅置旺火上,加入清水1000毫升、乳鸽块、熟火腿片、葱段、姜片、料酒烧沸,撇净浮沫,盖上锅盖,改用小火炖1个小时左右,加入青菜心段、精盐、味精炖至入味,拣出葱段、姜片不用,淋上香油,起锅盛入汤碗内即可。

板栗炖嫩鸽

【食材】肥嫩鸽子3只(900克),大板栗500克,

Tips

去猪腰臊味的窍门 先除去猪腰上的薄膜,再把猪腰剖开除去臭线,切成腰花或片,放入清水中冲洗,捞出沥干水分后拌上白酒(按猪腰500克,酒50克的比例),边捏挤边搅拌,再用清水洗第二遍,放进开水中涮一涮。炒腰花时加上葱段、姜片和青蒜,味道鲜美。

厨房小窍门

猪五花肉500克。

【调料】桂皮15克，冰糖、香油各15克，植物油1000克（实耗约100克），料酒50克，精盐5克，姜片15克，酱油、葱段和湿淀粉各25克，甜酒汁50克，味精2克，胡椒粉1克。

【做法】1.将猪五花肉洗净后切成块，投入沸水锅中焯一下；在板栗鼓起的一面砍一字刀，放入沸水锅中烫一下捞出，取出板栗肉，下入烧热的植物油锅炸熟捞出；将鸽子洗净血沫，擦干水分，抹上甜酒汁，放入烧热的油锅中炸成浅红色。

2.取炖锅，底部垫上竹垫，放入葱段、姜片、桂皮、五花肉块、鸽子、料酒、精盐、冰糖、酱油和清水1000毫升，置旺火上烧沸后撇净浮沫，改用小火炖至九成烂时，加入板栗炖至酥烂。

3.食用前，双手提竹垫，取出板栗、鸽子翻扑在盘里，去掉葱段、姜片、桂皮和五花肉；再将炖锅中原汁收缩，用湿淀粉调稀勾芡，撒上葱段、味精和胡椒粉后浇在盘中板栗和鸽子上，淋上香油即可。

苹果炖鸽脯

【食材】鸽脯肉300克，苹果200克。

【调料】料酒10克，精盐4克，味精2克，葱、姜末各5克，五香粉3克，湿淀粉10克，红糖6克，植物油150克（实耗30克）。

【做法】1.将鸽脯肉洗净，切成小方块，放入碗中，用湿淀粉抓匀上浆；苹果洗净，去皮、核后切成滚刀块。

2.将锅置于旺火上，放入植物油烧至七成热，放入鸽脯肉块划散至八成熟，取出控油。

3.原锅中留底油10克烧热，放入葱、姜末炝锅，放入红糖、料酒和清水500毫升，置火上烧沸后放入苹果块和鸽脯肉块，改用小火炖

至鸽肉熟烂，撒入精盐、味精和五香粉，用湿淀粉勾芡即可。

赤豆炖乳鸽

【食材】乳鸽2只（约200克），赤豆50克。

【调料】姜片、葱段各10克，精盐4克，味精2克，香油2克，料酒7克，胡椒粉2克，肉汤300克。

【做法】1.将乳鸽宰杀后去净毛及内脏，剁去脚爪，投入沸水锅中氽去血水，对砍成两块，用清水洗净。

2.将赤豆、乳鸽块和葱段、姜片、胡椒粉、精盐、料酒、肉汤一起放入锅内，置旺火上烧沸，改用小火炖1个半小时左右至肉熟烂，撒入味精，淋上香油即可。

萝卜炖乳鸽

【食材】乳鸽3只（约300克），萝卜200克。

【调料】植物油20克，姜片7克，葱末4克，料酒10克，精盐5克，味精2克。

【做法】1.将乳鸽宰杀洗净后切成块，放入姜片、料酒和精盐腌10分钟；萝卜洗净后切块。

2.将炒锅置于旺火上，放入植物油烧热，

投入乳鸽块炒至变色,加入萝卜块、清水400克,烧沸5分钟,改用小火炖20分钟,用精盐、葱末和味精调味即可。

冬瓜炖乳鸽

【食材】 乳鸽400克,冬瓜200克。

【调料】 高汤400克,花椒10粒,葱段、姜片(拍松)各10克,料酒15克,精盐7克,味精3克,醋4克。

【做法】 1.将宰杀好的乳鸽剁去爪尖及嘴尖,从脊骨处一剖为二,投入沸水锅内烫去血污;冬瓜洗净,切成小块。

2.将锅置于旺火上,放入乳鸽、高汤、精盐、料酒、花椒、葱段和姜片,烧沸后改用小火保持汤锅微沸,炖至五成熟时加入冬瓜块和醋,再炖至熟烂,拣去葱段、姜片和花椒粒不用,撒入味精即可。

山药炖鸽

【食材】 鸽子1只。

【调料】 姜块10克,山药150克,盐6克,葱段5克,味精1克。

【做法】 1.鸽子去毛、洗净,从脊背开刀,取出内脏,放开水锅里煮至水再开时捞出。

2.山药去皮,切菱形块。

3.取沙锅一只,倒入适量清水,放入鸽肉(胸脯向上),放火上烧开,加入山药块、葱段、姜块(拍松),改用小火炖至鸽肉六成烂时加

盐,并将鸽子翻在山药上面,继续炖至鸽肉熟烂,放入味精即成。

鳖甲炖鸽

【食材】 乳鸽1只,鳖甲50克。

【调料】 盐6克。

【做法】 1.乳鸽去毛、洗净,取出内脏。

2.将鳖甲打碎放入鸽腹内,共置沙锅中,加水适量,炖熟后去鳖甲,加盐食鸽肉饮汤。

炖五香鸽

【食材】 鸽子2只,五香豆腐干10块,香菇100克。

【调料】 猪油50克,大料或茴香3克,肉汤800克,酱油适量,黄酒、精盐少许。

【做法】 1.将鸽子宰杀后,拔光毛,剖腹挖去内脏,反复冲洗干净,沥干水分,整只用盐抹擦均匀。

2.五香豆腐干切成片;香菇泡发洗净,也切成片备用。

3.将五香豆腐干、香菇片铺入沙锅底,放入生鸽坯,加入猪油、黄酒、大料或茴香、肉汤,烧开后,用微火炖至鸽子熟烂即可盛出。

去河鱼的"泥味"的窍门 (1)将精盐250克溶解在清水2500克中,放入活河鱼。盐水会通过鱼的两腮浸入血液,1个小时后即可消除河鱼的泥味。如果鱼已经死了,就在盐水中浸泡1.5~2个小时,就可除去泥味。(2)将鱼肚破开洗净,泡入水中,放一些醋,或在鱼肚中撒上花椒,烧鱼时没有异味。

厨房小窍门

其他禽肉炖品

山鸡炖土豆

【食材】山鸡肉750克，土豆350克。

【调料】酱油20克，精盐8克，味精5克，葱段10克，姜片10克，猪油30克，花椒水10克，白糖20克，高汤1000克。

【做法】1.将山鸡肉剁成块，用清水冲净后，用沸水焯透，捞出备用；将土豆去皮，切成滚刀块。

2.将锅置于旺火上，放入猪油烧热，加上白糖熬成糖色，急速将山鸡肉块放入煸炒上色，添上高汤，加上酱油、精盐、味精、花椒水、葱段、姜片，烧开后改小火炖半小时左右，放入土豆块再炖15分钟，加上味精即可。

鹅肉炖宽粉

【食材】带骨鹅肉500克，宽粉条250克。

【调料】酱油20克，精盐10克，葱段、姜片共25克，味精3克，料酒6克，大料、花椒各2克，香菜30克，植物油50克，高汤1000克。

【做法】1.将带骨鹅肉剁成块，放入沸水锅中焯透，捞出备用；宽粉条切成段；香菜洗净切段。

2.将锅内放入植物油烧热，放入鹅肉块煸炒，见鹅肉紧缩，边缘似有离骨时放葱段、姜片炒出香味，添入高汤，加酱油、料酒、精盐、大料、花椒，盖上锅盖，用大火烧开，后用小火保持开状(大约10分钟)，然后停火焐锅。

3.过一会儿翻动鹅肉块，见半熟后放入宽粉条段，还用大火烧开后，用小火保持开状10分钟。这样反复用火数次，见鹅肉块和宽粉条段都熟烂后放入味精和香菜出锅即可。

三味炖大鹅

【食材】鹅肉500克，土豆300克，尖辣椒100克，油菜心150克。

【调料】精盐5克，味精4克，酱油5克，花椒水20克，葱段5克，高汤800克，姜片4克，猪油25克，白糖3克。

去鱼腥味的窍门 (1)将鱼去鳞剖腹洗净后，放入盆中，倒一点料酒就能除去鱼的腥味，还能使鱼的味道鲜美。(2)用白酒或牙膏洗手，再用清水冲净，就可以除去洗鱼、剖鱼时手上沾上的腥味。(3)在洗鱼之前，将鱼放在温茶水中泡上几分钟，就可以防止厨房中弥漫鱼腥味。

厨房小窍门

去鲤鱼白筋的窍门 鲤鱼脊背上有两道白筋，非常腥。剖鱼时，将鲤鱼齐鳃处切一刀，在鱼的中间部位找出一条白筋，用手拽住外拉，同时，用刀轻轻拍打鱼的脊背直至白筋全部抽出，用同样的方法再抽出另一侧的筋，这样烹制出的鲤鱼就没有腥味了。

厨 房 小 窍 门

【做法】1.将鹅肉切成块，用冷水浸泡 5 个小时，再放入沸水锅中焯透捞出；土豆去皮切成滚刀块；尖辣椒去蒂、籽切斜刀块；油菜心洗净。

2.将锅内放入猪油，烧至八成熟，放入鹅肉块煸至淡黄色，添入高汤，加酱油、精盐、白糖、花椒水、葱段、姜片，大火烧沸，转用小火炖1个小时，放入土豆块炖至软烂，再加上油菜心、尖辣椒块、味精，再炖片刻即可。

腐乳炖鹅

【食材】嫩鹅肉100克，红腐乳25克。

【调料】葱末10克，姜末5克，蒜末5克，精盐4克，味精2克，料酒20克，白糖5克，陈皮10克，胡椒粉1克，蚝油10克，香油5克，猪油50克，高汤500克。

【做法】1.将鹅肉洗干净切块，放入沸水锅中氽一下，捞出沥干水分；红腐乳放碗中搅拌碎，加入清水、料酒调匀成腐乳汁备用。

2.将炒锅置于旺火上，加入猪油，烧至七成热时，放入葱末、姜末、蒜末、腐乳汁炒出香味，加入高汤烧沸，放入鹅肉块、料酒、精盐、白糖、味精、陈皮、胡椒粉、蚝油和清水500毫升搅拌均匀，烧沸后撇净浮沫，改用中小火炖

至鹅肉熟软入味，用旺火收浓汤汁，淋上香油出锅即可。

板栗炖鹌鹑

【食材】鹌鹑6只，板栗300克，猪五花肉200克。

【调料】植物油500克（实耗50克），精盐7克，桂皮2克，料酒10克，甜酒汁5克，味精2克，胡椒粉2克，葱段、姜片各7克，冰糖、酱油各4克，香油2克。

【做法】1.将猪五花肉切成块，投入沸水锅中焯一下后洗净；在板栗鼓起的一面砍一字刀，下入沸水锅中烫一下捞出，取出板栗肉，投入烧热的油锅炸熟捞出。

2.将鹌鹑宰杀去毛，开膛去内脏，洗净后投入沸水锅中焯一下，捞出洗净血沫，擦干水分，抹上甜酒汁，下入烧热的植物油锅中炸成浅红色。

3.将锅置于旺火上，放入葱段、姜片、桂皮、五花肉块、鹌鹑、料酒、精盐、冰糖、胡椒粉、味精、酱油和清水，烧沸后撇净浮沫，改用小火炖至九成烂时，加入板栗再炖至酥烂，淋上香油即可。

水产炖品

鱼类炖品

茴香炖鲤鱼

【食材】鲤鱼1条(约1000克),茴香150克,干红椒30克。

【调料】色拉油300克(实耗120克),酱油50克,精盐7克,葱段30克,姜片10克,料酒40克,白糖20克,醋10克,高汤800克。

【做法】1.将鲤鱼在鱼身两侧切刀口,去鳞、腮、内脏,洗净,放入盆内,用料酒(10克)、酱油(15克)抹匀鱼身。

2.将茴香择洗干净,切成段(4厘米长);干红椒切成条。

3.锅内放入色拉油烧至八成热,放入鲤鱼,炸成金黄色时捞出,沥净油。

4.将锅置于旺火上,放入底油30克烧热,用葱段、姜片炸锅,放入干红椒条、鲤鱼、高汤、料酒、醋、酱油、白糖、精盐、烧开后撇净浮沫,盖上锅盖,改用小火上慢炖,至鲤鱼九成熟时,加入茴香段,炖至熟透,盛入盘内即可。

猪皮豆腐炖鲤鱼

【食材】鲤鱼1条(约750克),豆腐250克,熟猪肉皮150克。

【调料】精盐5克,味精3克,酱油5克,醋4克,料酒6克,干辣椒8个,香菜5克,青椒10克,植物油25克,葱末10克,姜末5克,高汤750克。

【做法】1.将鲤鱼收拾干净,修整鳍和尾;豆腐切成长方片;熟猪肉皮切成宽条;青椒、香菜切成碎末;干辣椒切成细丝。

2.将锅置于旺火上,放入植物油烧至八成

去鱼胆苦味的窍门 清洗鱼时,不小心经常会弄破鱼胆,以致鱼烧熟后变得味苦难以下咽。如果在胆汁刚刚弄破时,就及时涂上一点小苏打或发酵粉,使胆汁溶解,稍等片刻再用清水冲洗干净,鱼肉上的苦味就会消失。

Tips

热，将鱼放入锅内两面都煎成金黄色，烹入醋、料酒、酱油，倒入高汤，放入熟猪肉皮条、豆腐片，加入干辣椒丝、精盐、葱末、姜末，烧开后，改用小火炖20分钟，加入味精。

3.将熟猪肉皮条、豆腐片盛入大汤碗内，上边放鱼，再撒上香菜末、青椒末即可。

宽粉炖鲤鱼

【食材】鲤鱼1条（约900克），宽粉条250克，青菜心50克。

【调料】味精10克，料酒40克，酱油10克，豆瓣酱、精盐各20克，葱段10克，姜片5克，花椒2克，大料1克，植物油200克（实耗50克），高汤750克，面粉100克。

【做法】1.将鲤鱼去鳞、鳃、内脏和脊骨，洗净后切成厚片，蘸上面粉，投入烧至七成热的油锅内炸至金黄色，捞出；宽粉条用沸水泡10分钟左右，捞出投凉。

2.将炒锅置于旺火上，放入植物油（20克）烧热，用豆瓣酱、葱段、姜片、花椒、大料和酱油爆锅，加入高汤、炸好的鱼片、精盐、料酒，烧沸，改用小火炖20分钟左右，放入宽粉条、青菜心，炖至熟透，撒入味精即可。

去栗子皮的窍门（1）熟板栗：在板栗上横着掐开一条缝，再用手一捏，口儿就开大了，然后，用手指把一边的壳瓣去，再把果仁从另一半皮中取出（横着瓣，果仁不易瓣碎）。（2）生板栗：用刀将板栗外壳切缝后，放入沸水中煮3~5分钟，捞出后放入冷水中浸泡5分钟，就很容易将皮剥去。

水产炖品／鱼类炖品

萝卜炖鲤鱼

【食材】活鲤鱼1条（约600克），白萝卜500克。

【调料】高汤800克，姜丝6克，葱段12克，蒜片4克，酱油15克，精盐5克，料酒25克，白糖3克，味精、胡椒粉各2克，植物油200克（实耗50克），香油3克。

【做法】1.将活鲤鱼宰杀去杂洗净，放入精盐、料酒、酱油和胡椒粉腌制入味；再将腌好的鲤鱼放入烧热的油锅中煎透；白萝卜洗净，切成厚片。

2.取炖锅一只，将白萝卜片放入锅的底部，鲤鱼放在白萝卜片上。

3.将炒锅置于旺火上，放入植物油20克烧热，用葱段、姜丝和蒜片爆香，加入高汤、白糖和精盐烧沸，然后倒入炖锅内，将炖锅置于旺火上烧沸后改用小火炖，至鲤鱼透熟，撒入味精，淋上香油即可。

啤酒炖鲶鱼

【食材】活鲶鱼750克，水发玉兰片50克，水豆腐100克。

【调料】料酒25克，醋8克，啤酒100克，味精3克，高汤1000克，鲜牛奶20克，精盐10克，白糖3克，葱末15克，姜丝10克，蒜苗15克，植物油20克。

【做法】1.将活鲶鱼去鳞、腮、内脏,收拾干净;水发玉兰片洗净,切片;水豆腐切成块,蒜苗洗净,切段;将鲶鱼、豆腐块、玉兰片分别放入沸水锅中烫一下,捞出备用。

2.将锅置于旺火上,放入植物油烧热,用葱末、姜丝炸锅,放入鲶鱼,烹入啤酒,倒入高汤,加入玉兰片、豆腐块、精盐、鲜牛奶、白糖、料酒、醋,炖10分钟,放入味精、撒上蒜苗段,出锅即可。

荷包蛋炖鲇鱼

【食材】鲇鱼750克,鸡蛋6个,冬笋10克,油菜心25克。

【调料】香菜段3克,葱段5克,姜丝3克,胡椒粉2克,精盐4克,味精3克,料酒、酱油各10克,植物油50克,高汤1000克。

【做法】1.将鲇鱼收拾干净,切成段,用清水浸泡10分钟;冬笋切片,油菜心一切两半,分别放入沸水锅中烫一下捞出;鸡蛋放入油锅中逐个煎成荷包蛋,盛出备用。

2.将锅置于旺火上,倒入植物油30克烧热,放入葱段、姜丝炸出香味,添入高汤,放入鲇鱼段,加入料酒、精盐、酱油,烧开后放入煎好的荷包蛋,再烧开,撇净浮沫,用小火煨炖20分钟。

3.待鲇鱼透熟、汤汁味浓时,放入冬笋片和油菜心,烧开后,放入味精和胡椒粉,撒上香菜段即可。

炖奶汤鲫鱼萝卜丝

【食材】活鲫鱼两条（约300克）,青萝卜200克,猪肥膘肉150克。

【调料】精盐8克,料酒10克,奶汤400克,味精5克,葱丝、姜丝各5克,醋5克,植物油20克,香菜5克。

【做法】1.将活鲫鱼去鳞、腮、内脏,用水洗净,两面剞成斜刀口备用;将猪肥膘肉切成片;青萝卜切成细丝,用沸水焯一下捞出,投凉;香菜切段。

2.将锅置于旺火上,放入植物油烧热,用葱丝、姜丝炝锅,添入奶汤,加入醋、料酒、猪肥膘肉片、精盐、味精,再放入鲫鱼,盖上锅盖,炖10分钟后放入青萝卜丝,再改用小火炖5分钟,盛出撒上香菜段即可。

鲫鱼炖豆腐

【食材】小鲫鱼2条（约300克）,豆腐1块（约

把炸过鱼的油去掉腥味的窍门 把炸过鱼的油放在锅内烧热,投入葱段、姜片和花椒炸焦,将锅离火,抓一把面粉撒入热油中,面粉受热后糊化沉积,会吸附在油中的三甲胺,可除去油的大部分腥味;或者淋入调匀的湿淀粉,湿淀粉受热爆裂沉入油中,淀粉泡可以吸附掉油中的腥味,撇去浮着的淀粉泡即可。

Tips

300克)，猪肉末150克，韭菜100克。

【调料】精盐8克，味精3克，料酒15克，葱丝、
姜丝各15克，蒜片6克，醋5克，高汤
400克，植物油30克。

【做法】1.将小鲫鱼收拾干净，两面都剞上花
刀；豆腐切成骨牌块，用沸水烫一下备用；在
猪肉末中放入葱丝、姜丝、精盐、料酒拌匀，塞
进鲫鱼肚内。

2.将锅置于旺火上，放入植物油，用葱丝、
姜丝、蒜片炝锅，倒入高汤，放入鲫鱼和豆腐
块，加上精盐和醋，炖至鱼熟后放入韭菜、加
入味精即可。

黄豆芽炖鲫鱼

【食材】活鲫鱼1条(约400克)，黄豆芽150克。

【调料】精盐4克，味精3克，料酒10克，花椒
水、葱段各4克，姜片3克，姜末5克，
酱油10克，醋3克，高汤500克，植物
油30克。

【做法】1.将活鲫鱼去鳞、鳃、内脏，洗净，两面
剞上斜刀直纹，放入沸水锅内烫一下捞出，刮
净黑膜；黄豆芽洗净，放入沸水中焯一下，
捞出沥干水。

2.将锅置于旺火上，放入植物油烧热，用
葱段、姜片炸锅，倒入高汤，放入鲫鱼、黄豆
芽、料酒烧沸，炖20分钟；加上精盐、味精、料
酒、花椒水，再用小火炖10分钟，拣去葱段、姜
片不用，盛入大汤碗内。

3.食用时配酱油、醋、姜末味碟一起上桌，
供蘸食。

大酱炖鲫鱼

【食材】鲫鱼6条(约750克)，东北大酱50克。

【调料】醋20克，料酒10克，胡椒粉1克，大料2
克，味精1克，精盐4克，植物油50克，
高汤400克，葱段20克，姜片10克，蒜
片8克，香菜10克，大酱20克。

【做法】1.将鲫鱼去鳞、鳃、内脏，洗涤干净；香
菜洗净，切段。

2.将锅置于旺火上，放入植物油，用葱段、
姜片、蒜片炝锅，倒入高汤，加入精盐、料酒、
醋、胡椒粉、大料，烧开后将鱼摆入锅内，鱼身
上放入大酱，盖上锅盖。

3.将鲫鱼汤烧开后，再改用小火炖15分钟，
见汤浓时放入味精，撒上香菜段，将鱼从一侧
铲出装盘，把汤汁浇在鱼身上即可。

去西红柿皮的窍门 (1)把开水浇在西红柿上，或者把西红柿放入开水里焯一下，西
红柿的皮就能很容易地被剥掉了。(2)把西红柿从尖部到底部都细细地用勺刮一遍，
使西红柿的外皮和内部的果肉贴得更紧密。这时再用手撕西红柿皮，就很容易了!

Tips

厨房小窍门

去姜皮、蒜皮的窍门 (1)姜的形状弯曲不平,体积又小,削除姜皮十分麻烦,可用汽水瓶或酒瓶盖周围的齿来削姜皮,既快又方便。(2)将蒜用温水泡3~5分钟捞出,用手一搓,蒜皮即可脱落。如一次需剥好多蒜,可将蒜摊在案板上,用刀轻轻拍打即可脱去蒜皮。

厨房小窍门

炖白鲢鱼

【食材】白鲢鱼2条(约750克),水发木耳50克。

【调料】葱段30克,姜丝、蒜片各20克,精盐5克,白糖、醋各8克,料酒15克,酱油10克,胡椒粉、味精各3克,湿淀粉8克,植物油150克(实耗60克)。

【做法】1.将白鲢鱼收拾干净,用刀在鱼身两侧剞十字花刀(深至鱼骨);水发木耳洗净。

2.将锅置于旺火上,倒入植物油,烧至五成热时把鱼下锅,炸至两面浅黄色时捞出。

3.锅内留底油,放入葱段、姜丝、蒜片煸炒,烹入料酒、酱油,添入清水(没过鱼身),随即把白鲢鱼、木耳、精盐、白糖、醋、胡椒粉放入锅中,烧开,改用小火慢炖,至鱼炖透,加入味精,捞出放盘中;用湿淀粉勾芡,浇在鱼身上即可。

炖开片鱼

【食材】鲤鱼1条(约650克),猪肉50克,水发玉兰片、油菜、胡萝卜各10克。

【调料】葱段10克,姜丝5克,蒜片10克,酱油40克,花椒水5克,醋10克,料酒2克,白

糖5克,精盐6克,味精1克,湿淀粉25克,高汤500克,植物油50克,香油3克。

【做法】1.将鲤鱼刮鳞、去鳃和内脏,从脊背处片开,保持腹部相连,将鱼头、鱼尾也劈为两半,去掉脊骨,在鱼身两面剞上斜直刀纹,再用刀在腹刺部位斩一刀;将猪肉、水发玉兰片、油菜、胡萝卜均切成片;油菜切成段。

2.将锅置于旺火上,倒入植物油,烧至八成热时将鱼放入,炸呈金黄色捞出。

3.锅内放入植物油烧热,用葱段、姜丝、蒜片炸锅,再将猪肉片、玉兰片、胡萝卜片放入煸炒,添入高汤,加入酱油、白糖、花椒水、精盐、醋、料酒,将炸好的鱼皮面朝下放入锅内,改用小火炖熟,再改用旺火,用湿淀粉勾芡,加入味精,淋上香油,装入盘内即可。

家常炖黄花鱼

【食材】黄花鱼1条(约500克),猪肥瘦肉50克。

【调料】植物油500克(实耗50克),高汤750克,香菜段、精盐各5克,料酒25克,酱油10克,味精2克,葱段10克,姜丝5克,蒜片5克。

【做法】1.将黄花鱼刮鳞,除去内脏,清洗干净,在鱼的两面剞上间距为2厘米的平行刀纹;将猪肥瘦肉切成细丝(5厘米长)。

2.将锅置于旺火上,加入植物油烧至八成热,放入黄花鱼炸至浅黄色捞出。

3.锅内留底油(20克),放入猪肥瘦肉丝、葱段、姜丝、蒜片煸炒,烹入料酒、酱油,倒入高汤,放入炸过的黄花鱼和精盐烧沸,撇净浮沫,改用中火炖至原料入味,放入味精和香菜段,起锅盛入汤碗即可。

清炖鲈鱼

【食材】鲈鱼1条(约600克),猪肥瘦肉50克,冬笋25克,青菜心20克。

【调料】葱段10克,姜片5克,精盐5克,味精1克,料酒10克,花椒油20克。

【做法】1.将鲈鱼去鳞、鳃和内脏后洗净,在鱼的两面用刀剞上十字花刀;冬笋、猪肥瘦肉均切成长方片;青菜心切成段(3厘米长)。

2.将锅置于旺火上,加入清水烧沸,放入鲈鱼略烫捞出,用沸水冲去鱼身上的浮沫备用。

3.将锅置于旺火上,放入花椒油,烧至四成热时放入葱段、姜片炝锅,再放入猪肥瘦肉片、冬笋片略翻炒,加入料酒、精盐、味精、鲈鱼和清水1000毫升,改用小火炖20分钟,然后将葱段、姜片挑出不用,放入青菜心段略煮,起锅盛入汤碗内即可。

鸡翅炖鳝鱼

【食材】活鳝鱼600克,鸡翅中段10只,猪肋条肉60克。

【调料】植物油150克,精盐6克,料酒25克,酱油15克,胡椒粉2克,白糖3克,葱段10克,姜片8克,蒜片6克,高汤750克,香油3克,植物油200克(实耗70克)。

【做法】1.将活鳝鱼宰杀后,剖腹去内脏,洗净血水,脊背朝下放在案板上,切成段,洗净沥去水分;猪肋条肉切成片;鸡翅洗净沥干水分,用料酒、酱油、葱段和姜片腌15分钟。

2.将锅置于旺火上,放入植物油烧至六成热,分别将鸡翅和鳝鱼段炸至棕红色。

3.锅内留底油(30克),投入猪肋条肉片煸炒至冒油,加入葱段、姜片、蒜片、鳝鱼段、鸡翅、高汤、料酒、精盐、酱油和白糖,用旺火烧沸,撇净浮沫。

4.将鸡翅摆入炖锅的四周,中间放上鳝鱼段,倒入汤汁,用小火炖45分钟,淋上香油,撒入胡椒粉即可。

五花炖墨鱼

【食材】墨鱼600克,猪五花肉300克,冬笋20克。

【调料】植物油20克,香油、白糖各3克,料酒20克,酱油10克,红腐乳25克,精盐4克,湿淀粉8克。

【做法】1.将墨鱼除去内脏,洗净后投入沸水锅内余熟,捞出切成块;红腐乳放入碗内捣烂,加入腐乳汁调匀;猪五花肉洗净后切成片。

2.将锅置于旺火上,放入植物油烧热,放入猪五花肉片煸炒片刻,加入白糖、料酒、酱油、精盐、冬笋片、腐乳和墨鱼块,烧沸后改用小火炖9分钟左右,用湿淀粉勾芡,淋上香油即可。

萝卜炖鲭鱼

【食材】鲭鱼750克,萝卜150克,猪肉25克。

【调料】葱段10克,姜丝5克,花椒2克,料酒

泡发银耳的窍门 将干银耳用温热水浸泡,微微发开后整理洗净污物,摘去粗老部位,再摘成小块,放入保温瓶中,盛满沸水,12个小时后倒出,银耳呈质软发糯、汤稠汁浓的状态,食用时与其他辅料调制即可。

厨房小窍门

10克,醋8克,高汤500克,植物油40克,香油3克,精盐5克,香菜10克。

【做法】 1.将鲱鱼收拾干净,在沸水锅中烫一下捞出,除去腥味备用;将萝卜切成粗丝,放入沸水锅内烫一下捞出;香菜洗净,切成段;猪肉切细丝。

2.将锅置于旺火上,放入植物油烧热,放入鲱鱼,至两面煎成浅黄色取出,放入猪肉丝煸炒,加上花椒、葱段、姜丝炸出香味,随即放入料酒、醋、高汤、精盐、鲱鱼及萝卜丝,盖上锅盖,烧开后,改用小火烧至汤汁剩2/3时,淋上香油,撒入香菜段即可。

小黄鱼炖豆腐

【食材】 小黄鱼300克,豆腐200克。

【调料】 精盐8克,鸡精3克,白糖10克,料酒15克,酱油10克,大料2粒,花椒10粒,葱段8克,姜丝、蒜片各4克,湿淀

粉5克,植物油150克(实耗50克),高汤750克。

【做法】 1.将小黄鱼洗净蘸上湿淀粉;豆腐切成长方条,放入沸水锅中焯一下,捞出备用。

2.将锅置于旺火上,放入植物油,烧热后将小黄鱼逐条放入锅内炸至八成熟,捞出备用。

3.锅内留底油置于旺火上,烧热后放入大料、花椒、葱段、姜丝、蒜片煸炒出香味,倒入高汤,再加上酱油、精盐、白糖、料酒、鸡精,倒入小黄鱼、豆腐条,炖10分钟即可。

炖荷包鳜鱼

【食材】 活鳜鱼1条(约500克),猪瘦肉末100克,香菇15克,冬笋15克,火腿15克。

【调料】 葱段10克,姜片15克,葱末10克,精盐4克,湿淀粉5克,料酒15克,味精2克,香油3克。

【做法】 1.将鳜鱼去鳞、鳃、内脏洗净;香菇洗净后10克切成碎末,5克切成丁;冬笋和火腿均切成末。

2.将冬笋末、火腿末、猪瘦肉末和香菇末同放入碗内,加入精盐和湿淀粉拌匀,灌入鱼腹内,放在盘上;将葱段、姜片分别放在鱼的两侧,烹入料酒,入锅置火上隔水炖至熟烂,连盘取出,拣去葱段、姜片不用。

3.将锅置于旺火上,倒入高汤和香菇丁煮沸,加入蒸鱼的汤汁继续烧沸,撒入精盐和味

巧手泡发干香菇 用冷水将香菇表面冲洗干净,带柄的香菇可将根部除去,然后"鳃页"朝下放置于温水盆中浸泡,待香菇变软、"鳃页"张开后,再用手顺一个方向轻轻旋搅,让泥沙徐徐沉入盆底。如果在浸泡香菇的温水中加入少许白糖,香菇烹调后的味道更鲜美。但忌用热水浸泡和久泡。

Tips

精，用湿淀粉勾芡，淋上香油，浇在鱼身上，撒上葱末即可。

奶汤炖鲈鱼

【食材】活鲈鱼1条，猪五花肉片25克，水发玉兰片、香菇片、火腿片15克。

【调料】料酒15克，植物油70克，味精2克，高汤1250克，精盐5克，葱段10克，姜片8克，葱末、姜末各5克，花椒2克，胡椒粉1克，香菜3克，香油3克。

【做法】1.将活鲈鱼去鳞、鳃、内脏，洗净后在鱼身两侧每隔2厘米剞上斜直刀，投入烧热的油锅内炸一下，捞出沥油；水发玉兰片洗净，切成片；香菜洗净，切成末。

2.将锅置于旺火上，放入植物油烧热，用葱段、姜片炝锅，烹入料酒，投入猪五花肉片、火腿片、玉兰片和香菇片翻炒片刻，加入花椒和高汤烧沸，撇净浮沫，放入精盐和鲈鱼，改用小火炖至汤剩300克时，拣去葱段、姜片和花椒，淋上香油，撒上味精、胡椒粉、香菜末、葱末和姜末即可。

马哈鱼炖五花肉

【食材】大马哈鱼250克，猪五花肉500克，胡萝卜50克。

【调料】白糖50克，酱油25克，精盐10克，料酒15克，味精5克，葱段、姜片各10克，花椒2克，大料、桂皮各1克，植物油500克（实耗50克），高汤800克。

【做法】1.将猪五花肉切成方块，放入沸水中焯透，捞出投凉；大马哈鱼切成长段；胡萝卜切成小方丁。

2.将马哈鱼段装入碗内，撒上精盐、味精、酱油、料酒腌5个小时后，放入七成热的油中炸至火红色捞出。

3.将锅置于旺火上，放入植物油25克，烧开后加白糖25克炒成糖色，急速将焯好的五花肉放入煸炒上色，然后添上高汤，加入酱油、葱段、姜片、大料、桂皮、花椒、精盐，转用小火炖烂至红火色。

4.将熟猪五花肉块中的葱段、姜片、花椒拣出不用，放入马哈鱼块、味精，用慢火炖熟即可。

炖酒香鱼头

【食材】胖头鱼头1个（约500克），冬菇、鲜冬笋各50克。

【调料】汾酒60克，猪油50克，葱段6克，姜

Tips

泡发玉兰片的窍门 （1）将玉兰片放入盛有开水的容器中浸泡，盖紧盖子。10个小时后，将玉兰片倒入锅内煮，水沸后用小火再煮10分钟捞出。（2）将玉兰片投入淘米水中，浸泡10个小时，每3小时换一次淘米水。在玉兰片下面用刀横向切开，若没有"白茬"，说明已经发透，反之，则继续浸泡。

厨房小窍门

泡发海带的窍门 (1)先将干海带放入蒸笼里蒸半个小时,取出后用碱面搓1遍,然后放入清水里泡上1天,这样就可使海带又脆又嫩,且没有腥味。(2)用淘米水泡发海带,易胀易发,煮时易烂,味道鲜美。

厨房小窍门

丝、蒜片各3克,料酒10克,精盐5克,味精3克,醋10克,高汤750克。

【做法】1.将胖头鱼头一劈两半;冬菇片成两半;鲜冬笋切成条。

2.将锅置于中火上,放入猪油烧热后,将鱼头两面煎透,烹入醋和20克汾酒,倒入高汤,加入葱段、姜丝、蒜片、精盐、味精调好味,再加入20克汾酒,盖上锅盖,烧开炖至奶白色,放入冬菇、冬笋条和剩下的汾酒,烧开即可。

刀鱼炖干豆腐扣

【食材】刀鱼500克,干豆腐250克。

【调料】酱油10克,花椒水、精盐各8克,味精5克,葱段10克,姜片、蒜片各5克,植物油25克,高汤500克,醋5克。

【做法】1.将刀鱼收拾干净,剁成段;干豆腐切成条,套成豆腐扣状。

2.将锅置于中火上,放入植物油烧至六七成热时,放入刀鱼段,两面煎成金黄色,烹入醋,添入高汤,加入葱段、姜片、蒜片、酱油、精盐、花椒水、味精,然后将干豆腐扣放入,烧开,转用小火炖透即可。

椿芽炖鳝丝

【食材】鳝鱼400克,香椿芽100克。

【调料】姜丝10克,味精5克,湿淀粉10克,料酒8克,精盐5克,酱油8克,香油10克,高汤200克,猪油15克,胡椒粉5克,菜油20克。

【做法】1.将鳝鱼去骨,切成粗丝;香椿芽去尾部老茎,切成细末。

2.将锅置于旺火上,放入菜油,烧至六成热,泡沫散尽后,放进鳝鱼丝、姜丝、料酒4克爆炒,倒入高汤,加入猪油、胡椒粉、精盐、酱油、料酒,改用中火慢炖,烧至汁浓油亮时,改用旺火,放入香椿芽末翻炒半分钟,用湿淀粉勾芡,淋上香油、味精即可。

鱼头炖豆腐

【食材】鲜鳙鱼头1个(约800克),豆腐500克,水发香菇50克。

【调料】姜片5克,葱段15克,青蒜10克,精盐8克,味精3克,胡椒粉2克,料酒30克,高汤500克。

【做法】1.将鲜鳙鱼头去鳃,由下颚处下刀劈开,冲洗干净后沥去水分;青蒜洗净后切成段;豆腐和水发香菇均切成片;将鳙鱼头和香菇片放入沸水锅中焯一下。

2.将锅置于旺火上,放入鳙鱼头、香菇片、葱段、姜片、料酒和高汤,烧沸后撇净浮沫,盖上锅盖,改用小火炖,至鳙鱼头快熟时,拣去葱段、姜片不用,加入豆腐片继续用小火炖至熟烂,撒入精盐、味精、胡椒粉和青蒜段,稍炖片刻即可。

黑豆炖鳝鱼

【食材】鳝鱼300克,黑豆100克。

【调料】姜片20克,葱段30克,精盐5克,料酒15克,香油5克,植物油30克。

【做法】1.将锅置于旺火上,倒入植物油,烧至五成热时放入黑豆炒至熟脆。

2.将鳝鱼宰杀去杂洗净后切成段,与黑豆、姜片、料酒、精盐、葱段及清水500毫升一起放入锅中,置旺火上烧沸后,改用小火炖至鳝鱼肉熟烂,撒入香油即可。

老板鱼炖酸菜豆腐汤

【食材】老板鱼750克,酸菜150克,老豆腐250克,粉条50克。

【调料】精盐10克,味精3克,料酒7克,花生油30克。

【做法】1.将老板鱼洗净,放入沸水锅中焯水,去沙后斩成块;酸菜、老豆腐分别洗净,切成粗丝和块;粉条用水泡软备用。

2.将锅置于旺火上,放入花生油烧热,放入老板鱼块,烹入料酒,略翻炒。

3.取沙锅一只,放入老板鱼块、酸菜丝、老豆腐块、粉条,倒入高汤,加上味精、精盐,上

炉用小火炖半小时左右即可。

清炖白鳝

【食材】活白鳝500克,猪排骨300克,肥猪肉50克,水发香菇30克,咸芥菜30克。

【调料】葱段10克,姜片、精盐各5克,味精1克,料酒10克,白酒5克,香油2克。

【做法】1.将活白鳝斩去头放入盆中,放入60℃的热水中浸烫,用清水洗去黏液,然后由头部至尾端在脊背部每隔2厘米刺一刀,要保持鳝鱼不断,除去内脏,用清水洗净。

2.猪排骨剁成块,肥猪肉切片,一同入沸水中略烫捞出;咸芥菜切成条;水发香菇切成片。

3.在沙锅底部摆放猪排骨块、咸芥菜条,上面放鳝鱼、肥猪肉片、香菇片,然后加入精盐、味精、料酒、葱段、姜片、白酒和清水1500克,置旺火上烧沸,撇净浮沫,盖上锅盖用小火炖2小时,然后将葱段、姜片、肥猪肉片取出不用,淋上香油即可。

泥鳅炖豆腐

【食材】活泥鳅250克,豆腐350克。

Tips

泡发海参的窍门(一) (1)冷水法:将海参浸入清水内,约3天即泡发;取出剖腹去肠杂、腹膜,然后再换清水浸泡,待泡软后即可加工食用。此法在热天要多换几次水,并经常注意海参是否已变软。(2)泡发海参时,切莫沾染油脂、碱、精盐,否则会妨碍海参吸水膨胀,降低出品率,甚至会使海参溶化、腐烂变质。

厨房小窍门

水产炖品\鱼类炖品

【调料】东北大酱50克,猪油30克,干红椒、葱末各10克,醋4克,酱油、姜末各8克,蒜片、精盐各5克,味精3克,料酒20克,高汤200克。

【做法】1.将活泥鳅放在水盆内养两天,并且换水数次,使其将肚内的泥土、污物吐出;豆腐切成方块。

2.将锅置于旺火,放入猪油烧热,用葱末、姜末、蒜片炝锅,添入高汤,加入酱油、干红椒、精盐、料酒、醋,炖半小时后晾凉,再放入泥鳅和豆腐块,盖上锅盖,(当汤汁热后,活泥鳅受热就往豆腐里钻),开锅后焖20分钟左右,掀开锅盖放上味精即可。

潮州鳝煲

【食材】白鳝1条(约600克),去核梅子4粒,潮州咸酸菜100克,芹菜50克,青蒜20克,粉丝50克。

【调料】红椒3个,罐头鸡汤600克,植物油40克,白糖5克,精盐6克。

【做法】1.将潮州咸酸菜切成块;青蒜、芹菜、红椒切成小段;将粉丝放入水中泡10分钟。

2.将白鳝洗净切成段,放入油锅中煎片刻,至稍稍变色。

3.取沙煲,倒入罐头鸡汤,放入梅子、潮州咸酸菜块、白鳝段,加入精盐、白糖,用大火煲滚后,改用慢火炖15分钟左右;放入粉丝,再炖4分钟;放入芹菜段、青蒜段及红椒段,盖上

锅盖,再炖1分钟即可。

酸菜炖鲫鱼

【食材】活鲫鱼400克,泡酸菜100克,熟火腿、冬笋、青菜心各25克。

【调料】葱、姜汁15克,精盐5克,味精1克,料酒10克,胡椒粉1克,奶汤1000克,植物油20克。

【做法】1.将鲫鱼除去鳞、鳃和内脏,用清水冲洗干净,在鱼两面剁上间距2厘米的平行刀纹,入沸水中略烫,捞出备用;泡酸菜和青菜心洗净后切成段;熟火腿和冬笋分别切成长方片。

2.将炒锅置旺火上,加入植物油,烧至四成热时放入葱姜汁、料酒、泡酸菜段、冬笋片略炒,然后加入奶汤、鲫鱼,烧沸后撇净浮沫,用中火炖20分钟,再加入精盐、味精、胡椒粉炖至原料入味,撒上熟火腿片即可。

醋椒鱼

【食材】活鳜鱼约450克。

泡发海参的窍门(二) (1)热泡法:海参直接用冷水入锅煮开,再加盖焖4~5个小时,捞出后搓走表面沙粒,用清水洗净;再换清水下锅煮开,焖几个小时后取出,剖腹去肠杂、腹膜;第三天继续煮泡两次,老嫩分开,嫩的可煮食,老的要再多煮两次。
(2)发好的海参不宜再冷冻,所以一次不要发太多。

Tips

【调料】胡椒粉2克,鸡汤1000克,猪油50克,葱丝、葱末各10克,姜末5克,醋50克,料酒10克,味精3克,姜汁5克,香油10克,精盐4克,香菜10克。

【做法】1.将活鳜鱼去鳞、鳃、鳍,开膛去内脏,洗净后,放入沸水锅中烫一下,再放入凉水冲洗,刮去鱼身外面的黑衣;在鱼身的两面剞上花纹:一面剞成十字花刀(即先坡着刀在鱼体上每隔1.65厘米宽切入1刀,深及鱼骨,再直着刀在已切的刀口上交叉切);另一面则剞成一字刀(即直着刀每隔1.65厘米宽横切1刀,深及鱼骨);香菜洗净,切成段(2厘米长)。

2.将锅置于旺火上,倒入猪油烧热,依次放入胡椒粉、葱末和姜末,煸出香味后,倒入鸡汤,加入姜汁、料酒、精盐和味精。

3.将鳜鱼放入沸水中烫4~5秒钟,至刀口翻起,除去腥味,随即放入汤中(花刀面朝上)。待汤烧开后,移到微火上,炖20分钟,放入葱丝、香菜段和醋,再淋香油即可。

奶汤鳗片

【食材】鳗鱼300克,水发冬菇20克,熟火腿、青菜心各20克。

【调料】姜汁10克,精盐4克,味精1克,料酒10克,奶汤500克,葱油30克。

【做法】1.将鳗鱼宰杀后剁去头、尾,除去内脏,切成圆片,放入沸水中略烫,捞出备用;水发冬菇、熟火腿分别切成长方片;青菜心从中间劈开,切成段;冬菇片和青菜心段一同入沸水中略烫捞出。

2.将炒锅置于中火上,加入葱油烧热,倒入奶汤,加入精盐、料酒、鳗鱼片、冬菇片、姜汁和清水,烧沸后撇净浮沫,改用小火炖20分钟左右,放入青菜心段、味精,倒入大汤碗内,撒上熟火腿片即可。

东北酸菜鱼

【食材】草鱼1条(约750克),东北酸菜300克,鸡蛋清30克,淀粉15克。

【调料】花椒10粒,葱段10克,姜片5克,蒜片8克,猪油50克,精盐6克,味精3克,胡椒粉2克,料酒8克,高汤1000克,香油5克,香菜10克。

【做法】1.将草鱼除去鳞、鳃、内脏洗净,剁去鱼头、尾,去皮,去骨(鱼骨留用),抹刀片成大薄片,用料酒、精盐略腌,用鸡蛋清、淀粉上浆;鱼头一劈两半;东北酸菜切成丝,放入温

Tips

搅拌肉馅的窍门 搅拌肉馅时,要边搅拌边加水,且向一个方向搅拌。因为搅拌可使肉中细胞破裂而释放出蛋白质,游离出的肌球蛋白在搅拌力的作用下,使球形的肽链逐渐伸展并相互连接而形成网络结构,大量水分被包在网络组织中,加强了蛋白质的凝胶作用,从而促使肉馅抱团。若从正反两个方向来回搅拌肉馅,则很难形成网络组织,吸水量会大为减少。

水产炖品/鱼类炖品

76 厨房小窍门

水中漂洗干净。

2.将锅置于旺火上,放入猪油烧热,放入葱段、姜片、蒜片、鱼头、鱼骨略煎,烹入料酒、高汤、酸菜丝,炖至汤汁奶白时盛入汤盆中;将草鱼片放入油锅中滑熟,捞出放入汤盆中。

3.原锅留底油(10克)烧热,放入花椒炸香,倒在汤盆内,调入味精、胡椒粉,淋上香油,撒上香菜即可。

三菇炖鱼头

【食材】胖鱼头300克,三种新鲜的菇(草菇、香菇、平菇均可)150克。

【调料】植物油30克,葱、姜、蒜片各10克,盐5克,胡椒粉3克,香油5克,干红椒5克,料酒15克,高汤100克。

【做法】1.三菇洗净,用热水焯过,捞出干待用。

2.胖鱼头去鳞去鳃,剖开两半,刮去黑膜,洗净,沥干水。葱白切段,姜葱去皮切片。

3.炒锅烧热,下油,放入鱼头稍煎,两面都煎一下,推到锅的一边,下葱、姜、蒜片和干辣椒爆出香味,撒料酒,注入高汤,倒入三菇,转沙煲先中小火炖约半小时,加盐、胡椒粉、香油调味后即可上桌。

苹果炖鱼

【食材】草鱼100克,苹果2个,瘦肉150克,红

枣10克,生姜10克。

【调料】盐8克,味精3克,胡椒粉3克,料酒2克。

【做法】1.苹果去核、去皮、切瓣,用清水泡上;草鱼杀洗切块,瘦肉切成大片;红枣泡洗干净,生姜去皮切片。

2.烧锅下油,放入姜片、鱼块,用小火煎至两面稍黄,倒入料酒,加入瘦肉片、红枣,注入清汤,用中火炖。

3.待汤炖稍白,加入苹果瓣,调入盐、味精、胡椒粉,再炖20分钟即可。

让海带变软的窍门 (1)碱煮法:锅内放一点碱,开锅后把海带放入,煮时要随时翻动,使其均匀受热。海带煮好后放在凉水中泡凉,并清洗干净。(2)湿蒸法:将海带上的盐渍全部洗净,上锅蒸半小时后,将蒸好的海带捞到清水中浸泡,浸泡海带的水要以没过海带为宜,浸泡12个小时左右。

Tips

其他水产炖品

2.将锅置于旺火上,倒入高汤,放入河虾段、豆腐条、料酒、葱段和姜片,烧沸后撇净浮沫,盖上锅盖,改用小火炖至河虾肉熟透,拣去葱段和姜片,撒入精盐、味精、胡椒粉和葱末即可。

虫草杜仲炖海虾

【食材】海虾500克,冬虫夏草15克,生杜仲15克。

【调料】料酒15克,精盐3克。

【做法】1.将海虾留壳剪去须、脚,挑去泥肠,洗净沥干;将冬虫夏草、生杜仲用清水洗净杂质,备用。

2.将锅置于中火上,取5碗水加入冬虫夏草、生杜仲先熬成汤,熬40分钟后,再放进处理好的海虾一起炖,加入料酒调味去腥,海虾炖熟后,加上精盐即可。

炖明虾豆腐

【食材】大河虾4只(约200克),豆腐250克。

【调料】精盐8克,味精3克,胡椒粉2克,料酒30克,姜片、葱段、葱末各7克,高汤400克。

【做法】1.将大河虾去须除杂,用清水洗净,切成两段;豆腐切成长条状,锅中放水置火上烧沸,将河虾段和豆腐条放入焯一下。

沙锅炖甲鱼

【食材】甲鱼1只,嫩母鸡1只(约750克),熟火腿、冬笋、油菜心各25克。

【调料】鸡汤1000克,料酒10克,姜块(拍松)5克,葱段7克,味精3克,精盐5克,胡椒粉2克。

【做法】1.将甲鱼放到案板上,背朝下,使其头伸出,用筷子引其咬住,然后右手执刀,剁下头颈,放净血。

2.将锅置于旺火上,添入清水500毫升烧开,把甲鱼投入锅中煮烫;甲鱼捞出后刮去裙边的黑皮和腹部的黏膜层,再用刀沿裙边和甲壳的边接处,揭开背壳,取出内脏,斩去爪

宰杀活鸡的窍门 用左手的三个指握住鸡脚,将鸡颈弯转,用左手大拇指和食指紧紧捏牢,再用右手拔去鸡的少许颈毛后,操刀宰割,气管、血管必须割断。杀后,用右手握住鸡头,左手握住两脚,使鸡身下倾,将血流入盛有精盐及清水(冬天放温水,夏天放冷水)的小碗内。血放完后,用筷子调一下,使鸡血凝固备用。

厨房小窍门

尖,用清水洗净。

3.将嫩母鸡剁4大块;熟火腿、冬笋、油菜心切成一字片;母鸡块、甲鱼肉、冬笋片分别放入沸水锅中烫一下,除去血污,撇净浮沫,捞出洗净。

4.取大沙锅一只,将母鸡块垫底,整只的甲鱼腹部朝上放在上面;加满鸡汤,倒入料酒,放入葱段、姜块,然后将沙锅用中火烧开,移小火慢炖2小时左右至软烂时拣出葱段、姜块,加入精盐、味精和胡椒粉,再将熟火腿片、冬笋片、油菜心片交错摆在甲鱼上。

清炖元鱼

【食材】活元鱼1只(约1000克),净母鸡半只(约500克),熟火腿50克,嫩黄瓜片25克。

【调料】精盐3克,味精1克,料酒25克,葱段、姜片各10克,大料2粒,花椒10粒,植物油50克。

【做法】1.将元鱼宰杀后冲洗干净,放入沸水锅中略烫捞出,刮净黑皮,揭开硬盖,除去内脏后用温水冲洗干净;将净母鸡剁成大块,放入沸水锅中略烫,捞出备用。

2.将炒锅置旺火上,加入植物油,烧至四成热时放入葱段、姜片、大料炝锅,有香味时加入料酒、花椒、元鱼、母鸡块和清水1500毫升,烧开后撇净浮沫,改用中小火炖至熟烂,加入精盐、熟火腿、嫩黄瓜片、味精调好口味,

盛入汤碗中即可。

海蜇炖猪肺

【食材】海蜇头200克,猪肺50克,火腿25克。

【调料】葱段、姜片各2克,精盐3克,味精1克,料酒10克,鸡汤150克。

【做法】1.将海蜇头撕去衣膜,洗净,放入沸水锅中烫10分钟,使其酥软,捞出放入清水中漂洗干净。

2.将火腿改刀成马牙块,加入料酒,上笼蒸酥烂;猪肺用清水灌拍,抽去肺内气管筋络(应保持完整),放入沸水锅中余一下,捞出洗净,装入沙锅,放入葱段、姜片、料酒、鸡汤,用小火炖3~4小时,使其酥烂。

3.将海蜇头下沸水中略烫,再用沸鸡汤淘过一次,捞出连同火腿块一起放入沙锅内,炖至开锅,加入精盐、味精略炖即可。

枸杞炖海参

【食材】新鲜虾肉200克,水发海参300克,竹荪20克,枸杞15克。

【调料】姜片3克,鸡汤150克,精盐5克,味精2克。

【做法】1.将水发海参洗净,切成块;将海参块和新鲜虾肉分别放入沸水锅内余一下,捞出备用;竹荪用水浸泡,洗净后切成段;枸杞洗净。

2.取一炖锅,放入虾肉、海参块、姜片和竹

Tips

厨房小窍门

水产炖品\其他水产炖品

苏段,倒入鸡汤,置旺火上烧沸,撇净浮沫,倒入枸杞,盖好锅盖,改用小火炖20分钟左右至海参块熟烂,撒上精盐和味精即可。

收拾河鳗的窍门 用左手中指关节用力勾住河鳗,然后右手拿刀先在鳗鱼的喉部和肛门处各割一刀,再用方竹筷插入喉部刀口内,用力卷出内脏;用手挖出鱼鳃,将河鳗放入大盆内,倒入沸水浸泡,待黏液凝固,即用干揩布或小刀将鳗鱼的银鳞除净,最后用清水反复冲洗几次。

厨房小窍门

海参炖豆腐

【食材】水发海参400克,水豆腐300克,鸡蛋清6个,牛奶150克,水发香菇15克,青菜心3棵,熟火腿片、熟鸡皮块各25克。

【调料】料酒10克,葱姜汁6克,精盐8克、味精3克,湿淀粉10克,猪油30克,肉汤500克。

【做法】1.将水豆腐放入碗内,加入鸡蛋清、牛奶、精盐、味精搅拌均匀,入笼置火上蒸20分钟左右,取出成芙蓉豆腐备用;水发海参去杂,洗净切片,投入沸水锅中氽一下;水发香菇去根蒂,洗净后切片。

2.将锅置于旺火上,放入猪油烧热,加入肉汤、海参片、料酒、葱姜汁、精盐、味精、熟火腿片、香菇片、青菜心和熟鸡皮块,烧沸后改用小火炖至入味,用湿淀粉勾芡,起锅盛入汤碗内,用汤匙将蒸好的芙蓉豆腐舀在海参片周围即可。

笋菇炖海参

【食材】水发海参500克,冬笋片60克,香菇50克。

【调料】湿淀粉30克,味精8克,精盐3克,料

酒、酱油各15克,高汤1200克,姜汁8克,香油5克。

【做法】1.将水发海参投入沸水锅中氽透,捞出放入温水盆内,摘去海参的肠膜,洗去泥沙,片成薄片;冬笋片投入沸水锅中氽透,捞出备用;香菇择洗干净,撕成小朵。

2.将锅置于旺火上,倒入高汤,加入味精、料酒、酱油、精盐、海参片、香菇和冬笋片,烧沸后撇净浮沫,改用小火炖至熟透入味,用湿淀粉勾芡,淋上香油和姜汁,出锅盛入汤碗内即可。

炖软糯海参

【食材】水发海参800克,火腿片、水发香菇、冬笋片各50克,鸡骨架500克。

【调料】味精5克,酱油20克,精盐7克,香油2克,胡椒粉1克,猪油、料酒各25克,湿淀粉35克,高汤400克,葱段、姜片各5克。

【做法】1.将水发海参洗净捞出,擦干水分,涂上湿淀粉和酱油,随即投入烧至八成热的大油锅中炸一下取出,放到锅内(海参下面用竹垫垫底),再放入水发香菇和冬笋片。

2.将鸡骨架投入沸水锅中焯一下,取出洗

净血污,放入烧热的猪油锅中煽炒片刻,加入料酒、精盐、酱油、味精、高汤、葱段和姜片,盖上锅盖,置旺火上烧沸后改用小火炖40分钟左右,将鸡骨捞出不用。

3.鸡骨汤放入海参锅内,小火炖至海参软糯取出。

4. 将海参入碗上笼蒸熟,将海参盛入盆内,将锅内原汁烧浓后,用湿淀粉勾芡,淋上香油和猪油,撒入胡椒粉推匀后起锅,浇在海参上即可。

炖紫菜海参汤

【食材】水发海参150克,冬笋50克,紫菜25克,熟火腿10克。

【调料】植物油25克,葱末、姜末各5克,鸡汤300克,料酒10克,精盐4克,味精2克,胡椒粉1克,湿淀粉20克。

【做法】1.将水发海参切片;熟火腿、冬笋切成碎末;紫菜用清水漂一下。

2.将锅置于旺火上,放入植物油烧热,放入葱末和姜末煽出香味,倒入鸡汤、海参片、冬笋碎末和料酒,烧沸后改用小火炖至海参熟透,加入紫菜继续用小火炖沸,撒入精盐、味精和胡椒粉,用湿淀粉勾薄芡,放入熟火腿碎末即可。

炖什锦海味

【食材】水发海参、水发鱿鱼各200克,水发

干贝、水发香菇、冬笋、火腿、鲜蟹黄各50克,熟鸡皮、熟鸡脯肉、熟白肚各100克。

【调料】酱油、猪油和鸡油各50克,葱段、姜片、精盐各10克,味精2克,料酒5克,湿淀粉20克,高汤500克,胡椒粉2克。

【做法】1.将水发海参、水发鱿鱼、水发香菇、冬笋和熟白肚、火腿分别切成坡刀大片;熟鸡脯肉用手撕成条;熟鸡皮切成大片,与水发干贝均放入沸水烫透,捞出备用,和火腿片放在一起。

2.将炒锅置于火上,放入鸡油和猪油烧热,将葱段和姜片炸黄,取出不用;放入高汤、海参片、鱿鱼片、香菇片、冬笋片、熟鸡脯肉条、干贝、火腿片、熟鸡皮片、熟白肚片、酱油、味精、精盐、料酒和胡椒粉,烧沸后改用小火炖至熟透入味,放入蟹黄再炖片刻,用湿淀粉勾薄芡,端上桌即可。

炖酥香海带

【食材】水发海带1000克,猪肉350克,大白菜叶、猪骨头各150克。

【调料】料酒10克,精盐6克,酱油10克,醋4克,味精3克,白糖5克,香油4克,葱丝、姜片、蒜片各10克。

【做法】1.将水发海带洗净,去掉边缘,切成片;猪肉切成条,把猪肉条放在海带片上卷成卷。

收拾鲈鱼的窍门 为了保证鲈鱼的肉质洁白,宰杀时应把鲈鱼的鳃颊骨斩断,倒吊放血,待血污流尽后,放在砧板上,从鱼尾部跟着脊骨逆刀上,剖断胸骨,将鲈鱼分成软、硬两边,取出内脏,洗净血污即可。

2.锅底垫一层肉骨头以防止肉酥时粘锅底，放上一层海带卷，上铺一层薄姜片；再放第二层海带卷，铺上一层薄蒜片；放第三层海带卷，上铺一层葱丝，依此类推，最后放一层海带卷，再加入料酒、香油、醋和酱油、精盐、味精和白糖，上面再放一层大白菜叶，加入清水，以淹没海带为宜。

3.先用旺火烧沸，再改用小火炖至汤汁快干、海带酥烂入味后，连锅端下晾凉。食用时将海带卷切成圆片即可。

冬瓜炖香蟹

【食材】螃蟹200克，冬瓜500克。

【调料】猪油30克，高汤500克，葱末、姜末各5克，精盐6克，味精2克，葱油6克，鸡精、胡椒粉各2克。

【做法】1.将螃蟹洗净去盖后切成大块；冬瓜

去皮及瓤洗净后切成骨排片。

2.将锅置于中火上，放入猪油烧热，放葱末和姜末煸炒出香味，倒入高汤烧沸，加入冬瓜片炖10分钟左右，放入螃蟹炖至熟透，撇净浮沫，撒入精盐、味精、鸡精和胡椒粉，淋上葱油即可。

南瓜炖河蟹

【食材】河蟹、南瓜各300克。

【调料】精盐、味精、葱段和姜片各5克，猪油30克，高汤1500克。

【做法】1.将河蟹放入清水中浸泡一天一夜，使其吐净沫和泥沙后洗净；南瓜去皮及籽，洗净后切成大片。

2.将锅置于旺火上，放入猪油烧热，放葱段和姜片炝出香味，加入高汤和南瓜片烧沸，改用小火炖10分钟左右，下入河蟹炖至熟透，撒入精盐和味精即可。

贝菜炖蟹肉

【食材】蟹肉150克，干贝50克，白菜心500克。

【调料】精盐、鸡精各3克，味精5克，高汤700克，猪油20克，葱段和姜片各5克。

【做法】1.将白菜心一切两开，洗净后投入沸水锅内氽透，捞出放凉水内投凉；干贝泡软洗净，蒸熟后撕成丝状；蟹肉撕成丝。

2.将锅置于小火上，放入猪油烧热，放葱段、姜片炝锅，倒入高汤，加入精盐、味精、鸡

收拾青鱼的窍门 右手握刀，左手按住青鱼的头部，刀从尾部向头部用力刮去鳞片，然后用右手大拇指和食指将鱼鳃挖出，用剪刀从青鱼的口部至脐眼处剖开腹部，挖出内脏，用水冲洗干净，腹部的黑膜用刀刮一刮，再冲洗干净。

厨房小窍门

精、白菜心和猪油炖半小时左右,放入干贝丝
和蟹肉丝再炖20分钟左右即可。

对禽类初加工的窍门 整鸡和整鸭有三种开膛方法,应
视烹调的需要而定。(1)膛开:先在鸡、鸭颈部与脊背椎
骨之间开一刀口,取出嗉子,再在肛门与腹部之间开一
长约7厘米的刀口,轻轻拉出内脏,洗净。(2)肋开:在
鸡翅膀下开口,拉出内脏,洗净。(3)脊开:在鸡、鸭的脊
椎处破骨而开。

板栗炖蛤蜊

【食材】蛤蜊20只,猪肉、板栗各200克。

【调料】料酒10克,精盐5克,酱油10克,姜汁
7克,白糖6克,香油3克。

【做法】1.将蛤蜊洗净,投入沸水锅中煮一下,
待壳张开时,取肉,洗净后放入碗内,用料
酒和姜汁腌半小时左右;板栗放入锅中,
加入清水600毫升,置火上煮熟,捞出剥去
外皮,去掉内衣,对切为二;猪肉洗净后切
成片。

2. 将蛤蜊肉、板栗和猪肉片一起放入锅
内,加入清水1000毫升,置中火上炖半小时左
右,加入酱油、精盐、白糖和料酒,再炖至肉熟
烂入味,淋上香油即可。

炖蛤蜊肉粒

【食材】蛤蜊1000克,猪肥肉250克,猪瘦肉
350克。

【调料】葱末20克,精盐、白糖、味精各10克,
料酒5克,胡椒粉2克,植物油、干淀
粉和湿淀粉各50克,高汤200克,姜
末和酱油各10克。

【做法】1.将蛤蜊洗净泥沙,倒入沸水锅内烫
一下,见其张开壳即捞出,摘下蛤蜊肉,去除

黑色杂物并洗净;挑拣大小一致的蛤蜊壳洗
净,两片壳中间要连着,擦干水分,壳里撒上
干淀粉备用。

2.将猪肥肉和猪瘦肉分别切成小丁,用刀
反复斩成细粒状,放入碗内,加入葱末、姜末、
酱油、白糖、味精、胡椒粉、湿淀粉和蛤蜊肉搅
匀,然后分别装在蛤蜊壳内,蛤蜊口上用湿淀
粉抹平。

3. 将装好的蛤蜊壳下入热油锅中稍炸一
下捞出,顺序码在炖锅内,加入料酒、精盐和
高汤,对好颜色,置旺火上烧沸后改用小火炖
至熟透味即可。

炖干贝四丝

【食材】干贝、熟猪瘦肉丝、熟鸡丝各200克,
熟火腿丝50克,冬笋丝150克。

【调料】精盐、葱末、姜末各5克,味精、酱油各
7克,料酒、香油各25克,高汤750克,
湿淀粉40克,猪油20克,糖色10克。

【做法】1.将干贝剥去老筋,放入碗内,加入清
水,入锅炖至熟烂。

2.将锅置于旺火上,放入猪油烧热,用葱

末和姜末炝锅,投入熟猪瘦肉丝、熟鸡丝、熟火腿丝和冬笋丝煸炒片刻,加入精盐、味精、料酒、酱油和高汤炖至汤汁快干时,用湿淀粉勾芡,烧熟后装入盆内;将干贝汤汁滗出备用,干贝滴尽汁水,放在四丝上面。

3.将锅置于中火上烧热,放入高汤、料酒、糖色、精盐、味精和干贝汁炖沸,撇净浮沫,用湿淀粉勾成流芡,淋上香油,浇在四丝上即可。

菠菜炖鱼脯

【食材】鲇鱼1条,菠菜100克。

【调料】红枣15克、生姜10克,盐5克,味精2克,胡椒粉1克,料酒3克。

【做法】1.鲇鱼杀洗干净,在鱼脊部横切几刀;菠菜洗净去老叶,红萝卜去皮切片,生姜去皮切丝,红枣泡透。

2.烧锅下油,放入姜丝、鲇鱼,用小火煎香,倒入料酒,注入清水,用中火炖约20分钟。

3.加入菠菜、红枣,调入盐、味精、胡椒粉,再炖15分钟即可。

侉炖鱼块

【食材】净鱼肉200克。

【调料】香菜段3克,葱丝5克,花生油30克,鸡蛋液50克,干淀粉10克,盐3克,味精2克,料酒15克,胡椒粉0.5克,米醋7克,葱段、姜片、蒜瓣共50克,香油5克,高汤500克。

【做法】1.净鱼肉切成骨牌块,入大碗中加料酒、味精、盐、香油入味。

2.蛋液加淀粉调成蛋糊。鱼块放入蛋糊内拌匀。

3.炒锅上火,注入花生油烧至七成热,下入鱼块炸呈微黄色,控油。

4.炖锅上火,加高汤、料酒、盐、味精、胡椒粉烧开,放入鱼块及葱、姜、蒜再烧沸,改用小火炖10分钟,拣除葱姜蒜,淋入醋、香油,撒上葱丝、香菜段即成。

蒸河蟹的窍门 取纱绳一根(约50厘米长),先在左手小拇指绕2周,然后用左手将蟹的螯和脚按紧,纱绳先横着蟹身绕2周,再顺着蟹身绕2周,再将小拇指上绕的纱绳松开,在蟹的腹部打一个活结,即可上笼蒸,这样可避免蟹在加热时爬动造成流黄、断脚。

厨房小窍门

蛋类炖品

炖酥蛋

【食材】鸡蛋8个,猪肉(三成肥、七成瘦)250克,豆苗200克。

【调料】料酒10克,酱油50克,精盐2克,猪油1000克(实耗75克),姜末、葱末各5克,白糖15克,味精2克,虾籽1克,香油15克,湿淀粉30克,高汤400克。

【做法】1.将猪肉洗净后剁成蓉,放入大碗中,加入葱末、姜末、虾籽、精盐、湿淀粉拌匀成馅;把2个鸡蛋打入碗中,加湿淀粉调匀成蛋糊。

2.将6个鸡蛋放入冷水锅中煮熟,捞出,放入冷水中浸泡,剥去壳,竖切成两半,去黄,抹上蛋糊,放入肉馅(成整蛋形)。

3.将锅置于旺火上,放入猪油烧至五六成热,将鸡蛋逐个挂上蛋糊,投入锅中,炸至微黄时,用漏勺捞起沥干油,倒去锅中余油,重新在火上烧热,投入鸡蛋,放入高汤,加入料

酒、酱油烧沸,再移小火上炖半小时至酥烂,捞起装盘,汤汁备用。

4.将炒锅置于旺火上,放入猪油烧热,投入豆苗,加入精盐炒熟,盛起围在蛋的四周;锅中放煮蛋卤汁,上火烧沸,加入白糖、味精,用湿淀粉勾芡,淋上香油,起锅将汁浇在蛋上即可。

海米炖蛋

【食材】鸡蛋6个,海米10克。

【调料】精盐2克,味精1克,料酒15克,淀粉10克,高汤125克,植物油20克,香油5克。

【做法】1.将海米泡发好,剁成细末,放入碗里;再将鸡蛋打入碗里,加入精盐、料酒、味精、淀粉和高汤搅匀。

2.将炒锅置旺火上,倒入植物油,烧热后把调好的蛋液汁倒进锅内,用勺推炒;在推炒的过程中,要不断向炒勺边淋植物油(5克),见鸡蛋定浆时,用大翻勺的方法,把鸡蛋翻个,再往勺边淋点油,加入适量清水然后改小火慢炖15分钟,再转入旺火大翻勺,淋上香油即可。

和胡椒粉,炖沸后撇净浮沫,改用小火炖40分钟左右,放入鸽蛋、枸杞和精盐,再炖10分钟左右即可。

海参炖鸽蛋

【食材】鸽蛋12个,水发海参2只(约600克),火腿片50克,鸡脚、鸡翅4只。

【调料】精盐3克,葱段、姜片各10克,酱油20克,味精5克,香油2克,胡椒粉1克,料酒50克,湿淀粉40克,高汤400克,猪油60克。

【做法】1.将发好的海参洗净,放入底部垫有竹垫的锅中;鸡脚和鸡翅投入沸水锅中焯一下取出,洗净血污。

2.将炒锅置于火上,放入猪油烧热,将葱段和姜片煸香后,投入鸡脚和鸡翅炒一下,加入料酒、酱油、精盐、味精和高汤,烧沸后改用小火炖40分钟左右,捞出鸡脚、鸡翅、葱段和姜片。

3.将鸽蛋下锅,加入冷水煮熟捞起剥去壳备用。

4.将鸽蛋放入海参锅内,小火炖10分钟取出,原汁滗入锅内,海参盛在长圆盆内,四只鸡脚、鸡翅放在海参的前后两旁,鸽蛋围在海参周围,火腿片铺在海参的中央,然后将锅内原汁烧沸后,用湿淀粉勾芡,撒入胡椒粉,淋上香油,起锅浇在海参上即可。

海参枸杞炖蛋

【食材】鸽蛋15个,海参2只,枸杞15克。

【调料】葱段、姜片各7克,酱油6克,料酒10克,胡椒粉2克,鸡汤500克,花生油30克,干淀粉20克,精盐5克,猪油50克。

【做法】1.将海参放入盆内用凉水浸泡发涨,洗净,投入沸水中焯两遍,冲洗干净,再用尖刀在腹壁切上菱形花刀;枸杞洗净;鸽蛋放凉水锅中,用小火煮熟去壳,滚上干淀粉,放入花生油锅内,表面炸成黄色时捞出。

2.将锅置于旺火上,放入猪油烧至八成热,将葱段和姜片炒出香味,倒入鸡汤炖3分钟,捞出葱段和姜片不用,加入海参、酱油、料酒

Tips

使鳝鱼脱骨的窍门 将锅内放入葱段、姜片、精盐、料酒、醋和清水煮开,倒入活鳝鱼,立刻盖上锅盖(否则鳝鱼会从锅内窜出),煮五分钟可出锅。将熟鳝鱼放在桌面上,左手按住鳝鱼头,右手的拇指和食指拿着牙签,中指顶住鳝鱼背,从头到尾划三下,剥下鳝鱼肉,再除去骨头就很容易了。

厨房小窍门

豆干炖鸽蛋

【食材】鸽蛋5个,五香豆腐干3块,香菇10个。

【调料】猪油50克,料酒10克,酱油5克,味
精2克,精盐6克,肉汤500克,大料
2克。

【做法】1.将鸽蛋煮熟剥皮,洗净;五香豆腐干
和香菇分别洗净后切成片。

2.取一炖锅,在底部铺入五香豆腐干片和
香菇片,依次放入鸽蛋、猪油、酱油、大料、料
酒和肉汤,置旺火上烧沸后撇净浮沫,改用小
火炖约20分钟后,拣去大料不用,撒入精盐和
味精即可。

枸杞炖鸽蛋

【食材】鸽蛋15个,枸杞15克,猪油50克。

【调料】葱段、姜片各5克,酱油6克,料酒10
克,胡椒粉2克,鸡汤500克,花生油
30克,干淀粉20克,精盐5克。

【做法】1.将枸杞洗净;鸽蛋放凉水锅中,用小
火煮熟去壳,滚上干淀粉,放入花生油锅内,
表面炸成黄色时捞出。

2.将锅置于旺火上,放入猪油烧至八成热,
将葱段和姜片炒出香味,倒入鸡汤炖3分钟,
捞出葱段和姜片不用,加入酱油、料酒和胡椒

粉,煮沸后撇净浮沫,改用小火炖40分钟左
右,放入鸽蛋、枸杞和精盐,再炖10分钟左右
即可。

赤豆炖鹌鹑蛋

【食材】鹌鹑蛋10个,赤豆50克。

【调料】姜片、葱段各10克,精盐5克,味精2
克,香油2克,料酒10克,胡椒粉2克,
肉汤500克。

【做法】1.将鹌鹑蛋洗净煮熟剥好。

2.将鹌鹑蛋、赤豆、葱段、姜片、胡椒粉、精
盐、料酒和肉汤一起放入锅内,置旺火上烧
沸,改用小火炖1个半小时左右至豆烂,撒入
味精,淋上香油即可。

红莲雪蛤炖鹌鹑蛋

【食材】鹌鹑蛋6个,雪蛤肉200克,莲子100
克,红枣10颗,陈皮10克。

【调料】冰糖20克,清水200毫升。

【做法】1.将鹌鹑蛋蒸熟后去壳;雪蛤肉用清
水浸透发开,拣去杂质,洗净,备用;红枣去
核;陈皮浸透,刮去内瓤。

2.将鹌鹑蛋、雪蛤肉、红枣、陈皮、莲子放
入瓦煲内,注入沸水两碗,炖3个小时,加入冰
糖即可。

分离鸡蛋清的窍门 取一个鸡蛋,轻轻磕碎较圆的部
分,抠掉部分鸡蛋皮儿(抠开小洞的直径为1.5厘米左
右),轻轻晃动鸡蛋,鸡蛋清就会"哗啦"一下流下来,倒
出鸡蛋清后把开口扩大到3厘米左右,晃动几下即可
倒出鸡蛋黄。

厨房小窍门

其他炖品

土豆炖倭瓜

【食材】土豆、倭瓜各700克。

【调料】大酱40克,精盐7克,花椒水10克,大料2粒,味精3克,高汤1000克,葱段8克,姜片6克,猪油40克。

【做法】1.将土豆去皮切成滚刀块;倭瓜洗净去籽,切成大块。

2.将锅置于旺火上,放入猪油烧热,用葱段、姜片炸锅,添入高汤,加入大酱、精盐、花椒水、大料,放入土豆块和倭瓜块,烧开后转用小火保持开状,炖半小时左右,见汤已不多,底部有一层锅巴时,撒上味精出锅即可。

土豆炖茄子尖椒

【食材】土豆250克,长茄子20克,大尖辣椒100克。黄瓜50克,胡萝卜25克。

【调料】酱油3克,精盐4克,味精5克,花椒水3克,葱丝、姜丝共10克,蒜片5克,猪油20克,高汤400克。

煎鱼的窍门(一)(1)把锅洗净擦干后烧热,放油,待油烧热时转一下锅,使锅内四周均匀地布上油,然后把鱼放入锅内,鱼皮煎至金黄色时翻动一下,煎另一面。这样,鱼皮就不容易粘在锅上。(2)把锅洗净擦干后烧热,用鲜姜在锅底擦上一层姜汁,而后再放油,油热时,再放鱼煎,可以防止粘锅。

【做法】1.将长茄子去蒂,洗净,切成块;土豆去皮切成滚刀块;大尖辣椒去蒂、去籽,斜切成马蹄段;黄瓜、胡萝卜切成小方丁。

2.将锅置于旺火上,放入猪油烧热,用葱丝、姜丝、蒜片炝锅,放入长茄子块煸炒一下,添入高汤,放入土豆块、精盐、酱油、花椒水、味精,烧开后转中火炖至土豆块、长茄子块熟烂,加入大尖辣椒段、黄瓜丁、胡萝卜丁,再炖片刻,见汤汁已浓稠时盛出即可。

家常茄子炖土豆

【食材】茄子500克。土豆200克。

【调料】大酱20克,精盐4克,花椒粉4克,葱段8克,姜片7克,蒜片6克,豆油15克,高汤400克,尖椒2个,香菜8克。

【做法】1.将茄子去蒂,洗净,切成滚刀块;土豆去皮洗净,切成滚刀块;香菜洗净,切成细末;尖椒去蒂,洗净,切成细末。

2.将锅置于旺火上,放入豆油烧热,用葱段、姜片、蒜片炸锅,放入茄子块、土豆块,加入高汤、大酱、精盐、花椒粉,翻拌均匀后,盖上锅盖烧开,转入小火保持开状,10分钟后再翻拌一次原料,以便入味均匀。

3.继续用小火保持开状,炖20分钟左右,见汤汁已少且黏稠时,放入味精、香菜末和尖椒末,出锅即可。

耳脆腐竹炖土豆

【食材】煮熟的猪耳朵250克,土豆、腐竹各100克,胡萝卜、油菜各50克,火腿肠25克。

【调料】精盐4克,酱油5克,味精5克,葱丝、姜丝各5克,高汤500克,植物油25克,香油5克。

【做法】1.将煮熟的猪耳朵切成条;油菜劈成单叶;腐竹切成段;胡萝卜切成菱形片;火腿肠切成长条;土豆去皮,切成条。

2.将锅内放入植物油烧热,放葱丝、姜丝炸出香味,添入高汤,加上精盐、酱油、味精,放入猪耳朵条、土豆条、腐竹段、火腿肠条、胡萝卜片,炖15分钟,放入油菜再炖2分钟,淋上香油即可出锅。

奶汤炖豆腐

【食材】豆腐1块,油菜心75克,海米50克,枸杞25克,面粉50克。

【调料】葱段、姜片各5克,精盐4克,鸡精2克,料酒10克,高汤500克,植物油20克。

【做法】1.将油菜心洗净;海米泡洗干净;豆腐切成小块,用沸水焯过捞出,沥干水分备用。

2.将锅置于旺火上,放入植物油烧至五成热时放入面粉(约3勺)炒匀,加入沸水,待锅开成奶汤色时连同所有食料倒入炖锅中炖熟即可。

沙锅炖豆腐

【食材】嫩豆腐500克,油菜心50克。

【调料】植物油30克,小虾仁50克,浓鸡汤500克,鲜蘑菇50克,料酒、精盐各8克,味精3克,醋5克,花椒30粒,葱段10克,干红椒7克。

【做法】1.将嫩豆腐切大方块,用沸水焯一下捞出控净水;油菜心根部用刀割十字口,洗净;鲜蘑菇切成长条片;干红椒切成小段。

2.将锅置于旺火上,放入植物油,烧热后加入葱段、花椒粒、干红椒段,炸出香辣味,将油倒入碗内备用。

煎鱼的窍门(二) (1)将鱼洗净,放入用淀粉调成的浆中挂上薄薄一层面糊。等锅中油烧热后,放入鱼煎,煎出的鱼很完整,不会粘锅。(2)将鱼洗净,放入搅匀的蛋清中蘸一下,然后放入热油中煎,这样煎出来的鱼也不会粘锅。

Tips

其他炖品

3.将浓鸡汤倒入锅内,放入豆腐块、鲜蘑菇片、料酒、精盐,用旺火烧开,再用小火炖10分钟,再加入油菜心、小虾仁,烧开,撇净浮沫,最后加醋、味精和炸好的葱椒油即可。

炖蜂窝豆腐

【食材】豆腐400克,海米30克,青菜心12棵,水发黑木耳25克,笋片20克。

【调料】葱段、姜末各10克,精盐5克,味精1克,料酒10克,高汤500克,香油5克,植物油25克。

【做法】1.将豆腐放进冰箱冻至蜂窝状,捞出融化后,切成片,放入沸水中焯一下,以除去豆腥味;海米略冲洗,用沸水泡出汁;青菜心洗净。

2.将锅置于旺火上,倒入植物油烧热,投入葱段和姜末略煸,加入高汤、精盐、料酒、笋

片、水发黑木耳、豆腐片及海米,烧沸后改用小火炖至熟透,撒入用植物油炒过的青菜心以及味精,淋上香油即可。

炖三鲜豆腐

【食材】豆腐400克,香菇、冬笋各50克,油菜100克,青菜心40克。

【调料】植物油20克,香油15克,料酒25克,高汤500克,湿淀粉、干淀粉各35克,精盐3克,味精1克,胡椒粉2克,姜末5克。

【做法】1.将豆腐用手搓成细蓉,放入小盆里,加入精盐、味精和干淀粉搅拌均匀,取小羹匙10个,内壁刷一层香油,放上豆腐末蓉,上笼屉置火上蒸10分钟左右捞出,成为豆腐丸。

2.将香菇和冬笋均切成骨排片,投入沸水锅中余一下,捞出;油菜掰去老叶,成为只剩三四个嫩叶的菜心,同青菜心一起投入沸水锅中余透,捞出。

3.将锅置于旺火上,倒入植物油烧至温热,放入姜末煸炒出香味,倒入高汤烧沸,加入精盐、味精、料酒、胡椒粉、香菇片、冬笋片和青菜心、豆腐丸稍炖片刻,随即捞入盘中。

4.将油菜心摆成花瓣形,香菇片、冬笋片和青菜心摆在盘中,再放入豆腐丸。用湿淀粉将汤汁勾成浓芡,浇上盘即可。

Tips

蒸鱼的窍门 (1)可根据鱼眼判断鱼是否蒸熟,蒸熟的鱼眼睛向外凸出。(2)在鱼的表皮涂一层薄薄的淀粉,可以防止蒸鱼时破坏鱼的表皮。(3)水烧开后再放入鱼蒸。因为鱼突遇高温,外部组织就会凝固,能锁住体内的鲜汁。(4)蒸前在鱼身上放一块鸡油或者猪油,可使鱼肉更加滑嫩。

厨房小窍门

素三鲜炖豆腐

【食材】豆腐300克,水发冬菇25克,桦子蘑50克,冬笋50克。

【调料】精盐5克,味精3克,酱油5克,葱、姜末共15克,香油5克,湿淀粉20克,高汤500克,植物油50克。

【做法】1.将豆腐切成片;冬笋切成片;水发冬菇切两半。

2.将锅置于旺火上,放入植物油,烧至五成热,放入豆腐片炸至金黄色捞出。

3.锅内留底油烧热,用葱姜末炝锅,添入高汤,加酱油、精盐、味精,放入冬菇、桦子蘑、冬笋片、豆腐片,炖10分钟左右,用湿淀粉勾米汤芡,淋上香油出锅即可。

白菜炖豆腐

【食材】豆腐500克,大白菜400克。

【调料】植物油50克,精盐3克,味精5克,高汤400克,葱末、姜末各5克,鸡精2克。

【做法】1.将豆腐切成小块,放入沸水锅中煮熟;大白菜洗净后切成段,放入豆腐块锅内煮熟后倒出。

2.将锅置于旺火上,放入植物油烧热,将葱末和姜末炸出香味,加入高汤、精盐、豆腐块和白菜,炖至白菜和豆腐块融为一体时,撒

Tips

煮土豆的窍门 (1)煮土豆要用小火,为使土豆熟得更快,可往煮土豆的水里加一匙人造黄油。(2)向土豆汤中加少许茴香,可使土豆味道更鲜。(3)有经验的家庭主妇往往将白色的土豆用于制作土豆泥,黄色的土豆用于做汤。(4)为了使带皮的土豆煮熟后不开裂、不发黑,可往水里加点醋。

厨房小窍门

入味精和鸡精即可。

炖五香黄豆

【食材】黄豆400克。

【调料】葱末、姜末各10克,花椒、桂皮、大料各5克,精盐4克,香油5克。

【做法】1.将黄豆去杂,用温水浸泡一天,淘洗干净。

2.将炒锅置于旺火上,放入清水和黄豆烧沸,撇净浮沫,撒入大料、花椒、桂皮、葱末和姜末,改用小火炖至熟烂,加入精盐烧至入味,淋上香油即可。

豆腐炖海青菜

【食材】海青菜150克,豆腐50克,猪肥肉50克。

【调料】精盐20克,料酒10克,味精2克,面粉15克,高汤500克,植物油35克,香油5克。

【做法】1.将海青菜洗净切片;豆腐切片;猪肥肉洗净后切成比豆腐略薄的片。

2.将锅置于旺火上,倒入植物油,烧至八成热,倒入面粉炒至变色散香时,加入高汤、

面粉、豆腐片、猪肥肉片、料酒和精盐烧沸,撇净浮沫,放入海青菜片,改用小火炖至料熟时,淋上香油,撒入味精即可。

甜糕炖白果

【食材】白果1000克,橘饼丁30克,猪肥肉100克,橘皮1个。

【调料】白糖700克,香油10克。

【做法】1.将白果用沸水滚熟,倒落竹箕,打破壳,将肉剥出,再放入沸水中滚白果肉,倒入盆,浸冷水,用手摩擦,去净心和衣,然后再用水滚过,漂凉,浸水1天,换几次清水;将猪肥肉切成丁,放入白糖100克拌匀成为冰肉。

2.取一炖钵,放入竹算垫底,把已经处理的白果肉倒入炖钵内;取白糖600克,盖在白果上面,再将橘皮、猪肥肉丁,放到白果上面,盖上锅盖,用小火炖2个小时,白糖水炖为白糖胶即可。

3.将白果倒入锅中加入橘饼丁、冰肉丁,炖匀加入香油即可。

炖山药

【食材】山药500克,水发木耳25克。

【调料】葱姜末10克,料酒20克,精盐4克,味精1克,骨头汤650克,香油5克。

【做法】1.将山药洗净,放入沸水中煮一下,去皮后切成滚刀块,入清水中漂洗干净。

2.取沙锅一只,放入山药块、水发木耳、料酒、葱姜末、骨头汤,用旺火烧沸,淋上香油,改用小火炖至山药块断生,加精盐、味精再稍炖至山药块熟烂即可。

农家炖三色

【食材】土豆、豆角各300克,黏玉米两个。

【调料】酱油4克,精盐、味精各3克,料酒、葱末各5克,姜末3克,高汤400克,植物油20克,花椒粉2克。

【做法】1.将黏玉米放入水锅内,煮至软烂取出,切成段;土豆去皮切滚刀块,泡入清水盆中;豆角去蒂洗净。

2.将锅置于旺火上,放入植物油烧热,放入豆角煸炒,见豆角已完全发软,色泽碧绿时,加入葱末、姜末,添入高汤,加入酱油、精盐、味精、料酒、花椒粉,再放入土豆块和黏玉米段,烧开后转用中火,炖半小时左右,汤快烧干时盛出即可。

丝瓜炖豆腐

【食材】丝瓜400克,豆腐200克。

【调料】精盐4克,味精2克,料酒、酱油各5克,湿淀粉15克,葱末5克,香油3克,植物油30克。

【做法】1.将丝瓜刮净外皮,洗净后切成块;豆腐切成块,放入加精盐的沸水中略烫,捞出用凉水浸凉。

2.将炒锅置旺火上,加入植物油,烧至六成热时,放入葱末炝锅,烹入料酒,加入丝瓜块略炒,然后加入精盐、酱油和1勺水,烧沸后放入豆腐块,改用小火炖烧至豆腐块入味,再改用旺火烧半分钟,待汤剩一半时加入味精,用湿淀粉勾芡,淋上香油即可。

荷花集锦炖

【食材】熟虾蓉蛋卷150克,熟鸡脯肉50克,熟火腿25克,熟冬笋30克,净鳜鱼肉30克,熟鸡蛋2个,鸡胗15克,猪腰20克,油发鱼肚50克,青菜心40克,水发冬菇30克,虾仁15克。

【调料】葱段、姜片各5克,料酒10克,熟鸡油15克,精盐3克,味精1克,鸡汤150克。

【做法】1.将油发鱼肚用温水泡软,洗净挤干,放入锅中加鸡汤、料酒、葱段、姜片烧沸,捞出放入炖锅中;鸡胗剖菊花纹;猪腰剖麦穗花纹;净鳜鱼肉劈成片;水发冬菇劈成片,连同虾仁分别放入沸鸡汤中氽熟,捞出。

2.将熟火腿、熟冬笋及熟虾蓉蛋卷、熟鸡脯肉均切成片,排齐成刀面在油发鱼肚上摆成"十"字形,四角空隙处摆上鸡胗、猪腰、鳜鱼片及冬菇片;葱汁、姜水加上料酒调和后,分别洒在鸡胗、猪腰、鳜鱼片上,青菜心剖开,头朝里摆放在四角的衬料上。

3.将熟鸡蛋去壳,用小刀在鸡蛋的小头处雕刻成花瓣形,熟火腿、熟冬笋均切成花瓣形的片,分别插入蛋黄中,中间缀以虾仁,撒上葱末成荷花蛋,用一个荷花蛋摆放在菜中央,其余分别整齐地放在炖锅周围,舀入鸡汤,炖20分钟,取出。

4.将炒锅置于旺火上,放入鸡汤烧沸,加入精盐、味精,起锅从炖锅边徐徐倒入,淋上熟鸡油即可。

炖菜核

【食材】"矮脚黄"青菜心600克,鸡脯肉60克,虾仁25克,冬笋片、熟火腿片各30克。

【调料】水发冬菇、熟鸡油各15克,鸡蛋1个,绍酒10克,盐、干淀粉各3克,味精1.5克,鸡清汤500克,熟猪油750克(约耗100克)。

【做法】1.将青菜洗净(不能弄散),菜头削成橄榄形,剖十字形刀纹,切开菜叶,取7厘米长的菜心。

2.把鸡脯肉片成约长5厘米、宽1厘米的柳叶片,放入碗中,加鸡蛋黄、干淀粉拌匀。

3.炒锅上火,下熟猪油,烧至四成热,放入

炖牛肉的窍门 (1)加一小撮茶叶(约为泡1壶茶的量,用纱布包好)同煮,可以使牛肉熟得快而烂,且味道鲜美。(2)要把牛肉炖烂,可在炖肉时往锅里加几片山楂片,然后用小火慢慢炖煮,这样可使牛肉酥烂且味美。(3)应该先将水烧开,再往锅里放牛肉。

菜心,用铁勺翻动,至翠绿色时捞出沥油。接着将鸡脯肉下锅过油后,取出沥油。

4.取炒锅一只,先用部分菜心垫底,再将其余菜心沿炒锅底边头朝外排成圆形,放在垫底的菜心上面(露出菜头)。

5.在铺好的菜心中心缀以虾仁、鸡脯肉、冬笋片、火腿片、冬菇片,加精盐、绍酒、味精、鸡清汤,置旺火上烧沸后,移至微火上炖约15分钟,淋入鸡油即成。

奶油炖土豆

【食材】土豆600克,牛奶300克。

【调料】黄油20克,罐装甜玉米150克。

【做法】1.土豆洗净切成小块,入锅,倒入牛奶和黄油,煮沸后改小火,煮约15分钟。

2.甜玉米自罐中取出,加入锅中,炖煮至汤变得黏糊即可。

炖沙锅鸡腿菇丸子

【食材】鸡腿菇150克,猪肥瘦肉150克,鸡蛋清1个,油菜50克,海米25克。

【调料】干淀粉10克,鸡汤200克,精盐4克,醋10克,味精2克,酱油8克,姜丝5克,葱丝5克,香油5克。

【做法】1.将猪肉洗净,剁成细馅装碗,加干淀粉、鸡蛋清、精盐、味精搅匀;将发好的鸡腿菇挤去水分,长的切一刀,短梗和伞保持原形不动;油菜心切段;海米用开水泡好。

2.将锅置于旺火上,倒入清水烧开,放入油菜焯一下取出,过凉;另换清水烧至六成热,将调好的肉馅挤成直径1厘米的丸子,余至断生捞出。

3.取沙锅放入鸡汤,再放入鸡腿菇、油菜心段、海米、葱丝、姜丝、精盐、酱油、醋,烧开后撇净浮沫,放入味精调好口味,倒入丸子继续炖至主、副料酥烂。食前淋入香油即成。

厨 房 小 窍 门

花生牛奶炖银耳

【食材】花生米100克,银耳30克,牛奶1500毫升。

【调料】枸杞20克,冰糖适量。

【做法】1.将银耳、枸杞、花生米洗净。

2.炖锅上火,注入牛奶,加入银耳、枸杞、花生米、冰糖煮,炖至花生米烂熟即成。

炖茄子

【食材】茄子250克,带骨鸡肉150克。

【调料】清汤500克,酱油、料酒、葱姜末、盐、醋各适量。

【做法】1.茄子去皮切成滚刀块;把鸡肉洗净剁成小块待用。

2.炒锅烧热,放油烧至六成热,下葱姜末炒香,再下鸡块煸炒透,烹入酱油、料酒炒片刻,加入清汤。

3.汤烧开,放入茄子,改用小火炖至鸡块、茄子熟烂时,用盐调味,略洒一些醋即可出锅。

其他炖品

家常蒸菜

蒸菜既是一种简单易行、容易掌握的烹制方法，又是一种技术要求较高、需要丰富实践经验的烹制方法。它是利用水蒸气的热力使原料成熟的一种烹饪方法，既能用于菜肴、食品的烹制，又能用于干货原料的涨发、半成品的加热定型。蒸制的菜肴，由于受热均匀，具有原味不变、形状整齐的特点。

蒸菜的制作方法多种多样，既有粉蒸、扣蒸、清蒸，也有酿蒸、包蒸等，原料取材也极为广泛，无论肉类、水产还是蛋类、时蔬，都是蒸菜的适宜原料。至于蒸制的各种菜式，且不说清蒸狮子头、荷叶粉蒸肉、酒蒸全鸭、麻辣蒸鱼等大鱼大肉令人垂涎，即使是一盘粉蒸青菜，绿盈盈青翠欲滴，也足令你胃口大开。本篇为你奉上的即是常见家常蒸菜大全。

蒸菜秘诀

蒸菜的历史

中国饮馔,技艺精湛,源远流长,在众多的技法中烤的历史最久,接着是煮,然后是蒸。世界上最早使用蒸汽烹饪的国家就是中国,并贯穿了整个中国农耕文明。关于蒸的最早起源可以追溯到炎黄时期,我们的祖先从水煮食物的原理中发现了蒸汽可以把食物弄熟,在谯周的《古史考》记载中得到进一步的证实:"黄帝时有釜甑,饮食之首始备","黄帝始蒸谷为饭,蒸谷为粥"。

据历史考证,蒸菜谱中,"沔阳(现称仙桃市)三蒸"至少有 600 年历史。相传元末渔家子弟陈友谅在沔阳揭竿而起,在攻陷沔阳县城后,为犒劳兵士,陈友谅的夫人潘氏亲自下厨,将肉、鱼、藕分别拌上大米粉,配上佐料,装碗上甑,猛火蒸熟,蒸出的肉、鱼、藕味美质融,从此民间常用"三蒸"款待宾客。后来,"三蒸"的制作越来越精细,除粉蒸肉外,还有蒸珍珠丸子、蒸白丸等。

什么是蒸

蒸,是将原料放在盛器中,加上调料和汤,或者将原料加工并调味后做成一定形状放在蒸锅里,靠气体加热成熟的一种烹调技法。

由于蒸锅里的空气已达到相对饱和,主料的汁液和菜肴中的汤汁又不能像其他烹调技法那样大量蒸发,因此蒸菜便有了原形不动、原味不走、原汁不变的特点,还能在很大程度上保存菜的各种营养。蒸菜的口味鲜香,形美色艳,而且原汁损失较少,又不混味和散乱,因而蒸菜适用面广、品种多,在许多其他烹调方法中也能找到蒸的痕迹。

蒸法的分类和特点

根据烹调技法的要求,蒸可以分成:

1.粉蒸:即将原料调好味后,拌上米粉蒸制。

2.扣蒸:将原料拼成各种花案、图形放到特制的器皿中蒸熟。

3.包蒸:用菜叶、荷叶包上调味后的原料

蒸制,有的外面再用玻璃纸包好才上笼。

4.清蒸:将原料加上调味料及少许高汤,上笼蒸制,然后淋轻芡即可。

5.酿蒸:将原料表面涂贴鱼蓉、虾蓉、鸡蓉等,涂成各种形状、色彩,或在食物中塞入各种馅心,放入盆、碗中上笼蒸制,蒸熟后仍保持原料的原有色彩、味道。

6.造型蒸:将原料加工成蓉后,拌入调味料和凝固物质,如:蛋清、淀粉、琼脂等,做成各种形态,装在模具内上笼蒸制,蒸熟后成为固体造型。

另外,根据烹调原料的性质,在具体蒸制过程中还可分为红汁蒸、白汁蒸和无汁蒸。

蒸的特点是:

1.既可用生料,也可用预制半成品;既可用整料,也可用小型碎料,但都必须腌渍入味。

2.蒸的火候大致分为三种:

第一种是旺火、沸水、足气,气体猛烈直上;

第二种是中等小火、沸水、气较足,气能直上但不猛烈,可随风摇摆;

第三种是小火、沸气、气微,气只是围绕屉边缓缓上升。

蒸的火候和蒸的时间,要根据原料的老嫩、大小、形态和质感要求进行蒸制。第一种火候蒸的时间短,以水开后冒气计算,短的蒸 4~5 分钟或 6~7 分钟,较长的 10 多分钟,一般不超过 20 分钟;第二种火候适合用料较韧、形体较大、质感要求酥烂的蒸菜,蒸的时间长,短则要半小时,长则达 1~2 个小时或 3~4 个小时;第三种火候适用于蒸花色菜,徐徐蒸至成熟,以防止气体冲坏菜形,蒸的时间随原料性质而定,一般也较长。

蒸菜烹制要领

要做好蒸菜,必须注意以下方面:

1.原料要新鲜。因为蒸制时原料中的蛋白质不易溶解于水中,调味品也不易渗透到原料中,故而最大限度地保持了原汁原味,因此必须选用新鲜原料,否则蒸菜的口味会受影响。

2.调好味。调味分为基础味和补充味:基础味是在蒸制前使原料入味,浸渍加味的时间要长,且不能用辛辣味重的调味品,否则会抑制原料本身的鲜味;补充味是蒸熟后加入芡汁,芡汁要咸淡适宜,不可太浓。

3.掌握好原料蒸制时的温度。原料的湿度要大,以保持菜肴鲜嫩。原料含水量多的少加水,含水量少的多加水。

4.根据原料耐气冲的程度,分别采用急气盖蒸(盖严后在沸滚气体中蒸开)、开笼或半开笼用水滚蒸、暖气升蒸(在冷水上逐渐加热,至气急后蒸成)。

蒸菜的主要器皿

蒸的器皿很多,最常用的是木制蒸笼、竹制蒸笼,形状可大可小,层次可多可少,根据原料多少调节。蒸菜时,必须注意分层摆放:汤水少的菜放在上面,汤水多的菜放在下面;淡色菜放在上面,深色菜放在下面;不易熟的菜放在上面,易熟的菜放在下面。此外,还有不锈钢蒸笼、蒸碗和电蒸锅。

畜肉蒸品

猪肉蒸品

清蒸狮子头

【食材】猪肥瘦肉400克,黄豆芽250克,冬笋
50克,姜末5克,湿淀粉100克,鸡蛋
2个。

【调料】胡椒粉2克,精盐8克,姜块15克,料
酒20克,植物油3克,肉汤500克。

【做法】1.将猪肉剁成细末,放入小盆中,加入
精盐、清水、料酒、鸡蛋、姜末、胡椒粉、湿淀粉
等,用力搅拌均匀,做到干稠不吐水,然后制
成4个扁圆形的大肉丸,放在抹有植物油的

碗中;冬笋洗净切成细末。

2.将肉丸入笼用旺火蒸熟,取出;另用锅
加入肉汤、黄豆芽余熟,加入精盐、味精调味,
倒入装狮子头的碗中即可。

粉蒸肉

【食材】猪五花肉500克。

【调料】金酱15克,精盐3克,红腐乳汁20克,
酱油25克,五香豆豉5克,味精、胡椒
粉各2克,葱末3克,花椒6粒,植物油
1000克(实耗50克),葱段、姜片各5克。

【做法】1.将猪五花肉刮洗干净,皮朝上放入
炒锅内,加入清水用旺火煮半小时捞出,用金
酱涂匀猪皮。

2.将炒锅置于旺火上,放入植物油烧至
六成热,把涂了金酱的五花肉块趁热下锅,
炸2分钟,至肉块呈红色时捞出晾凉,切成
薄片。

3.取大碗一只,先放入花椒、葱段、姜片垫
底,再将肉片皮朝下整齐地码放在上面(正面
码50块,两边各镶15块),然后将酱油、红腐乳

炖老鸡的窍门 (1)在杀鸡前,先给鸡灌1匙食醋,然后再杀,用小火炖,就会炖得
烂熟。(2)在锅内加20~30颗黄豆同炖,熟得快且味道鲜美。(3)放3~4颗山楂,鸡肉
易烂。(4)把鸡先用凉水或少许食醋泡2个小时,再用小火炖,肉就会变得香嫩可口。

厨房小窍门

汁倒在肉块上,加五香豆豉、精盐、味精连碗入笼,用旺火蒸4个小时取出晾凉。

4.上席时,再入笼蒸透,取出翻扣入盘,去掉花椒粒、葱段、姜片,撒上葱末、胡椒粉即可。

荷叶粉蒸肉

【食材】猪五花肉500克,荷叶3张,炒米粉100克。

【调料】豆腐乳20克,豆瓣辣酱15克,甜面酱15克,葱末5克,姜末5克,精盐2克,味精2克,酱油15克,料酒10克,白糖10克,胡椒粉1克。

【做法】1.将猪五花肉洗净后切成片;豆瓣辣酱剁碎,豆腐乳碾碎。

2.将猪五花肉片放入大碗中,加入精盐、味精、酱油、料酒、白糖、葱末、姜末、豆腐乳汁、甜面酱、豆瓣辣酱汁、胡椒粉、炒米粉搅拌均匀,码放在碗中,放入笼中蒸1个小时取出。

3.将荷叶洗净,剪成片,把蒸好的肉取出,用筷子夹2片放在每张荷叶片上并包好,码放在盘中,再放入蒸锅蒸1个小时,取出即可。

风味蒸肉

【食材】猪五花肉300克,香菇100克。

【调料】精盐4克,味精2克,湿淀粉50克,老汤100克。

【做法】1.将猪五花肉切片,码放在大碗中,备用。

2.将香菇洗净,放入沸水中焯透,加入精盐、味精拌好,放入装有猪五花肉片的大碗中,入锅用旺火蒸6分钟,取出扣入平盘中。

3.锅内放入老汤烧开,加入精盐、味精,用湿淀粉勾芡,淋在蒸好的猪五花肉片上即可。

千张蒸肉

【食材】猪肉馅300克,千张(薄豆腐皮)300克,鸡蛋2个,胡萝卜20克。

【调料】精盐2克,酱油10克,白糖5克,料酒10克,香油、味精各5克,鸡汤100克,香葱20克。

【做法】1.将千张用热水浸泡半个小时;胡萝卜洗净去皮,切成末;香葱择洗净,切成末。

2.将猪肉馅放入碗中,加入酱油、精盐、白糖、料酒、鸡蛋搅匀,备用。

3.把泡好的千张切成宽条,放入深盘中,加入酱油、味精、香油、鸡汤拌匀,再把调好的肉馅放在薄豆腐皮上面,蒸15分钟后撒上胡萝卜末,再蒸2分钟捞出,撒入葱末即可。

蒸酥肉

【食材】猪后臀尖肉400克，水发海米25克，鸡蛋黄2个，摊蛋皮丝10克。

【调料】植物油750克（实耗约50克），酱油50克，精盐2克，味精2克，料酒20克，葱段10克，姜片5克，葱丝10克，姜丝5克，花椒4克，大料4克，湿淀粉30克，香油5克，高汤500克，香菜10克。

【做法】1.将猪后臀尖肉洗净，切成长片；取碗一个，放入鸡蛋黄、湿淀粉调成薄蛋黄糊，然后把肉片放入拌匀挂糊。

2.将锅置于旺火上，放入花生油烧至七成热，将挂糊的肉片下入，浸炸半分钟，至外表发挺，离火再炸2~3分钟，炸至松脆、枣红色、八成熟时，捞出控油，放到大碗内。

3.向碗中加入酱油、葱段、姜片、花椒、大料、味精、高汤，盖上锅盖后上屉，架在水锅上，把水烧开，用旺火蒸8分钟，再改用中小火蒸30~40分钟，蒸至熟透，取出，翻扣在深盘内，拣出葱段、姜片、花椒、大料不用。

4.将蒸肉原汤澄在锅内，再加入精盐、味精、料酒、葱丝、姜丝、香菜、蛋皮丝、海米烧开，调好口味，撇净浮沫，用湿淀粉勾芡，淋上香油，浇在酥肉上即可。

栗子蒸酥肉

【食材】猪精肉400克，栗子10个，鸡蛋1个，油菜30克。

【调料】姜丝5克，精盐5克，蚝油10克，味精2克，酱油10克，胡椒粉1克，湿淀粉30克，色拉油500克（实耗150克）。

【做法】1.将猪精肉切成三角块，放入碗中，加鸡蛋液、蚝油、精盐、胡椒粉、湿淀粉腌渍3分钟；油菜洗净，切段。

2.将锅置于旺火上，放入色拉油，烧至四成热时，放入腌好的猪肉块，炸至外酥里嫩成金黄色捞出，和栗子拌在一起，加入酱油、味精、姜丝、油菜段入蒸锅蒸5分钟即可。

香米蒸五花肉

【食材】猪五花肉200克，泰国香米300克。

【调料】精盐4克，味精1克，香油2克，十三香5克。

Tips

炖泥鳅的窍门（1）买来泥鳅后，放入已撒入盐的清水中1~2小时后，将泥鳅鱼放入另一干净盆内。按一斤鱼2到3个鸡蛋的比例，把生鸡蛋蛋清和蛋黄搅好，放入盆内。待泥鳅将蛋液吃净后，再进行烹制，味道更鲜美。（2）做泥鳅时，泥鳅同凉水一同倒入锅内。水慢慢烧热至开锅，这样把泥鳅慢慢烧死、炖烂。在炖时加入几片腊肉片，味道更佳。

厨房小窍门

【做法】1.将香米洗净,沥干水分,蒸熟切碎,放入精盐、味精、香油、十三香拌好。

2.将五花肉洗净,切成长条片,备用。

3.将切好的猪五花肉片摆在大碗边上,加入拌好的泰国香米,放入蒸锅用小火蒸10分钟即可。

豆豉辣酱蒸里脊

【食材】猪里脊肉250克,黑豆豉150克。

【调料】植物油100克,红辣椒酱200克,白糖5克,料酒15克,姜末8克,酱油8克。

【做法】1.将猪里脊肉切成比黄豆略大的丁;姜末放入碗内,用料酒和酱油拌匀。

2.黑豆豉放入碗内,用清水略浸泡,捞出沥干水分。

3.将锅置于中火上,放入植物油烧热,放入猪里脊肉丁翻炒片刻,加黑豆豉、红辣椒酱、白糖,翻炒均匀后盛入大碗内,放入蒸锅,蒸15分钟即可。

清蒸豆豉肉

【食材】带皮猪五花肉750克,豆豉50克,蜂蜜8克。

【调料】酱油5克,花椒3克,大料2克,葱段5克,姜片5克,植物油100克。

巧手放盐 (1)烹制香酥鸡、鸭时,宜先用精盐把洗净的鸡、鸭的外皮和内脏擦遍,这样蒸出来的鸡、鸭既酥烂,又透味。(2)肉汤、骨汤、鸡汤等荤汤在煮熟后放入精盐调味,可使肉中的蛋白质、脂肪较充分地溶在汤中,使汤更鲜美。

【做法】1.将猪五花肉刮洗干净,放入水锅中煮至七成熟捞出,擦净皮面上的水分,抹上一层蜂蜜,风干5分钟。

2.将锅置于旺火上,放入植物油,烧至八成热,将猪五花肉肉皮朝下放入油内,炸至呈火红色捞出,切成厚片。

3.将豆豉放在碗内摊匀,再把切好的五花肉片摆在碗内,加入酱油、葱段、姜片、花椒、大料,放入屉内蒸烂取出,扣在另一个碗内即可。

菜包蒸肉

【食材】大白菜250克,猪瘦肉200克,鸡蛋1个,胡萝卜10克,香菇20克,玉兰片10克。

【调料】精盐5克,味精1克,湿淀粉20克,老汤100克,色拉油500克。

【做法】1.将大白菜用沸水焯透,切成6个同样大的长方块;鸡蛋打散,摊成蛋皮,切丝;胡萝卜、香菇、玉兰片均切丝,备用。

2.将猪瘦肉切丝,滑油,与鸡蛋皮丝、胡萝卜丝、香菇丝、玉兰片丝调均匀,放在白菜叶上卷成6个同样大的白菜卷,放入蒸锅内蒸6分钟,取出装入盘内。

3.将锅置于旺火上,放入色拉油,烧热,倒入老汤,加入精盐、味精调味,用湿淀粉勾芡,淋在白菜卷上即可。

畜肉蒸品 / 猪肉蒸品

使用沙锅的窍门 (1)沙锅第一次使用时,最好用来熬粥,或者用来一煮浓淘米水,以堵塞沙锅的微细孔隙,防止渗水。(2)用沙锅熬汤、炖肉时,要先往沙锅里放水,再把沙锅置于火上,先用小火,再用旺火。(3)沙锅从火上端下时,一定要放在干燥的木板或草垫上,不要放在瓷砖或水泥地面上。

厨房小窍门

小碗蒸肉

【食材】带皮猪肥瘦肉500克。

【调料】大酱50克,精盐1克,味精2克,豆豉10克,葱段、姜块各5克,葱丝5克。

【做法】1.用清水将猪肥瘦肉浸泡20分钟,刮净皮面绒毛,洗净,放入沸水锅中烫透捞出;锅内换清水1000毫升再放入猪肥瘦肉,加葱段、姜块,用旺火烧开后转入小火将肉煮至九成熟捞出。

2.将大酱装入碗内,加入精盐、味精、豆豉搅拌均匀;将煮好的猪肉切成片,逐片蘸上酱汁码入碗内,入屉蒸12分钟取出,撒上葱丝即可。

蒸四喜肉

【食材】猪肋条五花肉500克,油菜心150克。

【调料】花生油50克,酱油75克,精盐1.5克,白糖50克,料酒20克,味精2克,葱段15克,姜片8克,湿淀粉15克。

【做法】1.将五花肉洗净,切成4大方块,投入沸水锅里焯透,去掉血污,捞出再用水冲洗;

油菜心洗净,切条。

2.将锅置于旺火上,放入花生油,烧至七成热,放入肉块和酱油煸炒,至汁烧开,改用小火烧至肉块粘上酱油、呈红色时盛出,使肉皮朝下码在碗中,加入烧热的卤汁、大部分白糖、料酒、葱段、姜片,盖上锅盖(最好用纸封严)入屉,架在水锅上,用旺火、沸水、足气蒸2~2.5个小时,至肉块酥烂熟透。

3.另取一锅置于旺火上,放入剩下的花生油,烧至七成热,放入油菜心煸炒,随即加入酱油、精盐、白糖和味精快速煸透,倒在盘里摊平;将肉块反扣在上面;再将蒸肉卤汁滗至锅内,用旺火收浓汁,用湿淀粉勾芡推匀,浇在肉上即可。

双耳蒸肉丸

【食材】猪肉馅400克,水发木耳20克,水发银耳20克,干红椒5克,青椒1个,鸡蛋1个。

【调料】精盐6克,葱末5克,味精2克,香油5克,料酒20克,湿淀粉20克。

【做法】1.把猪肉馅中加入鸡蛋清、精盐、味精、香油、料酒、葱末、湿淀粉搅拌成馅;木耳、银耳切成丝;干红椒、青椒切粒,备用。

2.将肉馅做成丸子,分别沾上木耳丝、银耳丝,放在盘内,入蒸锅蒸5分钟取出,撒上红辣椒粒、青椒粒即可。

蒸白肉丸

【食材】瘦猪腿肉550克，猪肥肉200克，净鱼肉250克，去皮荸荠100克，鸡蛋3个。

【调料】味精5克，湿淀粉50克，料酒25克，精盐20克，胡椒粉3克，五香粉1克，葱末35克，姜末15克。

【做法】1.将猪瘦腿肉洗净，切成绿豆大的粒；猪肥肉煮熟，与去皮荸荠分别切成黄豆大的粒。

2.将鱼肉剁成蓉，越细越好，加入鸡蛋液、精盐、味精、料酒、姜末、葱末、五香粉、胡椒粉、湿淀粉，一边搅拌一边加入清水，最后放入猪肉丁、荸荠丁，一起搅匀，挤成60个丸子。

3.将做好的丸子，一一放入垫有纱布的蒸笼中间，在旺火上蒸10分钟，取出装盘即可。

山东蒸丸

【食材】猪瘦肉250克，猪肥肉250克，海米25克，黑鹿角菜5克，大白菜100克，香菜50克，鸡蛋2个。

【调料】葱末30克，姜末5克，葱丝10克，精盐5克，味精3克，醋15克，胡椒粉5克，清汤300克，香油5克。

【做法】1.将猪瘦肉洗净，剁成蓉状，放入碗内，加鸡蛋搅匀；猪肥肉片成片，肉片两面交叉打直刀，再改刀切成丁；海米洗净泥沙，鹿角菜择洗干净，大白菜洗净，均剁成细末；香菜择洗干净，取30克切成末，20克切成段。

2.取大碗1个，放入瘦肉蓉、葱末、姜末、海米末、鹿角菜末、大白菜末、香菜末，加入胡椒粉、味精、精盐，搅拌均匀，制成直径3.3厘米的丸子，平摆在盘内，入笼，置旺火上蒸8分钟，不要蒸老，取出，放在大汤碗内。

3.汤锅内放入清汤、精盐、葱丝、香菜段，旺火烧开后加入味精，倒入大汤碗中，淋上香油、醋，撒上胡椒粉即可。

鸡蛋蒸肉丸

【食材】鸡蛋3个，猪肉馅200克，香菇15克，胡萝卜15克。

【调料】精盐4克，蚝油10克，料酒15克，湿淀粉15克，色拉油20克，清汤50克。

【做法】1.将鸡蛋煮熟一切为二，蛋黄取出，备用；将香菇、胡萝卜切成末。

2.将猪肉馅加入精盐、料酒、蚝油，制成丸

起鸡肉的窍门 （1）斩去鸡头颈、鸡尾，在背部由头至鸡屁股划一刀。（2）把转鸡身，在胸骨两侧由头至鸡屁股各划一刀。（3）由翼的关节处切入，连接胸、背的切口，分别用力撕下半边鸡肉。（4）分别把鸡胸肉以及包着鸡腿附近的肉切下，弃去鸡翼和鸡腿关节即可。

厨房小窍门

畜肉蒸品／猪肉蒸品

子,酿入鸡蛋内,入蒸锅蒸3分钟取出。

3.将锅置于旺火上,放入色拉油烧热,加上香菇末、胡萝卜末、精盐、清汤烧开,用湿淀粉勾芡,淋在肉丸上即可。

肉末雪菜蒸豆腐

【食材】豆腐1块,猪肉末100克,雪菜50克,青豆50克。

【调料】葱末5克,姜末5克,植物油20克,酱油10克,胡椒粉2克,干红椒4克,味精2克,精盐4克,香油3克,湿淀粉10克。

【做法】1.将豆腐切成长方形片,放入沸水锅烫一下,码入盘中;雪菜洗净切碎,备用。

2.将锅置于中火上,放入植物油,将干红椒炸出香味,放入猪肉末、葱末、姜末、雪菜末、青豆煸炒,再加入酱油、胡椒粉、味精、精盐炒匀,用湿淀粉勾芡,淋上香油;铲出放在豆腐片上,放入蒸锅中蒸5分钟,取出即可。

清蒸排骨

【食材】排骨750克,冬笋25克,水发冬菇10克,水发鱼骨25克。

【调料】猪板油40克,料酒25克,味精5克,白糖5克,精盐7克,姜丝3克,大料5个,高汤500克。

【做法】1.将排骨洗净,剁成段,放入沸水锅中,煮到六成熟,捞出沥干水;冬笋切成长方片;鱼骨切成片;冬菇切成大片;猪板油去皮,

切成丁,备用。

2.取一大碗,码入排骨段,将冬笋片、鱼骨片、冬菇片撒在排骨上,放入猪板油丁,加入姜丝、大料、精盐、白糖、味精、料酒、高汤入笼,开锅上汽后,改用小火蒸烂,出笼,拣去大料不用,上桌即可。

荷香蒸排骨

【食材】猪排骨400克,荷叶1张,香菇20克。

【调料】精盐5克,蚝油15克,酱油8克,料酒20克,色拉油20克,葱丝12克。

【做法】1.将荷叶用温水泡开,剪成圆形铺在碗中;香菇洗净,切成丝。

2.将猪排骨剁成段,用凉水冲泡5分钟,放入装有荷叶的碗内,加料酒、精盐、蚝油、酱油拌好,入蒸锅蒸20分钟取出,撒上香菇丝、葱丝。

3.将锅置于旺火上,倒入色拉油烧热,淋在排骨上即可。

巧煮老鸭 (1)用猛火煮老鸭,肉硬不好吃;如果先用凉水和食醋泡上 2 个小时,再用小火炖,鸭肉就会变得香嫩可口。(2)在锅里放几个田螺,这样肉更容易烂熟。(3)在烹制鸭子时,去掉鸭子尾端两侧的臊豆,做出来的鸭子味道更鲜美。

厨房小窍门

粉蒸排骨

【食材】猪排骨250克，米粉100克，荷叶1张。

【调料】豆瓣20克，豆腐乳汁25克，花椒1克，姜末3克，葱末5克，蒜末3克，精盐2克，味精1克，胡椒粉1克，植物油25克，香菜25克。

【做法】1.将猪排骨斩成段，加入炒酥的豆瓣、精盐、姜末、葱末、花椒、豆腐乳汁、胡椒粉、味精拌匀；再加入米粉、植物油拌匀；荷叶洗净，香菜切段。

2.在蒸笼上垫一片荷叶，装入猪排骨段，上笼蒸40分钟至熟，取出，放入蒜末、香菜段，盛入盘中即可。

豆豉蒸排骨

【食材】猪排骨500克，油菜30克。

【调料】蚝油15克，豆豉10克，精盐4克，葱末8克，料酒25克，色拉油16克。

【做法】1.将猪排骨洗净，剁成段，放入蚝油、豆豉、精盐、料酒腌5分钟；油菜切段，焯水，备用。

2.将腌好的排骨放入蒸锅，蒸18分钟取出，摆在另一个铺好油菜的盘中，放上葱末，淋入烧热的色拉油即可。

Tips

活鱼不宜马上烹调 刚死的鱼，肌肉组织中的蛋白质没有分解产生氨基酸（氨基酸是鲜味中的主要成分），吃起来不仅感到肉质发硬，也不利于人体消化吸收。把鱼冷冻一段时间，鱼中丰富的蛋白质在蛋白酶的作用下，会逐渐分解成人体容易吸收的各种氨基酸，这时，不管用什么方法烹饪，味道都会非常鲜美。

厨房小窍门

椰香芋头蒸排骨

【食材】猪肋排骨300克，老椰子1个，大芋头300克。

【调料】酱油15克，料酒15克，精盐5克，干红椒3个，葱末、姜末各5克。

【做法】1.将老椰子从顶端钻开一个小孔，把其中的鲜椰汁倒出，备用；再将椰壳横放，从1/3处锯开，用清水冲洗干净。

2.将猪肋排骨用清水洗净，剁成段；大芋头去皮洗净，切成小块；干红椒对半切开。

3.将芋头块和猪肋排段放入大碗中，放入酱油、料酒、精盐、干红椒、姜末和鲜椰汁搅拌均匀，腌制15分钟。

4.将腌制好的芋头块和猪肋排段放入椰壳中，再放入蒸锅中，用旺火蒸制半小时，将椰壳取出，撒入葱末即可。

糯米蒸排骨

【食材】猪排骨300克，糯米400克。

【调料】蚝油20克，酱油12克，味精5克，豆豉末8克，香菜6克。

【做法】1.将猪排骨切成段，用凉水冲泡5分钟，取出放入碗中，放入蚝油、酱油、味精腌渍3分钟，放入蒸锅蒸10分钟；香菜洗净切末。

2.将糯米用温水泡好,加入蚝油、酱油、豆豉末拌好,入蒸锅蒸20分钟。

3.将蒸好的猪精排段和糯米拌在一起,撒上香菜末即可。

清蒸冬瓜排骨

【食材】猪小排500克,冬瓜500克。

【调料】葱段10克,姜片5克,精盐5克,料酒10克,香菜末10克。

【做法】1.将猪小排洗净,剁成段,放入沸水中焯透,用清水冲去血沫,放入大碗内;在剩下的原汤中加入精盐、料酒,烧沸后撇净浮沫,倒入盛排骨段的碗中,放入葱段、姜片,入笼蒸至排骨熟透。

2.将冬瓜去皮洗净,切成条,放入盛排骨段的碗中,再入笼中蒸至冬瓜熟烂取出,撇净浮沫,撒上香菜末即可。

咸蛋蒸肉饼

【食材】猪肉300克,咸蛋2个。

【调料】精盐4克,味精2克,酱油25克,干淀粉25克,花生油15克,胡椒粉3克,高汤30克。

【做法】1.将猪肉剁烂,加入精盐、味精、胡椒粉、咸蛋清、干淀粉搅至起胶,再加入花生油

厨房小窍门

拌匀,然后放入盘中压扁。

2.将咸蛋黄压扁,放在肉饼上,用中火蒸熟,取出。

3.用高汤、酱油调匀,浇在肉饼上即可。

山东酥肉

【食材】猪肉750克,鸡蛋100克,水发木耳10克,鹿角菜50克,虾皮15克。

【调料】面粉50克,干淀粉50克,胡椒粉8克,精盐4克,味精5克,豆油500克(约耗50克),料酒10克,大料3粒,白醋10克,酱油6克,葱丝7克,姜丝8克,香菜10克,香油1克,葱段、姜片各10克。

【做法】1.将猪肉切成三角形块;用鸡蛋、面粉、干淀粉、胡椒粉、精盐、味精、清水搅成糊;将木耳撕成小块;将鸡蛋摊成蛋皮,切成丝;将香菜洗净,切成末。

2.将猪肉块放在搅好的糊里抓匀,挂上一层薄糊。

3.将锅置于旺火上,放入豆油,烧至五六成热,放入挂好糊的猪肉块,炸至金黄色时捞出。

4.将炸好的猪肉块放入盆中,添上清水(没

过肉块),加上酱油、葱段、姜片、料酒、大料入屉蒸50分钟,将蒸好的猪肉取出放在大碗中,拣出葱段、姜片不用。

5.将锅内放入一半蒸酥肉的汤,再加上一半清水烧开,放入鹿角菜、虾皮、木耳块、葱丝、姜丝、蛋皮丝、精盐、酱油、白醋、胡椒粉、味精,调成酸辣口味,烧开后撇净浮沫,撒上香菜末,倒在大碗中的酥肉上,淋上香油即可。

清蒸腊肉

【食材】猪肋条肉1000克,锯末750克。

【调料】精盐15克,花椒5克。

【做法】1.将猪肋条肉切成长条,用竹签扎些小眼,再用花椒和精盐(都经过炒烫、晾至温热)进行揉搓,揉搓后放入瓷盆,皮朝下肉朝上,一层层码放,最上一层用重物压住。每隔两天翻倒一次,腌10天后,改为每天翻倒一次,再腌4~5天,取出,用绳穿上,吊挂通风处晾至半干。

2.在大铁锅内放入锯末,上面架铁箅子,把晾好的肉放置其上,盖上锅盖,置于火上,至锯末受热冒烟时停火,将肉熏成黄色、已干燥即可。

3.将制好的腊肉放入温水中泡软,刮去黄面,并刷去肉上的尘土,再用温水洗净,放入容器,入屉用旺火、沸水、足气蒸1~1.5个小时,取出,晾凉,切片装盘即可。

清蒸平菇腊肉

【食材】腊肉600克,平菇300克。

【调料】料酒8克,精盐3克,味精3克,葱段、姜片各10克,豆瓣辣酱15克,白糖3克,高汤300克,猪油25克。

【做法】1.将平菇去根,洗净,切成块,放入沸水锅中焯一下,放入蒸碗内;豆瓣辣酱剁碎。

2.将腊肉放入温水中浸泡,洗净,切片,皮朝下整齐地码在平菇上,然后加入料酒、味精、高汤、白糖和精盐。

3.将另一口锅内放入猪油烧热,放入葱段、姜片炝锅,再放入豆瓣辣酱末煸炒出红汁,倒在腊肉上。腊肉上屉蒸烂取出蒸碗,将汤滗出并烧开,撇净浮沫,调好口味,浇在腊肉、平菇上即可。

腊味合蒸

【食材】腊猪肉(肥三瘦七)、腊鸡肉、腊鲤鱼各200克。

【调料】白糖15克,味精1克,猪油25克,肉汤25克。

【做法】1.将腊猪肉、腊鸡肉、腊鲤鱼用温水洗净,装入瓦钵中间,入笼蒸熟取出;腊猪肉去皮,腊鸡肉去骨,腊鲤鱼去鳞;将腊猪肉切成条,腊鸡肉、腊鲤鱼分别切成与腊猪肉同样的条。

煮虾的窍门 (1)煮虾前,从虾背把壳剪开,这样使虾更易进味,但不要剥壳。(2)煮虾时在水中放入柠檬片,这样可以除去腥味。(3)龙虾下锅时要用大火煮,如用慢火煮,肉容易糜。(4)干虾要经过浸发才可除去异味,第一次浸的水异味很重,因此不能直接用来烹煮。

Tips

畜肉蒸品 / 猪肉蒸品

2.取汤碗一个,将腊猪肉、腊鸡肉、腊鲤鱼皮朝下分别放入汤碗中,加入猪油、白糖,将味精、肉汤倒入汤碗中,上笼蒸烂,食用时从笼中取出,翻扣在汤盘中即可。

豉椒蒸腊肉

【食材】腊肉450克。

【调料】豆豉15克,干红椒2个,植物油10克,香菜10克。

【做法】1.将腊肉用热水洗净,蒸 1 个小时,取出切成厚片,排入大碗内。

　　2.将豆豉洗净,捣烂;干红椒去籽,切碎;香菜洗净,切段。

　　3.将锅置于旺火上,倒入植物油,烧热,放入豆豉蓉、干红椒末炒熟,全部放在腊肉上,隔水蒸片刻,取出上碟,香菜段放在周围即可。

清蒸火腿

【食材】火腿500克,青菜心150克。

【调料】熟鸡油15克,姜片8克,葱段20克,味精1克,精盐2.5克,料酒15克,高汤200克。

【做法】1.将火腿"上方"肉穿入铁叉,放在炉火上,用火苗燎去火腿表面的油污,放到温水盆中浸泡后,用刀将表皮刮净,在火腿外皮上剞上"人"字形花纹;青菜心洗净,切段。

　　2.将火腿(皮朝下)放在大碗内,加入料酒、葱段、姜片和高汤,入屉,架在水锅上用旺火、沸水、足气蒸2~2.5个小时,蒸至肉酥烂时取出,捞去葱段、姜片,撇去浮油,翻扣在大汤碗内(表皮朝上)。

　　3.将锅置于旺火上,放入高汤,烧开,下入青菜心段烧至断生,再加入精盐和味精,调好口味,汤再烧开,淋入溶化的熟鸡油,倒在大汤碗内即可。

蜜汁火腿

【食材】火腿500克,莲子100克。

【调料】冰糖150克,白糖15克,糖桂花5克,湿淀粉15克。

【做法】1.将火腿用温水洗净,放在沸水锅中烧开后盖上锅盖,改用小火煮 2 个小时,去掉重咸味,煮至靠骨边瘦肉呈现淡红色、骨微有突出时捞出;趁热去骨,去骨时,把火腿竖起,

炖肉忌过早放盐和酱油 炖肉一开始就放入精盐和酱油会使肉味过咸,而且破坏肉中的营养成分,因此应该在肉烧至七成熟时放入酱油,肉烧至九成熟时放入精盐。先放入酱油,是为了使肉色内外均匀,并可去掉生酱油味,使酱油的醇鲜味道充分溶于肉汤中。

厨房小窍门

两手从其骱骨处用力把瘦肉剥离大骨,随即将大骨和小骨抽出(但要防止拉出瘦肉);放置冷却,然后用刀分别切成大片,在每片皮面上横剞四道刀纹,剞成长方格子花纹(入刀深度为切至瘦肉为止),再将各片顺长向切成长条块。

2.将莲子去皮、去心,用温水泡软,上屉蒸至七成熟,取出。

3.将火腿条(皮朝下)整齐地摆在碗里,加入冰糖和清水,上屉,架在水锅上用旺火、沸水、足气蒸1个小时,取出,滗出卤汁不要。

4.将蒸过的莲子铺在火腿条上面,加冰糖,入屉,架在水锅上继续用旺火、沸水、足气再蒸1个小时左右,蒸至冰糖溶化渗入火腿条内部、莲子和火腿肉质都已酥烂时,取出,翻扣在盘内。

5.把蒸火腿的卤汁滗到锅里,置于旺火上,加白糖和少量清水烧至糖化、水沸;用湿淀粉勾芡,撒上糖桂花,调拌均匀,浇在盘内的火腿条和莲子上面即可。

夹沙肉

【食材】猪肥膘肉500克,豆沙75克,玫瑰25克,糯米100克。

怎样缩短炖肉的时间 如果要缩短炖肉的时间,又要保持肉中的营养成分,就应该把肉切成小块炖,以2~3厘米半见方的小块为宜。另外,在炖肉时,在锅里加入少许食醋,不仅可以缩短炖煮时间,而且还能除去肉的腥味和油腻并增加汤的鲜味。

厨房小 窍 门

【调料】红糖50克,猪油50克,白糖25克。

【做法】1.将猪肥膘肉刮洗干净,入锅煮至刚刚熟,捞出晾凉,用刀切成片,再将肉片缝中片一刀,使其成为皮相连的两张薄片。

2.锅内放红糖30克炒化,放入猪油、豆沙炒匀,并加玫瑰捣匀,然后将馅塞于肉片夹层中,压成扁形,逐片摆在蒸碗中成圆形。

3.将糯米淘洗后放入清水中浸泡半小时,用净布包好,上笼蒸20分钟,取出后用清水浸一次,再入笼蒸至软;取出加入红糖、猪油拌匀,放于摆好肉片的蒸碗中,上笼蒸2个小时,取出扣于盘中,撒上白糖即可。

香干夹肉

【食材】猪肋条五花肉250克,豆腐香干150克,大头菜150克。

【调料】花生油50克,酱油25克,料酒15克,精盐3克,味精1克,葱段5克,姜片5克,白糖5克。

【做法】1.将猪肋条五花肉刮洗干净,切成方形片,放入碗内,加入花生油、料酒、酱油、味精、白糖、葱段、姜片拌匀,腌半个小时;将大头菜、豆腐香干洗净,切成与猪肋条五花肉片大小相同的片。

2.将猪肋条五花肉片连皮的一面朝下,一片猪肋条五花肉、一片大头菜、一片豆腐香干依次码在碗内,浇上腌肉的卤汁和精盐,盖上锅盖,放入蒸笼,置于水锅上。先用旺火、沸水、足气蒸20分钟,再改用中火蒸45分钟至1个小时,蒸至猪肋条五花肉片出油,酥软熟透(用筷子能够戳动猪肋条五花肉皮),取出翻扣在盘内即可。

香芋夹肉

【食材】猪五花肉500克,芋头400克,青菜心150克。

【调料】花生油1000克（实耗60克），红腐乳汁30克，精盐4克，白糖10克，酱油20克，料酒25克，葱末12克，味精2克，胡椒粉3克，大料1克，香油10克，湿淀粉20克。

【做法】1.将猪五花肉刮洗干净，放入沸水锅煮半小时至七成熟时取出，用牙签戳几个小孔（气眼），再用干净布擦干水，抹上精盐擦皮，擦匀后涂上一层酱油；芋头去皮、洗净，切片；青菜心洗净，切段。

2.将锅置于中火上，放入花生油，烧至五成热，将猪五花肉块入油锅，炸至肉皮发挺、起小泡、呈黄色时，将油温烧至六成热，再炸2~3分钟，炸至猪五花肉皮表面上的泡增多和均匀时，捞出控油。

3.将炸好的猪五花肉块放入冷水盆中浸泡片刻，捞出控水，切成一边厚、一边薄的斧头块，用干净布擦干水，然后再投入八成热的花生油锅中速炸一下，炸至皮脆、肉酥呈深黄色，捞出沥干油。

4.将炸好的猪五花肉块改刀切成长条块，再切成"合页"片，放到碗里，加湿淀粉、红腐乳汁、料酒、精盐、白糖、香油、味精、酱油、大料、胡椒粉及葱末抓匀，腌10分钟左右，再将芋头片、香菜段夹至猪五花肉"合页"片中，成

Tips

巧切火腿 整只火腿用刀切开很不容易，若以锯代刀，便可获得理想效果。方法是：取钢锯1把，将火腿置于小木凳上，一脚踏住火腿，一手持锯，按需要的大小段锯下，省时省力且断面平整。以此类推，鲜猪腿、咸猪腿及带骨肉、大条的鱼等，都可用锯破开，以便加工烹调。

厨房小窍门

畜肉蒸品／猪肉蒸品

为猪五花肉夹，一起再腌10分钟。

5.将猪五花肉夹排齐，码在碗内（皮朝下），放入蒸笼，架在水锅上烧开，用旺火滚蒸5分钟，改用小火蒸50分钟，肉质酥烂时取出，滗去原汁，翻扣在盘中（皮朝上）即可。

家常扣肉

【食材】猪五花肉500克，腌酸菜150克。

【调料】精盐4克，葱段10克，姜片5克，酱油8克，植物油150克（实耗70克），醋8克，豆瓣酱15克，甜面酱15克，米酒15克，鸡精1克。

【做法】1.将猪五花肉洗净，放入沸水锅中焯一下，捞入盘中，在肉皮上抹上酱油、甜面酱，用米酒腌制入味。

2.将锅置于中火上，放入植物油，烧至七成热时，将猪五花肉带皮的一面朝下炸一下，捞出晾凉切成片，放在器皿中备用。

3.将锅置于旺火上，放入植物油烧热，放入姜片、葱段、豆瓣酱、腌酸菜、米酒、精盐、鸡精、酱油翻炒均匀，再倒入装有猪五花肉的器皿中，放入蒸锅中蒸半小时，取出扣在盘中即可。

冬瓜扣肉

【食材】猪前腿肉500克,冬瓜500克。

【调料】花生油1000克(实耗约60克),酱油
25克,精盐5克,白糖15克,腐乳20
克,料酒25克,糖醋汁150克,胡椒粉
2克,辣椒粉2克,湿淀粉20克。

【做法】1.将猪前腿肉刮洗干净,投入沸水锅
煮半小时,捞出,用牙签在肉皮表面扎上几
个气孔(气眼),用干净布擦干水,涂上部分
酱油上色;冬瓜去皮、瓤,洗净,切成长方
块,用精盐腌10分钟后,再用干净布抹去
表面的水。

2.将锅置于旺火上,放入花生油,烧至五
成热,将猪肉块推至锅中,先用小火炸至猪肉
块皮发挺,再改用中火、六成热油炸2~3分钟,
炸至猪肉块的皮起泡、松脆、呈棕红色时,捞
出控油,放入冷水盆浸泡5分钟;再投入沸水
锅煮至皮软,取出,切成与冬瓜块一样大的长
方块,放在碗里,加余下的精盐、白糖、料酒、
酱油、腐乳、胡椒粉抓匀腌10分钟;把原油锅
放回到火上,烧至八成热,下入冬瓜块,速炸
一下,炸去部分水,捞出控油。

3.将肉块与冬瓜块间隔排放在碗内(皮朝
下),先排在碗的中间,再在两边斜排,排好
后,放入腌肉的卤汁与50克糖醋汁,盖上锅
盖,放入蒸笼,架在水锅上用旺火、沸水、足气
蒸40分钟,蒸至肉块酥烂即可取出,滗去原

汁,翻扣在盘中(皮朝上)。

4.另取一锅置于旺火上,把蒸肉原汁与余
下的糖醋汁一同入锅,烧开,下入辣椒粉拌
匀,再用湿淀粉勾芡,浇在冬瓜扣肉上即可。

蔬菜肉卷

【食材】猪肉末250克,海带丝50克,火腿75
克,鸡蛋液100克,蛋清50克,白菜叶
200克,菠菜叶200克。

【调料】精盐4克,料酒20克,葱末6克,姜
末5克,鸡油5克,鸡精2克,干淀
粉6克,湿淀粉20克,酱油8克,高
汤300克。

【做法】1.将火腿切成蓉;白菜叶、菠菜叶洗
净,放入沸水锅焯一下,过凉水。

2.将猪肉末放入精盐、料酒、酱油、鸡蛋
液、葱末、姜末调成馅。

3.将白菜叶上面先铺一层菠菜叶,再抹一
层蛋清和干淀粉调成的浆,然后用白菜叶把
肉馅卷成筒,用海带丝系好摆入盘中,放入蒸
锅中蒸12分钟。

4.将锅置于旺火上,放入高汤、火腿蓉、料
酒、精盐、鸡精,开锅后用湿淀粉勾芡,放入鸡
油,淋在蒸好的菜卷上即可。

珍珠丸子

【食材】猪前腿五花肉300克,糯米150克,青
芦叶50克,青豆50克。

牛肉挂糊的技巧 牛肉的纤维组织比较粗糙,因此在上浆的时候加些小苏打粉,使纤
维组织膨松起来(加放苏打粉后,用手反复抓拌,十几分钟后再加入清水),然后分多
次加水,反复抓拌,让水渗进牛肉内,再用淀粉包裹表面。一般250克牛肉片放5克
苏打粉,125克左右的水即可。

Tips

【调料】料酒25克，精盐3克，味精1克，鸡蛋黄2个，虾籽20克，干淀粉5克。

【做法】1.将糯米洗净，放入水中浸泡12个小时，沥干备用。

2.将青芦叶放入沸水锅中焯一下，清洗干净，铺在蒸笼内。

3.将猪前腿五花肉剁成蓉放入碗内，加入料酒、精盐、味精、鸡蛋黄、虾籽、干淀粉搅拌均匀成馅；把肉馅挤成核桃大小的丸子，每个丸子上滚一层糯米，上面再放几颗青豆，然后放入蒸笼内。

4.将蒸笼置于在沸水锅上，用旺火蒸20分钟，蒸熟就笼上桌即可。

燕皮肉丸

【食材】猪腿瘦肉250克，猪肥膘肉100克，虾肉50克，燕皮75克。

【调料】葱末10克，精盐5克，料酒15克，味精1克，香油10克，干淀粉15克，高汤300克。

【做法】1.将猪腿瘦肉、肥膘肉及虾肉用水洗净，控干水，剁成细泥，放入碗内，加上葱末、香油、精盐、料酒、味精、剁碎的虾肉末、干淀粉和清水，用筷子顺一个方向搅至上劲起黏，成为馅料；燕皮洗净，切成细丝，装在盆内摊平。

2.取出馅料，分别揉搓成小肉丸（直径2厘

米），放在燕皮丝盆中粘满燕皮丝，码在盘内，入屉，架在水锅上用旺火、沸水、足气蒸20分钟左右，蒸至丸子酥嫩、成熟，取出装在大汤碗里。

3.将锅置于旺火上，放入高汤烧开，加上精盐，调好口味，淋上香油，倒入装丸子的碗内即可。

蒸肘子

【食材】猪肘子1500克，鸡蛋75克。

【调料】香菜15克，精盐4克，酱油3克，白糖50克，植物油100克，葱段、姜片各10克，葱丝、姜丝各7克，花椒、大料、味精各3克。

【做法】1.将猪肘子洗净，用刀顺着肘子的骨头划开，放入清水中煮至八分熟捞出，剔去骨头；将鸡蛋摊成鸡蛋皮，切成丝；将香菜切成段。

2.将白糖熬成糖色；将猪肘子表面擦干，涂上糖色，晾干，用热植物油炸至呈火红色时捞出。

3.将猪肘子的肉面切成方块（皮相连），皮朝下装入大碗内，添上水，加入酱油、花椒、大料、葱段、姜片，上屉蒸烂，拣出花椒、大料、葱

羊肉去膻味的妙招 （1）在炖羊肉时放一两个切碎的胡萝卜或将萝卜钻些孔，入锅与羊肉同煮，可除去膻味。（2）在煮羊肉的时候，放入一小勺咖啡粉，不仅没有膻味还带点浓浓的咖啡香。（3）将羊肉洗净切好，放入开水锅中，倒上米醋（1斤羊肉可放1斤水、0.5两醋），煮开便可除去膻气。

厨房小窍门

畜肉蒸品／猪肉蒸品

段、姜片不用,猪肘子扣入另一大碗内。

4.将蒸肘子的汤滗入锅内,再加上清水烧开,撇净浮油和浮沫,加上鸡蛋皮丝、葱丝、姜丝、香菜段、精盐、味精,再烧开,浇入猪肘子碗内即可。

清蒸猪肘

【食材】猪肘子1个(约1000克),油菜1棵。

【调料】葱段10克,姜片6克,海鲜酱油10克,精盐5克,味精2克,老汤1000克。

【做法】1.将猪肘子去毛,清洗干净;油菜放入沸水锅中焯水,捞出备用。

2.将锅中倒入老汤,加入味精、精盐、海鲜酱油、葱段、姜片,放入猪肘子,用旺火、沸水煮半小时取出。

3.将煮猪肘子去骨,切长条摆入盘中,再上蒸锅蒸30分钟,点缀上油菜即可。

绉纱肉

【食材】带皮猪肘肉500克。

【调料】葱段10克,姜片4克,姜末25克,酱油30克,白糖10克,清汤75克,料酒15克,味精1克,大料2克,糖色5克,花生油1000克(约耗25克)。

【做法】1.用铁筷子将带皮猪肘肉叉起,在旺火上将肉皮烤成焦黄色,再放入热水内浸透,然后用刀刮净焦黄皮,洗净;将肘子肉放入汤锅内,用中火煮至五成熟时捞出,用刀在肉皮表面剞十字花刀(深度为皮厚度的一半),涂上一层糖色。

2.将锅置于旺火上,放入花生油,烧至八成热,将肘子肉放入炸至肉皮发红时捞出。

3.取大碗1个,将大料用刀拍碎撒在碗底,将猪肘肉皮朝下放入碗内,加入清汤、酱油、料酒、葱段、姜片,入笼蒸烂取出,将猪肘肉扣入汤盘内。

4.将蒸肉的汤滗入汤锅内,加入白糖和姜末,在小火上煮1分钟,加入味精搅匀,浇在猪肘子肉上即可。

元宝肘子

【食材】猪肘子1个(约1200克),鸡蛋6个。

【调料】酱油50克,糖色50克,花椒5克,大料5克,葱段、姜片各10克,精盐10克,味精1克,料酒2克,湿淀粉10克,豆油250克(实耗30克),高汤适量。

【做法】1.将猪肘子刮洗干净,放入汤锅内,煮至八分熟捞出,扒去骨头,将皮面擦干,抹上

蔬菜焯水的技巧 需要焯水的蔬菜多在水开后下锅,下锅后及时翻动,时间要短。若不能立即烹调使用,稍作存放时要拌点熟植物油,既能使蔬菜光泽鲜艳美观,不变色,又能隔绝空气,防止氧化,减少维生素C的损失,防止水分蒸发枯萎。

Tips

一层糖色,晾 10 分钟。

2.将锅置于旺火上,放入豆油,烧至八成热时,将猪肘子皮面朝下放入油内,炸成虎皮色时捞出,控净油;将猪肘子肉面上切成方块形(皮面相连),然后皮朝下装入大碗内,添高汤,加上酱油、葱段、姜片、花椒、大料,上屉蒸至酥烂取出。

3. 将鸡蛋煮熟剥去皮,用酱油腌渍 20 分钟,然后用七成热的油炸成虎皮色捞出,每个切成两半。

4.将猪肘子汤滗入锅内,拣去葱段、姜片、花椒、大料不用,将猪肘子皮朝上扣入盘内中间,然后将汤烧开,加入精盐、味精、料酒调好口味,用湿淀粉勾芡,淋在猪肘子上,再将虎皮鸡蛋摆在猪肘子周围即可。

姜汁肘子

【食材】猪前肘 1 只(约 750 克)。

【调料】葱段 10 克,精盐 5 克,料酒 10 克,姜汁 100 克,味精 1 克,姜块 15 克,花椒 10 粒,醋 5 克,香油 15 克。

【做法】1.将猪前肘刮洗净,顺骨缝划一刀,放入汤锅内煮熟,捞出剔去猪前肘骨;在猪前肘瘦肉一面,剞成肉断,皮不断的块,放在碗内(皮朝下)。

2.再向碗内加入花椒、料酒、葱段、姜块、精盐和适量的猪前肘原汤,上笼蒸两个小时取出,倒出汤汁,拣出葱段、姜块、花椒不用,

翻扣在盘内。

3.取碗 1 只,放入精盐、味精、醋、香油、姜汁调匀,淋在猪前肘上即可。

清蒸鲜蹄

【食材】猪蹄 750 克,熟火腿 150 克,净笋 150 克,豌豆苗 15 克。

【调料】葱段 50 克,姜片 25 克,精盐 8 克,料酒 50 克,味精 2 克,高汤 750 克。

【做法】1.将猪蹄用刀刮净皮上污物和毛根,顺长向剖开,于骨缝处断筋,用清水洗净,放入沸水锅中滚煮半小时,捞出控净水分。

2. 将熟火腿表面剞上梭子形花刀,放在碗里,然后把煮至断生的猪蹄(皮朝下)放在火腿上,再将切成滚刀块的笋放在蹄上,加入料酒、精盐、葱段、姜片和高汤,入屉,架在水锅上用旺火、沸水、足气蒸 2 小时,蒸至酥烂,取出火腿、猪蹄,翻扣在大汤碗内。

香油保鲜小窍门 把新鲜香油装进一小口玻璃瓶内,以每 500 克油加入精盐 1 克,将瓶口塞紧,不断地摇动,使食盐溶化,放到阴暗处。3 天后再将沉淀后的香油倒入洁净的深色玻璃瓶中,拧紧瓶盖,置避光处保存。注意所选的瓶子切勿用橡胶等有异味的瓶塞封严。

厨房小窍门

Tips

怎样提高味精的使用效果 味精鲜度极高,但使用时效果的大小,取决于它在溶液中的离解度。就溶液的温度说,在70℃~90℃时味精的使用效果最好。菜肴起锅时的温度大致上就是这个温度,所以味精在常温条件下很难溶解,因此拌入凉菜时必须先用少许热水把味精化开,晾凉后浇入凉菜。

厨房小窍门

3.将锅置于旺火上,倒入碗内汤汁,烧开,放入精盐、味精调好口味,放入豌豆苗余至断生,一起倒在猪蹄大汤碗内即可。

荷叶猪手

【食材】猪手(猪蹄)3只(约750克),荷叶2张。

【调料】海鲜酱5克,柱侯酱5克,湿淀粉10克,排骨酱10克,葱段10克,姜片5克,香菜10克,香叶3克,冰糖10克,红曲米粉10克,精盐4克,鸡精2克,料酒25克,酱油10克,鱼露4克,高汤750克,色拉油15克。

【做法】1.将猪手洗净,顺剖成两半,用清水洗净,放入沸水锅中焯一下,倒入高压锅中;将香菜洗净,切成段。

2.将锅置于中火上,加入色拉油,烧热,放入葱段、姜片、海鲜酱、柱侯酱、排骨酱炒香,加入冰糖、精盐、鸡精、料酒、酱油、鱼露、香叶、红曲米粉、高汤,烧开后撇净浮沫,倒入高压锅内,上气压,15分钟后打开,将猪手取出,放入铺有荷叶的小笼内,再蒸5分钟。

3.锅内留少许原汁,烧沸,用湿淀粉勾芡,

浇在猪手上,点缀上香菜段即可。

蒸猪蹄筋

【食材】干猪蹄筋500克,鸡肉100克,火腿50克,水发蘑菇25克。

【调料】胡椒3克,料酒10克,味精2克,姜片10克,葱段10克,精盐3克。

【做法】1.将干猪蹄筋洗净,切成斜口片,把猪蹄筋片放入钵中,加入1000毫升清水,上笼蒸4小时,至猪蹄筋片酥软时取出;再用凉水浸2小时,剥去外层筋膜,洗净;火腿、水发蘑菇洗净后切成丝。

2.将发涨的猪蹄筋片切成长节,鸡肉剁成小方块;将猪蹄筋片、鸡肉块放入蒸碗内,再把火腿丝和蘑菇丝调匀,撒在周围。

3.将姜片、葱段放入蒸碗中,上笼蒸3个小时,待猪蹄筋片酥烂后出笼,拣去姜片、葱段不用,加上胡椒、料酒、精盐、味精调味即可。

水晶肘子

【食材】猪肘子1500克,猪肉皮250克。

【调料】精盐20克,味精2克,料酒50克,醋10克,葱段50克,姜片25克,姜丝5克,硝酸钠10克,花椒2克,高汤1000克。

【做法】1.将猪肘子刮净细毛和污物,剔出骨

头,用削尖的筷子扎一些小孔,放在盆内,加入硝酸纳、精盐、花椒混合揉搓,使硝酸纳、精盐渗入肉内,腌渍 1~3 天(冬天腌渍时间较长,其他季节短)。

2.腌好以后,再用清水洗至肉皮呈白色时,投入沸水锅中焯烫,去掉血沫,捞出控净水分;猪肉皮刮洗干净,切成小块。

3.将猪肘子、肉皮一起放到大盆内,加入料酒、精盐、味精、葱段、姜片、花椒和高汤,上屉,架在水锅上用旺火、沸水、足气蒸2.5~3个小时,蒸至猪肘子酥烂后取出,盛到铺上洁布的托盘中,整理平。

4.待蒸猪肘子汤汁中的肉皮已全部溶化,即可过滤,倒在托盘里(如肉皮没有溶化,要继续蒸至溶化);用洁布盖好,上面加重物压紧,冷却凝冻(或放到冰箱里冷冻)。吃时取出,改刀装盘,另附姜丝、醋各一碟。

东坡金脚

【食材】猪脚1个,冬菜10克,菠菜150克,胡萝卜块10个,白萝卜块10个。

【调料】葱末8克,高汤400克,香油15克,植物油20克,湿淀粉20克,姜片5克,花椒5粒,胡椒粉5克,酱油15克,精盐5克,味精5克,糖色5克,料酒8克。

【做法】1.将猪脚洗净,去毛,切段,去骨,用开水烫一下,捞出控干水分,加酱油上色。

2.将锅置于旺火上,倒入植物油烧热,放入胡椒粉、精盐、味精、糖色、料酒、香油、花椒、姜片爆香,倒入高汤,放入猪脚段,用小火煮1小时,再放入蒸锅中蒸10分钟。

3.将猪脚滗出汁,放入碟中。

4.将冬菜爆炒,倒入蒸猪脚的原汁,用湿淀粉勾芡,放入葱末,淋在猪脚段上。

5.将胡萝卜块、白萝卜块放入热植物油锅内炸3分钟,与炒熟的菠菜装饰碟边即可。

粉蒸肥肠

【食材】猪肥肠300克,红薯75克,蒸肉粉100克。

【调料】酱油15克,豆瓣酱20克,味精1克,胡椒粉4克,姜末5克,葱末5克,香油10克,精盐3克。

【做法】1.将猪肥肠洗净,切成段,用精盐、味精、酱油、姜末、豆瓣酱、胡椒粉拌匀腌20分钟,再与蒸肉粉拌匀;红薯切块,拌上腌猪肥肠段剩下的调料,平铺在小笼底,猪肥肠段均匀地放于红薯块上。

2.将小笼入蒸锅用旺火蒸1小时,取出上桌,食用时淋上香油,撒上葱末、胡椒粉即可。

巧用料酒(一) 浸拌。对一些新鲜度较差的原料如鱼、肉等,应在烹调前加料酒浸拌,这是因为料酒有很强的浸透性,能迅速渗入原料内部与原料中的三甲茎胺、六氢化吡啶等结合,经加热与乙醇一起逸出,达到除腥、除异味作用。

厨房小窍门

酸菜蒸大肠

【食材】猪大肠500克,酸菜120克,干红椒6个。

【调料】冰糖10克,姜丝40克,叉烧酱90克,鲜鸡粉15克,精盐5克,淀粉6克,香油15克,辣豆瓣酱10克。

【做法】1.将猪大肠用冰糖、姜丝和清水煮40分钟,取出冲冷水,并切成小段。

2.将冰糖、叉烧酱、鲜鸡粉、精盐、淀粉、香油、辣豆瓣酱放入盆内,搅拌均匀,再把猪大肠段放入拌匀。

3.将酸菜切成小块,用热水余烫,去除咸味,捞起后用冷水过一下,沥干水分,备用。

4.将酸菜块和猪大肠段拌匀,盛入小盘中,再放入蒸笼蒸7分钟即可。

清蒸肥肠

【食材】熟猪肥肠250克,胡萝卜50克,蘑菇50克。

【调料】高汤300克,葱段5克,姜片4克,大料2粒,味精3克,醋3克,精盐4克,香菜5克。

【做法】1.将熟猪肥肠切成马蹄块,用开水余一下,捞出,装入大碗内;将胡萝卜切成菱形小片;蘑菇洗净,切成条;香菜洗净,切成段。

2.将胡萝卜片、蘑菇条放入肥肠块碗内,倒入高汤,加上精盐、葱段、姜片、大料,上屉用旺火蒸10分钟;将肥肠块取出,放入另一大碗内,拣出葱段、姜片、大料不用。

3.将蒸肥肠块的汤滗入锅内,烧开后撇净浮沫,加入味精和醋,撒上香菜段,浇在肥肠上即可。

冬菜蒸爽肚

【食材】八成熟的猪肚400克,冬菜50克,油菜250克,干红椒丝20克。

【调料】海鲜酱油15克,姜丝5克,白糖4克,味精1克,色拉油15克。

【做法】1.将八成熟的猪肚切成片;冬菜用温水冲洗干净。

2.猪肚片与冬菜、海鲜酱油、白糖、味精拌在一起,摆在盘内,油菜放在盘子两边,入蒸锅蒸5分钟取出,撒上姜丝、干红椒丝。

巧用料酒(二) 同原料加入。适于加热时间较长,温度较低的清蒸鱼和烹煮肉类等菜肴。这些菜肴先加酒再经加热后,料酒可与溶解后的脂肪产生酯化反应,使菜肴溢出浓郁的香气,增加菜的复合味和鲜味,料酒中的乙醇还是有机溶剂,可使肥肉鲜香爽口,肥而不腻。

畜肉蒸品／猪肉蒸品

3.将锅置于旺火上,放入色拉油,待油热时,淋在猪肚片上即可。

南瓜蒸肉

【食材】猪五花肉400克,南瓜1个(重1000克)。

【调料】料酒5克,酱油4克,甜面酱10克,炒米粉70克,鸡精、白糖、葱姜末各适量。

【做法】1.将南瓜洗净削去外皮,用小刀在瓜蒂处开一个小盖子,挖出瓜瓤。

2.五花肉洗净,切成大厚片,放在碗内,加入料酒、酱油、甜面酱、白糖、鸡精、葱姜末拌匀,再放入炒米粉拌匀,装入南瓜中,盖上盖子,上旺火蒸2小时取出,盛入汤盆内即可。

琉璃猪肺

【食材】猪肺500克,排骨200克,水发干贝25克。

【调料】料酒50克,葱段25克,姜片10克,精盐6克,味精2克,高汤1000克。

【做法】1.将猪肺洗净,投入沸水锅中,加入葱段、姜片、料酒烧开,撇净浮沫,改用小火煮1小时,至八成熟时取出冷却,用刀切去气管及筋,切成长方块。

料酒与醋怎样同时使用 在需要同时投放料酒和醋两种调味品时,应先烹入料酒再烹入醋。因为料酒有很高的渗透性,先烹入料酒可渗入原料内部,挥发后除去腥膻气味,如后烹料酒就起不到应有的作用。后烹醋是因为醋受热后能产生一种香气,如果烹醋过早,香味就挥发了。

2.将水发好的干贝剥去老肉,洗净;洗净排骨,投入沸水锅焯烫,去掉血污,再用清水洗净。

3.将猪肺块放在大碗中,摆上排骨和干贝,加入精盐和高汤,入屉,架在水锅上用旺火、沸水、足气蒸1小时,蒸至猪肺块酥烂取出,拣出干贝和排骨(另作他用),翻扣在大汤碗内。

4.另取一锅置于旺火上,放入高汤,烧开,加入余下的精盐、味精,调好口味,倒在盛猪肺块的大汤碗内即可。

腊味南瓜蒸

【食材】腊肉30克(熏肉或熏鱼、腊鱼也可),小南瓜1个,南瓜丁10克。

【调料】辣椒油3克。

【做法】1.将南瓜洗净削去外皮,用小刀在1/3处开一个小盖子,挖出瓜瓤。

2.腊肉清水泡至咸淡适中,洗净切丁,淋上辣椒油,与南瓜丁一同盛入南瓜盅内,上锅蒸熟即可。

南瓜豉汁蒸排骨

【食材】排骨50克(尽量挑选肋骨部位的小排),小南瓜1个。

【调料】豆豉5克,盐、酱油各3克,葱段、姜片各5克。

【做法】1.将南瓜洗净削去外皮,用小刀在1/3处开一个小盖子,挖出瓜瓤。

2.排骨斩小块,加豆豉、盐、葱段、姜片、酱油腌制20分钟。将腌好的排骨放入南瓜盅内,上锅蒸熟即可。

牛肉蒸品

龙井蒸牛肉

【食材】牛肉400克，龙井茶叶30克，鸡蛋1个。

【调料】蚝油15克，酱油10克，精盐5克，味精2克，料酒20克。

【做法】1.将牛肉切片，加入鸡蛋液、蚝油、酱油、味精、精盐、料酒腌渍3分钟。

2.将龙井茶叶用温水泡开，拌入牛肉中，装入盘内，放入蒸锅蒸熟即可。

粉蒸牛肉

【食材】瘦牛肉370克，大米75克。

【调料】植物油50克，酱油30克，花椒、胡椒粉各3克，辣椒粉2克，葱末、姜片各8克，料酒13克，豆瓣酱30克，豆豉5克，香菜10克。

【做法】1.将大米炒黄，磨成粗粉；豆豉剁细；姜片捣烂成汁；香菜洗净，切碎。

2.将瘦牛肉切成薄片，用植物油、酱油、料酒、姜汁、豆豉、豆瓣酱、花椒粉、大米粉等拌匀，放入碗中上屉蒸熟，取出翻扣到盘中撒上葱末。

3.另用小碟盛香菜末、辣椒粉、胡椒粉，上桌即可。

小笼粉蒸牛肉片

【食材】牛肋条肉250克，五香米粉50克，青菜50克。

【调料】花生油30克，香菜10克，葱末10克，姜末3克，甜面酱10克，豆瓣酱10克，料酒10克，酱油25克，白糖5克，味精1克，干淀粉5克，胡椒粉2克。

【做法】1.将牛肋条肉去筋，洗净，切成片，装在碗内，加入葱末、姜末，放入甜面酱、豆瓣酱、酱油、料酒、白糖、味精、干淀粉、五香米粉搅拌均匀，再加上花生油拌好；青菜去老叶，择洗干净，切长条块；香菜择洗干净，切成段。

怎样掌握加酒时间 在烹调中用酒，可起到生香解腥的作用。要想更好地发挥这个作用，还要掌握下酒的最佳时间。一般来说，锅内温度达到所需要的最高温度时投入料酒，可以使其充分发挥作用。如在鱼油炸烹制完成后即喷酒，随着爆声就可冒出一股醇香，从而达到最佳效果。

Tips

2.将青菜段铺在小蒸屉的底部,将裹匀米粉的牛肋条肉片逐片铺在青菜上,架在水锅上用旺火、沸水、足气蒸1个小时,蒸至牛肉断血、酥嫩,离火,盛到盘内。

3.将锅置于旺火上,放入花生油,烧至七成热,放入葱末略炒,一出香味,趁热浇淋在牛肉上面,撒上胡椒粉、香菜段即可。

蒸牛肉卷

【食材】牛肉100克,蘑菇50克,水发木耳50克,罐头竹笋100克,糯米100克,鸡蛋12个。

【调料】葱末50克,精盐10克,花生油40克,干淀粉10克,湿淀粉50克,味精1克,辣椒酱20克,香油20克。

【做法】1.将牛肉洗净,去筋膜,剁成泥蓉;蘑菇、水发木耳去蒂,洗净,均切成末;罐头竹笋洗净,剁成碎末。

2.将锅置于旺火上,放入花生油,烧至五成热,放入牛肉末煸炒,再加入蘑菇末、水发木耳末、竹笋末、葱末翻炒几下,加入味精,淋上香油,用湿淀粉勾芡,与糯米拌匀,做成馅料,备用。

3.将鸡蛋打入碗内,用筷子打散后加入干淀粉,再打匀,加入精盐,拌匀。

4.将锅置于中火上,烧热,倒入花生油滑锅,将鸡蛋糊逐个摊成薄饼状,熟后扣于案板上,每张切成4片。

5.用鸡蛋皮包馅料,卷成长条,切去两端毛料,整齐地竖放在盆里;把盆放入蒸笼中用旺火蒸半小时,出锅。食用时,蘸着辣椒酱吃即可。

原笼牛肉

【食材】牛肉600克,红心地瓜2个,蒸肉粉200克。

【调料】豆瓣酱15克,甜面酱15克,酱油15克,白糖5克,味精5克,沙拉粉10克,姜末5克,葱末10克,香菜15克,花椒10克,葱末10克,香油3克,高汤500克。

【做法】1.将牛肉洗净切薄片;将红心地瓜去皮洗净,切成丁;香菜洗净,切成末。

2.将牛肉片放入盆中,放入豆瓣酱、甜面酱、酱油、白糖、味精、沙拉粉、姜末、香菜末、花椒、葱末调匀,腌20分钟,加入高汤将肉片

巧用大料 (1)做荤味素菜用。如做汤白菜用,可在白菜中加入精盐、大料同煮,最后放些香油。(2)做厚味菜用。如炖肉时,与肉一起下锅,由于炖肉时间长,大料可充分水解入肉,使肉味更醇香。(3)腌制使用。如腌鸡蛋、鸭蛋、香椿、香菜时,放入大料别具风味。

厨房小窍门

4.将香油烧滚,加入葱末后,立即熄火,淋在牛肉片上即可。食用时可蘸食料。

金针菇木耳蒸牛柳

【食材】牛里脊肉200克,干金针菇200克,干木耳100克。

【调料】葱段、蒜蓉、姜片各15克,精盐3克,白糖3克,植物油10克,酱油4克,干淀粉5克。

【做法】1.将干金针菇、干木耳用清水浸半小时后洗净。

2.将牛里脊肉洗净,抹干,切成薄片,加入精盐、白糖、植物油、酱油、干淀粉腌1小时。

3.将金针菇、木耳、葱段、蒜蓉、姜片放在盘底,牛肉片放在上面,放入蒸锅蒸熟即可。

Tips

粉类调味品怎样使用 粉类调味品主要是指胡椒粉、五香粉等。烹调中使用这类调味品"调馅"时,应该直接加入使用;而在烹制清淡的、色泽要求洁白明亮的菜肴或者制汤时,就不能直接使用,否则会使成菜汤色浑浊,影响口感。

厨房小窍门

润湿,取出,再蘸上蒸肉粉。

3.将地瓜丁放入剩余的调味料中稍浸,然后铺在小蒸笼的笼底上,上面放上牛肉片,再用旺火蒸40分钟至肉熟烂后取出盛盘。

羊肉蒸品

清蒸羊肉萝卜

【食材】羊肉250克,萝卜250克。

【调料】葱段10克,姜片3克,香菜20克,精盐3克,白糖5克,味精3克,高汤50克,香油3克。

【做法】1.将萝卜去皮洗净取中段,切成片;羊肉洗净放入沸水锅中煮熟,捞出切成同样大小的片;香菜洗净切成段。

2.将萝卜片和羊肉片相间地码在一个碗里,加上葱段、姜片、高汤、精盐、白糖,上笼屉用旺火蒸10分钟至熟烂;把汤汁滗在锅中,把萝卜片、羊肉片倒扣在盘中。

3.将锅置于旺火上,把原汤汁烧沸,加上味精调好口味,淋入香油,出锅倒在萝卜片和

羊肉片上,撒上香菜段即可。

清蒸羊肉

【食材】羊肉500克,冬菇30克,兰片20克。

【调料】葱段5克，姜片3克，花椒1克，大料2粒，精盐4克，味精4克，料酒5克，香菜5克，香油3克。

【做法】1.将羊肉洗净，放入清水锅内，加上葱段、姜片、花椒、大料，羊肉煮至八分熟，捞出，晾凉。

2.将冬菇切成抹刀片；兰片切成长方形薄片；香菜切成段。

3.将八分熟的羊肉切成长方形薄片，码入大碗内，倒入煮羊肉的汤，加上精盐、料酒、冬菇片、兰片，上屉蒸烂。

4.将煮羊肉的汤滗入锅内，烧开后撇净浮沫，加上味精、香油、香菜段，浇在蒸好的羊肉上即可。

小笼蒸羊排

【食材】羊排300克，米粉100克。

【调料】葱末、姜末各15克，精盐5克，白糖5克，料酒15克，腐乳4块，甜面酱20克，豆瓣酱10克，酱油10克，香油5克，植物油30克。

【做法】1.将羊排洗净，剁成块。

2.取一大碗，放入羊排块、精盐、腐乳、料酒、豆瓣酱、甜面酱、酱油、植物油、白糖、葱末、姜末，腌半小时后加入米粉，使羊排块均匀蘸裹米粉，再滴入香油拌匀。

3.将蒸锅置于旺火上，倒入清水，烧开后将腌制好的羊排块放到蒸锅里蒸50分钟出锅，撒上葱末即可。

酸梅蒸羔羊

【食材】净羊羔肉600克，酸梅酱15克，荷叶1张。

【调料】干红椒5克，蒜瓣50克，姜片15克，葱末15克，精盐3克，料酒10克，白糖5克，酱油15克，鸡精5克，胡椒粉1克，

花椒水5克，植物油15克，香油5克。

【做法】1.将净羊羔肉斩成小块，放入清水中漂洗除去血水，沥干水分放入盆中，加入精盐、料酒、鸡精、胡椒粉、花椒水、香油、白糖、酱油、酸梅酱、蒜瓣、姜片拌匀，腌2小时备用。

2.取荷叶垫于盘子中间，把羊羔块摊放于荷叶上，上笼蒸1小时，至羊羔肉蒸熟出笼。

3.将锅置于旺火上，加入植物油烧热，放入葱末、干红椒炸香，撒在羊羔块上，淋上香油即可。

附片蒸羊肉

【食材】鲜羊肉1000克，附片30克。

Tips

在烹调中巧用大蒜 （1）提鲜增味：在菜肴成熟起锅前，放入一些蒜末，可增加菜肴美味。（2）去腥：在烧鱼、煮肉时加入一些蒜块，可使腥、去除异味。（3）拌菜：做凉拌菜时加入一些蒜泥，可使香辣味更浓。（4）蘸吃：将芝麻油、酱油等与蒜泥拌匀，可供吃凉粉、饺子时蘸用。

厨房小窍门

【调料】葱段15克,葱末3克,姜片10克,料酒25克,肉清汤200克,精盐5克,猪油10克,味精2克,胡椒粉1克。

【做法】1.将鲜羊肉洗净,整块下入冷水锅中煮熟,捞出晾凉后切成块。

2.取大碗1只,放入羊肉块、附片、料酒、猪油、葱段、姜片、肉清汤、精盐,然后隔水蒸3小时。食用时,撒上葱末、味精、胡椒粉即可。

豆豉羊肉

【食材】羊肥瘦肉500克,豆豉50克。

【调料】白萝卜块250克,香油15克,精盐5克,料酒30克,葱段25克,姜片15克,花椒水2克,湿淀粉25克,高汤500克。

【做法】1.将整块羊肥瘦肉和白萝卜块投入沸水锅中焯烫20分钟,焯至断生,清除污物。羊肉捞出控水,切成坡刀片。

2.将豆豉洗净,先把40克豆豉放到碗内,上面码上羊肉片,层层摆成梯田状,再放余下的豆豉、精盐、料酒、花椒水、葱段、姜片和高汤,入屉,架在水锅上用旺火、沸水、足气蒸1个半小时,蒸至羊肉酥烂,下屉,拣出葱段、姜片不用,扣在汤盆内,再拣去豆豉不用。

3.将蒸肉汤汁滗在锅内,旺火烧开,用湿淀粉勾芡,淋上香油,浇在羊肉片上即可。

羊 糕

【食材】羊后腿肉1000克,猪皮200克,白萝卜500克。

【调料】味精2克,花椒5克,茴香3克,葱段50克,姜片25克,高汤750克,料酒10克,精盐5克。

【做法】1.将羊后腿肉去油脂,用水浸泡3~4个小时,洗净,切成大块;猪皮刮洗干净,切成小块;白萝卜削皮,洗净,一切三段;花椒和茴香装入纱布袋。

2.将羊肉块、猪皮块、白萝卜段一起放到锅中,加清水(没过原料),用旺火烧开,捞出备用。

3.将捞出的羊肉块、猪皮块,放在大盆中,加入料酒、精盐、味精、葱段、姜片和包有花椒、茴香的纱布袋,倒入高汤,上屉用旺火蒸1.5~2个小时,蒸至羊肉块酥烂,捞出平码在瓷盆中;继续将盆中猪皮块再蒸,蒸至猪皮全部溶化为止。

4.将完全蒸化猪皮的汤汁撇净浮油,捞出渣滓,过箩倒在羊肉块盆中,晾凉,入冰箱冷冻,凝结成糕状。吃时取出,改刀切块,装盘即可。

土豆的加工 土豆去皮比较麻烦,可以把土豆放入热水中浸泡一下,再倒入冷水中,很容易去皮。土豆去皮不宜厚,越薄越好,因为土豆皮中含有较丰富的营养物质。土豆去皮以后,如果一时不用,可以放入冷水中,再向水中滴几滴醋,可以使土豆洁白。

Tips

其他畜肉蒸品

蒸兔肉

【食材】煮熟兔肉500克，白菜250克。

【调料】花生油500克（实耗50克），精盐6克，姜片15克，姜汁5克，料酒30克，大料3克，酱油20克，味精2克，高汤250克。

【做法】1.将锅置于旺火上，放入花生油烧至七成热，将刚煮熟的兔肉趁热放到油锅中用中火浸炸3分钟，炸成黄色捞出，放在案板上剁成块，放入大碗内（整的肉块放到中间，碎的放到边上）。

2.向碗内放入大料、姜片、精盐、料酒和高汤，入屉，架在水锅上用旺火、沸水、足气

蒸40分钟，蒸至肉质软烂时，取出，拣去大料、姜片不要。

3.将白菜去掉根和老帮叶，洗净，先切成条，后切成长方段，放入汤盆中，上面撒上精盐、味精，入屉，用旺火蒸13分钟，蒸至酥嫩取出，控净水分，放在盛兔肉块的碗内，再把盛兔肉块的碗连汤带肉推到大汤碗内。

4.将锅置于旺火上，倒入高汤（50克），放入精盐（3克）、酱油、姜汁和味精调好口味，烧开后撇净浮沫，浇到盛兔肉块的大汤碗内即可。

蒸兔肉丸子

【食材】兔腿肉400克，水发木耳15克，水发黄花菜25克，菠菜50克，鸡蛋液1份。

【调料】花生油500克（实耗50克），猪油10克，精盐4克，料酒25克，酱油30克，葱末15克，姜末8克，味精3克，干淀粉50克，湿淀粉15克，高汤500克。

【做法】1.将兔腿肉用清水浸泡出全部血水，洗净，用刀剁成细泥，放在碗内，加上精盐、味精、料酒、葱末、姜末、鸡蛋液，用力搅打起黏，再加上干淀粉拌匀成稠厚状，做成兔肉丸子

啤酒的妙用 （1）啤酒焖牛肉：用啤酒代水焖烧牛肉，能使牛肉肉质鲜嫩，异香扑鼻。（2）啤酒炖鱼：将鱼洗净，放在啤酒中浸泡10分钟，炖时再加入少量啤酒，可减少腥味。（3）啤酒蒸鸡：将鸡放在20%的啤酒水溶液中浸泡20分钟，然后依常法蒸或煮，鸡肉鲜嫩可口，味道纯正。

厨房小窍门

白糖、甜酒、酱油、猪油拌匀，腌15分钟，入味后加入炒香的糯米粉、五香粉和少许清水拌匀，装入碗中，上笼用中火蒸熟取出。

3.将每块叶中包上兔肉块呈长方形，如此一一包完，整齐地放入碗中，上笼用旺火蒸5分钟取出，上桌时去荷叶食用即可。

怎样去除蔬菜上的农药 淘米水呈碱性，对有机磷农药具有显著的解毒作用，可将蔬菜浸泡在淘米水中10~20分钟，再用清水冲洗干净，就可以除去残留在蔬菜上的农药；或在一盆水中加2匙小苏打，将蔬菜浸泡其中5~10分钟，再用清水冲洗数次。

厨房小窍门

（直径3厘米大小）；水发木耳洗净，撕成小块；水发黄花菜去掉老根，洗净，切段；菠菜择洗干净，切段。

2.将锅置于火上，放入花生油烧至五六成热，将兔肉丸子逐个下入，用中小火浸炸2分钟，把兔肉丸子外表炸挺、呈淡黄色，捞出控油，放到大碗内，加入高汤和酱油，入屉，架在水锅上用旺火、沸水、足气蒸2个小时，蒸透出屉，将汤汁滗在碗内，兔肉丸子倒扣在盘内。

3.另取一锅置于旺火上，倒入蒸兔肉丸子的汤汁，加上酱油、精盐，再添上高汤，烧开后撇净浮沫，放入木耳块、黄花菜段、菠菜段，烧沸后放入味精推匀，用湿淀粉勾芡，淋入溶化的猪油，浇在兔肉丸子上面即可。

荷叶包兔

【食材】净兔肉400克，鲜荷叶4张，干炒糯米粉120克。

【调料】精盐4克，酱油25克，白糖5克，甜酒10克，五香粉1克，猪油5克。

【做法】1.将去骨头的兔肉切成长方形块；鲜荷叶洗净，用开水烫一下捞出，每张切成4块。

2.将切好的兔肉块放入碗中，加入精盐、

畜肉蒸品＼其他畜肉蒸品

禽肉蒸品

鸡肉蒸品

花椒不用，将汁倒入炒锅内，母鸡肉翻扣在大汤碗内。

5.将炒锅置于旺火上，往汁中加入精盐、味精、料酒和冬笋片、水发香菇片、青菜心、熟火腿片，烧沸后撇净浮沫，浇在蒸好的母鸡肉上即可。

清蒸鸡

【食材】嫩母鸡1只（约1000克），熟火腿25克，冬笋25克，水发香菇25克，青菜心50克。

【调料】葱段10克，姜片10克，花椒10粒，精盐4克，味精1克，料酒25克。

【做法】1.将宰杀去毛的母鸡从背脊处劈开，去掉内脏，再用刀斩断颈骨，剁去翅尖、鸡嘴和鸡爪，用刀背砸断鸡腿部大骨、鸡翅骨和脊背。

2.将熟火腿、冬笋、水发香菇分别切成长方片；青菜心一劈两半；将冬笋片、水发香菇片、青菜心分别放入沸水锅中焯一下捞出。

3.将锅置于旺火上，倒入清水烧沸，放母鸡略煮，捞出后用水洗净，腹部向下放入大碗内，把头别入鸡肚内，加上精盐、味精、料酒、葱段、姜片、花椒和清水，上笼蒸2小时至母鸡肉熟烂。

4.将蒸好的母鸡肉取出，拣出葱段、姜片、

清蒸海参母鸡

【食材】嫩母鸡半只（约500克），水发海参300克，熟火腿50克，水发冬菇50克，冬笋50克，鸡骨200克，小排骨200克。

【调料】葱段10克，姜片5克，味精1克，料酒10克，精盐15克。

【做法】1.将海参洗净，放入沸水中略烫捞出；鸡骨、小排骨分别剁成块，与嫩母鸡一起放入沸水中略烫捞出，用沸水冲去血沫备用；熟火腿、水发冬菇、冬笋分别切成长方片。

巧炖母鸡汤（一） 如果以喝汤为主，最好是炖成清汤。方法是：先在锅内放入冷水，再将鸡投入锅内，并一次加足冷水（以浸没鸡身为宜），用中火烧开后改以小火慢慢炖。炖时要掌握火候，火力太小，炖出来的鸡汤，虽然汤色清，但鲜美味道不足；火力太大，汤会变成乳白色，就炖不出上面漂浮黄油花的清汤。

厨房小窍门

2. 将海参和嫩母鸡先摆放在大汤碗内，再放入冬笋片、熟火腿片、冬菇片、料酒、精盐、味精、葱段、姜片、鸡骨块、小排骨块和清水入笼蒸至烂熟取出，除去鸡骨块、小排骨块、葱段、姜片不用，上桌即可。

蒸浸鸡腿

【食材】鸡腿250克，胡萝卜50克。

【调料】葱末10克，姜末5克，精盐3克，胡椒粉1克，料酒20克，香油3克，鸡精1克。

【做法】1.将鸡腿洗净，用刀沿腿骨两侧切开剖刀；胡萝卜洗净，切丝。

2.将蒸锅置于旺火上，将鸡腿皮朝上放入蒸锅中，蒸12分钟取出。

3.汤水留用，加入葱末、姜末、胡椒粉、料酒、鸡精、精盐，再将鸡腿浸入原汤中泡3个小时取出，淋上香油，切成块摆入盘中，撒上胡萝卜丝即可。

粉蒸鸡

【食材】鸡肉200克，熟豌豆10克。

【调料】大米15克，白糖5克，甜面酱8克，酒酿露10克，酱油4克，香油3克，花椒5粒，葱末6克，姜末4克，植物油10克，胡椒粉2克，料酒8克，精盐3克，豆瓣酱10克。

【做法】1.将鸡肉切成厚片，放入甜面酱、豆瓣酱、白糖、酱油、葱末、姜末、料酒、胡椒粉、酒酿露拌匀。

2.将大米炒至黄色，再放入花椒炒，共磨成末；放入植物油、香油，同鸡片调匀后放在大碗中。

3.将熟豌豆中拌入米粉和胡椒粉，加上精盐，放在大碗的最上面；上笼屉蒸熟，翻扣在盘中即可。

荷叶粉蒸鸡

【食材】嫩母鸡肉300克，猪肋条肉300克，粳米100克，荷叶2张。

【调料】料酒30克，酱油100克，黄豆酱15克，白糖10克，葱段20克，姜片15克，桂皮、丁香、大料各5克，香油20克。

【做法】1.将鸡肉洗净，沥干水，切成大小相等

巧炖母鸡汤（二） 炖的鸡汤如果既想喝汤又吃鸡肉，最好是炖成乳汤。方法是：先将锅内的水烧开，然后把鸡投入锅内，并使鸡水保持滚动。炖乳汤必须先用中火炖半小时左右，待汤变成乳白色时，即将锅移置小火上继续炖，直到鸡肉熟烂为止，这样炖出的乳汤，既浓又美观，喝起来也醇厚。

Tips

厨房小窍门

禽肉蒸品／鸡肉蒸品

的 10 个长方块；猪肋条肉剔去骨，洗净，沥去水，切成 10 个长方块；鸡肉块、猪肋条肉块一起放入碗中，加酱油、料酒、黄豆酱、白糖拌好腌 1 个小时。

2.将锅置于中火上烧热，放入粳米、大料、丁香炒至米黄、有香味时，取出碾成粗粉；再放入鸡肉块、猪肋条肉碗中拌好，将鸡肉块、猪肋条肉块皮朝下排齐，放上葱段、姜片、桂皮、大料、丁香，上笼蒸 3 个小时至酥烂，拣去葱段、姜片、丁香、大料不用。

3.将荷叶洗净，去蒂，划成10张方块，放入沸水锅中烫一下，捞入清水中投凉，取出沥干水分；荷叶面朝上，放案板上，斜放上鸡肉块、猪肋条肉块各1块，逐个淋上香油，分别包成长方形的包（共10个），排到盘中，上笼蒸5分钟取出即可。

粉蒸鸡块

【食材】笋公鸡肉400克，米粉50克。

【调料】江米酒25克，姜末5克，葱末15克，酱油15克，精盐4克，胡椒粉1克，味精1克，高汤200克。

【做法】1.将鸡肉洗净，用刀面把肉拍松，切成块，装在碗内，加上江米酒、姜末、葱末、精盐、酱油、胡椒粉、味精拌匀，腌 2 个小时，使之入味。

2.取大蒸碗一个，用米粉垫底，将腌好的鸡肉块（连汁）放入，再加入高汤拌匀，入屉，

架在水锅上用旺火、沸水、足气蒸1个小时，蒸至酥熟，取出即可。

酒蒸鸡块

【食材】鸡肉500克，熟火腿25克，冬笋50克，水发冬菇25克。

【调料】料酒150克，葱段25克，姜片15克，精盐6克。

【做法】1.将鸡肉洗净，切成块，投入沸水锅焯一下，去掉血污，捞出，再用水冲净；将熟火腿、冬笋、水发冬菇切成片。

2.取大碗一个，倒入料酒，放入鸡肉块腌1个小时，然后摆上熟火腿片、冬笋片和冬菇片，再放上葱段、姜片，加上精盐和清水，盖上锅盖，入屉，架在水锅上用旺火、沸水、足气蒸半个小时后，改用中火蒸3个小时，蒸至酒香四溢、鸡肉酥熟、汤汁表面浮上一层黄油时，取出，即可食用。

怎样鉴别牛、羊肉新鲜度（1）看色泽：新鲜肉肌肉有光泽，红色均匀，脂肪洁白；变质肉，肌肉色暗，脂肪黄绿色。（2）摸黏度：新鲜肉外表微干或有风干膜，不粘手，弹性好；变质肉，外表粘手或极度干燥，新切面发黏，指压后凹陷不能恢复，留有明显压迹。（3）闻气味：鲜肉有鲜肉味，变质肉有异味。

厨房小窍门

花菇蒸鸡

【食材】肥嫩母鸡1只(约1000克),水发花菇150克,熟火腿50克,豌豆苗15克。

【调料】精盐8克,葱段30克,姜片15克,味精2克,料酒30克,溶化鸡油10克,高汤200克。

【做法】1.将母鸡洗净,在头颈处用刀剖开,将鸡骨全部剔出,用清水洗净,再投到沸水中烫一下,使鸡皮略有紧缩;水发花菇用水浸发好,剪去根蒂,洗净,捏干水,切成薄片;熟火腿切成薄片;豌豆苗择尖,洗净。

2.将花菇片、熟火腿片一起塞入鸡腹内,将鸡颈口用线绳串缝起来,放入瓦钵(肚朝下,背朝上),加入料酒、精盐和清水,放上葱段、姜片,入屉,架在水锅上用旺火、沸水、足气蒸半个小时后,改用中火再蒸3个小时,蒸至酥烂后取出。

3.将原汤倒在锅里,再加高汤烧开,放入精盐,撇净浮沫,撒上豌豆苗,淋上溶化的鸡油,浇在鸡上即可。

清蒸冬瓜鸡块

【食材】嫩母鸡半只(约400克),冬瓜400克。

厨房小窍门

【调料】葱段10克,姜块10克,精盐5克,味精1克,料酒10克,香菜15克。

【做法】1.将母鸡洗净,剁成块,放入沸水中略烫,捞出后用沸水冲去血沫;冬瓜削皮洗净,去瓤后切成菱形块,放入沸水中烫至八成熟捞出,放入凉水中过凉;香菜洗净,切段。

2.将鸡块放入汤碗中,加入清水、精盐、味精、料酒、葱段、姜块,入笼蒸至鸡肉离骨,拣出葱段、姜块不用。

3.将锅置于旺火上,放入蒸好的鸡块和蒸鸡块的原汤,随即放入煮过的冬瓜块,放入精盐、味精调好口味,用小火炖2分钟,撒上香菜段即可。

蘑菇蒸鸡块

【食材】肉鸡1只(约1000克),蘑菇500克。

【调料】葱段10克,姜片10克,酱油10克,料酒5克,白糖6克,胡椒粉2克,湿淀粉5克,鸡油5克,精盐3克,味精2克。

【做法】1.将肉鸡洗净,沥干水,切成块,放入沸水中氽透,沥干水分;蘑菇去蒂,切成块。

2.取一大碗,放入鸡块和蘑菇块,加入葱段、姜片、酱油、料酒、精盐、白糖、味精、胡椒粉及清水，将碗放入蒸锅中，用旺火蒸45分钟，取出。

3.将汤倒入炒锅中，葱段、姜片拣出不用，用湿淀粉勾芡，放入鸡油，然后将鸡放入大盘中，将汁淋在鸡块、蘑菇块上即可。

红杞蒸鸡

【食材】母鸡1只(约1000克)，枸杞15克。

【调料】料酒10克，胡椒粉3克，姜片10克，葱段10克，味精1克，精盐3克，清汤150克。

【做法】1.将母鸡宰杀后去毛、内脏和爪，洗净，放入沸水氽透，捞出用凉水冲洗干净，沥去水分；枸杞洗净，备用。

2.将枸杞装入鸡腹腔内，然后将鸡的腹部朝上放入盆内，加入姜片、葱段、胡椒粉、料酒、精盐，倒入清汤，用湿棉纸封口，上笼，用旺火蒸2个小时，取出，拣出姜片、葱段不用，放入味精即可。

归芪蒸鸡

【食材】母鸡1只(约1000克)，黄芪100克，当归20克。

【调料】料酒10克，味精1克，胡椒粉3克，精盐3克，葱段10克，姜片10克，清汤150克。

【做法】1.将母鸡宰杀后去毛、内脏和爪，洗净，放入沸水中焯透捞出，放入凉水中冲洗，沥干水分；将当归洗净，视其个头大小顺切几刀。

2.将当归、黄芪装入鸡腹腔内，然后将鸡腹部朝上放入盆内，放上姜片、葱段，倒入清汤，加上精盐、胡椒粉、料酒，用湿棉纸封口，上笼蒸2个小时取出，启封后拣去姜片、葱段不用，加入味精调味即可。

鸡肉蒸花螺

【食材】鸡脯肉200克，花螺7个，青豆20克，熟火腿20克。

【调料】精盐3克，味精2克，料酒5克，香油2克，湿淀粉少许。

【做法】1.将熟火腿切成粒；将花螺肉从花螺壳中取出，和鸡脯肉一同剁成泥，放入碗中，加入青豆、火腿粒、料酒、精盐、味精、香油拌好。

2.将花螺壳洗净，把拌好的馅酿入花螺壳内，入蒸锅蒸熟即可。

清蒸冬菇凤爪

【食材】鸡爪24只，冬菇50克。

如何挑选桂皮 桂皮是由桂树的树皮干制加工而成的。桂皮是肉食烹饪中重要调味品。优质桂皮，外表呈灰褐色，内里赭赤色，用口嚼时，有先甜后辛辣味道的为好。除桂皮外，还有肉桂，味道较浓，可以除去强腥味。

厨 房 小 窍 门

【调料】清汤500克,精盐6克,味精5克,料酒20克,葱段10克,姜片5克。

【做法】1.将鸡爪洗净,刮净黄皮,拆去跗跖骨;将鸡爪与跗跖骨一起放入沸水锅内,烫透捞出,再放入温水中洗净,装入汤罐内。

2.将冬菇用温水浸泡,洗净,放入鸡爪汤罐内;倒入清汤,加上精盐、味精、料酒、葱段、姜片,上屉蒸2个小时,取出后拣去葱段、姜片和跗跖骨不用,即可上桌。

人参蒸乌鸡

【食材】乌鸡1只(约800克),人参15克,枸杞10克,姜丝5克,油菜1棵。

【调料】蚝油15克,酱油5克,味精2克,料酒10克,花生油30克。

【做法】1.将乌鸡用凉水冲泡洗净,剁块,备用。

2.将乌鸡块放入碗中,加入蚝油、味精、酱油、料酒,用花生油封面腌5分钟。

3.将腌好的乌鸡块与人参、枸杞、姜丝、油菜一并放入蒸锅,蒸10分钟即可。

清蒸红汤鸡翅

【食材】鸡翅膀8只,香菇100克,油菜心50克。

【调料】植物油500克(实耗50克),料酒20克,葱段15克,姜片10克,精盐5克,味精4克,酱油15克,高汤750克。

【做法】1.将鸡翅膀分成翅尖、翅中两段,放入沸水中焯一下,捞出过凉,用料酒、酱油腌20分钟;将油菜心洗净;香菇洗净,切成片。

2.将锅置于旺火上,倒入植物油,烧至七成热时,将腌好的鸡翅尖、翅中放入油内,炸至鸡翅尖、翅中呈火红色时捞出,装入汤罐内。

3.将高汤倒入汤罐内,加上香菇片、料酒、葱段、姜片、精盐、味精,上屉蒸1个小时,拣出葱段、姜片不用,放入油菜心再蒸五分钟即可。

粉蒸风衣

【食材】生鸡皮350克,胡萝卜150克,米粉75克。

【调料】料酒15克,姜末5克,葱白10克,酱油30克,胡椒粉5克,味精5克,花椒10粒,高汤500克,猪油15克。

【做法】1.将胡萝卜去皮洗净,切成片;将花椒、葱白用刀剁碎。

2.将生鸡皮洗净控干水分,用料酒、姜末、酱油、胡椒粉、味精、花椒末、米粉、高汤、猪油拌匀腌2小时。

怎样挑选笋片和玉兰片 (1)笋片是以新鲜毛笋,经煮熟、压榨、焙干而成。食用前,经过水发,基本上能恢复原有的鲜嫩程度。笋片要挑选形状扁平、干燥、肉厚质嫩、色如蜡黄、无老根的。(2)玉兰片是以冬笋经蒸、烘干而成,因形似玉兰花瓣而得名。要挑选色泽玉白,表面光滑,肉质细嫩、体小肉厚、无老根的。

Tips

3.将胡萝卜片加米粉、酱油、味精拌匀,淋在腌过的鸡皮上,上笼蒸至鸡片熟软,反扣在碟上,撒上葱末,浇上热大油即可。

啤酒蒸鸡翅

【食材】鸡翅膀300克,熟火腿25克,冬笋50克,豌豆苗15克。

【调料】葱段25克,姜片15克,精盐4克,味精1克,啤酒半瓶,鸡油10克,高汤500克。

【做法】1.将鸡翅膀洗净,用刀剁去两端,去净毛根和细毛,投入沸水锅用小火煮10分钟,煮至嫩熟,捞出,冷却,剔出每只鸡翅膀的2根大小骨;熟火腿和冬笋洗净,均切成筷子粗细的条,分别插入鸡翅膀去骨后的两个空洞,两端稍露一点。

2.将鸡翅膀置于碗内,加入啤酒、葱段、姜片、精盐、高汤,入屉,架在水锅上用旺火、沸水、足气蒸20分钟,蒸至酥烂,取出。拣去葱段、姜片不用,放入味精,淋上溶化的鸡油,撒上豌豆苗即可。

汽锅鸡

【食材】嫩肥母鸡1只(约1000克),熟火腿50克,水发香菇50克,冬笋50克,油菜心50克。

【调料】精盐6克,味精1克,料酒10克,胡椒粉1克。

【做法】1.将母鸡宰杀煺毛,去除内脏,剔除主要筋骨后剁成块,放入沸水中烫透;熟火腿、冬笋、香菇分别切成长方片;油菜心切段;将冬笋片、香菇片、油菜心段放入沸水中略烫后捞出,备用。

2.取汽锅放入鸡块、熟火腿片、冬笋片、香菇片、精盐、味精、料酒、胡椒粉,盖上锅盖,将汽锅坐于水锅上蒸至鸡肉熟烂,取出后放入油菜心段即可。

白酥鸡

【食材】母鸡半只(约300克),虾仁50克,熟火腿、冬笋、香菇各30克,猪肥膘20克,虾子10克,油菜20克。

【调料】干淀粉15克,料酒10克,精盐3克,葱段5克,姜丝3克,葱汁、姜汁各4克,酱油8克,猪油、熟鸡油各25克。

【做法】1.将母鸡洗净,取鸡腿、鸡脯肉四块,剔去胸腿骨,用刀拍松,加入料酒、精盐、葱汁、姜汁腌渍,肫肝留用;将虾仁、猪肥膘分别剁成蓉,加入虾子、精盐、料酒、葱汁、姜汁搅匀成虾馅;油菜洗净切段。

2.将鸡肉块上拍上一层干淀粉,抹上虾馅,用刀轻轻细拍,将表面抹平,放入盘中连同肫肝一道上笼蒸熟,取出酥鸡块,渗去卤汁,肫肝切片。

3.将酥鸡块切成长片,与肫肝及备好的熟火腿、冬笋、香菇一道扣入碗内,倒入蒸鸡卤汁,上笼蒸半小时。

4.将油菜炒熟放入盆中,取出蒸好的酥鸡片翻扣入盆中,原汁渗出;将锅置于旺火上,放入猪油,加入葱段、姜丝炸香捞出,倒入卤汁,放入酱油,淋上熟鸡油,浇在酥鸡片上即可。

白雪鸡

【食材】熟鸡脯肉150克,虾仁100克,鸡蛋清3个,熟火腿末10克,鲜蘑片25克,豌豆苗10克。

【调料】料酒15克,精盐4克,味精1克,干淀粉25克,鸡油10克,高汤300克,猪板油50克。

【做法】1.将熟鸡脯肉切成方块;虾仁和猪板油洗净,沥干水分,一起放在案板上剁成细泥,盛在碗内,加入鸡蛋清1个、干淀粉、料酒、精盐、味精抓匀浆好,成虾蓉。

2.将蛋清2个放在碗内,使劲顺一个方向打成稠厚泡沫,加干淀粉拌匀,成为蛋泡糊。

3.将切好的鸡脯肉块分别平摊在盘内,均匀撒上一层干淀粉,再均匀抹上一层虾蓉,抹匀抹平,浅剞十字花刀,入屉,架在水锅上,用旺火烧开,改用中火蒸10分钟,蒸至凝结、定型、嫩熟,取出。

4.再在鸡脯肉上抹上一层蛋泡糊,继续入屉,改用小火蒸5分钟,蒸至蛋泡糊为松软的洁白凝固体、手触不粘手时,即可取出,切成菱形块,放在汤碗内,撒上熟火腿末。

5.将锅置于旺火上,加入高汤和精盐、料酒烧开,放入鲜蘑片氽至断生,加入味精推匀,淋上鸡油,倒入盛鸡肉块的汤碗内,撒上豌豆苗即可。

蚝油鸡

【食材】光体笋鸡1只(约750克),水发玉兰片100克,水发冬菇75克。

【调料】花生油1500克(实耗约80克),蚝油15克,葱段30克,姜片10克,酱油50克,白糖10克,精盐5克,味精2克,料酒50克,湿淀粉25克,香油5克,高汤500克。

【做法】1.将光体笋鸡开膛去内脏,洗净,剁断鸡颈,劈成两半,装在盆内,用酱油擦遍笋鸡全身;将水发玉兰片、水发冬菇(去蒂)洗净,切片。

2.将锅置于旺火上,放入花生油,烧至八成热,把笋鸡放入浸炸1分钟,捞起,沥干余油。

怎样保存鲜藕 鲜藕一时吃不完,可以用浸水法保存。方法是:用清水把沾在藕上的泥洗净,根据藕的多少选择适当的盆或水桶,把藕放进去后,加满清水,把藕浸没在水中,每隔1~2天换凉水1次。冬季要保持水不结冰。用这种方法可以保持鲜藕1~2个月不变质、不霉烂。

Tips

3.锅内留少许底油,置于旺火上,烧至七成热,加入葱段、姜片炒出香味,再把笋鸡放回,烹入料酒,加酱油、白糖、精盐、蚝油、高汤,烧开,滚煮5分钟,连汁带笋鸡倒在大汤碗里,入屉,架在水锅上用旺火、沸水、足气蒸半个小时,改用中火蒸2个小时,把鸡捞出,在案板上剁成条块,装在盘内。

4.另取一锅架在火上,放入花生油,烧至七成热,放入玉兰片、冬菇片煸炒几下,即将蒸笋鸡原汤倒入,烧沸,加入味精,用湿淀粉勾芡,淋上香油,浇在鸡身上即可。

姜汁鸡条

【食材】嫩母鸡1只(约500克),姜60克。

【调料】花生油60克,葱末15克,精盐4克,酱油15克,醋25克,味精2克,湿淀粉20克,红油5克,高汤800克。

【做法】1.将母鸡开膛去内脏,洗净,投入沸水锅煮20分钟,至七成熟,捞出晾凉,用刀剔去腿骨,切成条块。

2.将鸡块按原形码在碗中(鸡皮朝下),撒上精盐,倒入高汤,入屉,架在水锅上用旺火、沸水、足气蒸15分钟,蒸至鸡肉酥烂,取出,把汤滗出,将鸡翻扣在盘内;姜刮皮洗净,切碎,捣烂出汁。

3.将锅架于中火上,放入花生油,烧至七成热,放入葱末炒出香味,倒入蒸鸡条汤汁,待汤汁烧沸后放入姜汁、酱油、精盐、醋、味精,用湿淀粉勾芡,汁一转浓,淋上辣椒油推

五味鸡腿

【食材】鸡腿500克,五味卤汁200克。

【调料】葱段25克,姜片10克,葱油15克,料酒25克,湿淀粉15克,高汤500克。

【做法】1.将鸡腿洗净,投入沸水锅焯透取出,用水冲净,装在瓦钵里,加入料酒、葱段、姜片和清水,入屉,架在水锅上用旺火、沸水、足气蒸半个小时,改用中火再蒸3个小时,蒸至酥烂熟透,取出,滗去原汤,拣去葱段、姜片不用。

2.将锅置于旺火上,倒入五味卤汁和高汤,将蒸酥的鸡腿下â入,烧开,滚煮5分钟,再离火浸烫10分钟,入味捞出鸡腿,整齐地放在盘里;锅里的五味卤汁再烧开,用湿淀粉勾芡,淋上葱油,搅匀,浇在鸡腿上即可。

贮存土豆的窍门 土豆性喜低温,适宜的贮藏温度为 1℃~3℃,如果低于 0℃,易受冻害;而高于 5℃时,又易抽芽,使淀粉含量大大降低,并产生有毒的龙葵素。因此,在贮藏土豆时,应控制好贮藏温度和增加二氧化碳的积累,使其保持较长时间的休眠,延长贮藏期。

匀,浇在盘内鸡条上即可。

白汁鸡

【食材】光体笋公鸡1只(约750克),鲜蘑菇
50克,冬笋50克,西红柿50克,丝瓜
50克。

【调料】猪油50克,姜片15克,葱段25克,料
酒30克,精盐7克,胡椒粉2克,味精1
克,湿淀粉15克,高汤750克。

【做法】1.将光体笋公鸡去爪,剖腹,去除内脏
后洗净,投入沸水锅焯烫一下(清除血污),捞
出控水,盛在盆内(背朝下);鲜蘑菇去蒂,洗
净,切成薄片;西红柿洗净,切成月牙片;丝
瓜、冬笋去皮,洗净,均切成片。

2.在盛鸡的盆内加入精盐、料酒、胡椒
粉、葱段、姜片和高汤,入屉,架在水锅上用
旺火、沸水、足气蒸半个小时,改用中火蒸3
个小时,蒸烂取出,把汤滗出,将鸡翻扣在
大盘内。

3.将锅置于旺火上,放入猪油烧至六七成
热,放入冬笋片、丝瓜片、蘑菇片煸炒断生,倒
入蒸鸡原汤,再放入精盐、胡椒粉,调好口味,
烧沸,放入味精推匀,用湿淀粉勾芡,放入西
红柿片略烧,出锅浇在全鸡上即可。

青豆鸡卷

【食材】仔鸡1只(约750克),青豆50克。

【调料】料酒15克,精盐4克,鸡精1克,胡椒
粉1克,玉米粉10克,葱段10克,姜片
5克。

【做法】1.将仔鸡洗净,去除头、爪、翅膀,从鸡
背处扒开鸡皮,剔去鸡骨,再用料酒、精盐、胡
椒粉、鸡精、葱段、姜片腌4个小时。

2.将腌好的鸡肉平铺在案板上(鸡皮朝下),
上面撒匀玉米粉和青豆,再将其卷紧。

3.取纱布一块,洗净后挤净水分,平铺在
案板上;将鸡肉卷放在上面,然后裹起,用绳
扎紧,放入容器内上笼蒸熟(蒸制时间可根据
鸡的老嫩而定);取出后用重物压上,使其冷
却定型,再放入冰箱保存。食用时拆去绳和纱
布,切片装盘。

香露鸡

【食材】嫩光鸡半只(约750克)。

【调料】葱段15克,姜片10克,料酒25克,精
盐4克,味精1克。

【做法】1.将鸡在开水锅中氽一下,捞出后用
清水洗净。

Tips

食盐巧贮存 (1)炒热贮存法:夏天,食盐会因吸收了空
气中的水分而返潮,若将食盐放到锅里炒热,使食盐中
吸收潮气的氯化镁分解成氧化镁,食盐就不会返潮了。
(2)加玉米面贮存法:在食盐中放些玉米面粉,食盐就
能保持干燥,不易回潮,也不影响食用。

厨房小窍门

火腿贮存的窍门(一) (1)火腿存放时,应在封口处涂上植物油,以隔绝空气,防止脂肪氧化;再贴上1层食用塑料薄膜,以防虫侵入。(2)夏天可用食油在火腿两面擦抹1遍,置于罐内,上盖咸干菜可保存较长时间。(3)将火腿用保鲜纸包扎密封,放冷藏室中即可,不宜放冷冻室。

厨房小窍门

2.将鸡用精盐擦一遍,然后放入容器中,放入葱段、姜片、料酒、味精腌制待用。

3.将锅置于中火上,将鸡入屉蒸熟后取出晾凉,斩块装盘,再淋上卤汁即可。

麻辣鸡块

【食材】光鸡1只(约1200克)。

【调料】花生油20克,香油4克,酱油8克,醋8克,精盐3克,白糖5克,花椒粉1克,料酒25克,味精1克,姜10克,葱白10克,干红椒10克。

【做法】1.将葱白洗净后纵向剖开,一半切成细末,一半切成段(长3厘米);姜洗净后,一半切成片,一半切成细末;干红椒切成丝。

2.将鸡宰杀煺净毛,开膛取出内脏,用水洗净,剁成均匀的小长方块,放入盆内,加入姜片、葱段、料酒,放入锅内蒸熟取出,码入盆内。

3.将锅置于旺火上,放入花生油,烧热后放入干红椒丝、葱末、姜末炒出香味,加入花椒粉、酱油、白糖、精盐、料酒、醋,烧开后加入味精,盛入小碗内,浇在鸡块上,淋上香油即可。

鸭肉蒸品

清蒸鸭

【食材】鸭子1只(约1200克)。

【调料】姜片2克,葱段5克,精盐3克,料酒20克,味精2克,胡椒粉3克,高汤100克。

【做法】1.将鸭子剖膛,去内脏、足、舌、鸭膜及翅尖的一段,用水洗净,沥干水分。

2.将锅置于旺火上,倒入清水,烧开后放入鸭子煮一下,将血水去掉,捞出后用水冲洗,沥干水分。

3.用精盐在鸭身上揉搓一遍,脊背朝上盛入坛子内腌一会儿。

4.放上料酒、葱段、姜片、胡椒粉和高

汤,再将坛子封严,放进笼屉,用旺火蒸2小时,取出打开坛盖,撇净浮油,加入味精和精盐即可。

荷叶蒸鸭块

【食材】嫩鸭半只(约700克),冬菇100克,荷叶2张。

【调料】精盐4克,味精1克,料酒20克,胡椒粉1克,酱油8克,香油2克,干淀粉8克,葱段6克,姜片4克,植物油10克。

【做法】1.将荷叶放入沸水中烫一下,捞出后投凉,备用;将冬菇泡发后去蒂,洗净;嫩鸭去内脏,洗净切成块。

2.将鸭块放入器皿中,加入植物油、冬菇、姜片、葱段、精盐、料酒、胡椒粉、酱油、味精、干淀粉拌匀,腌制20分钟备用。

3.将蒸锅置于旺火上,将荷叶放入笼内,在荷叶的表面抹上香油,再放入腌好的鸭块,蒸半小时即可。

蒸鸭块菜薹

【食材】鸭肉250克,油菜薹150克。

【调料】花生油500克（实耗50克）,酱油40克,精盐2克,白糖5克,料酒20克,味精1克,葱段15克,姜片8克,湿淀粉15克,高汤300克。

【做法】1.将鸭肉洗净,切成块,投入沸水锅中焯烫,去掉血污,控干水分,放在碗内,加上料酒、酱油,腌渍入味、上色;油菜薹掐成段,洗净,投入沸水锅焯烫断生,变成绿色时,捞入冷水盆中投凉,沥干水。

2.将锅置于旺火上,放入花生油,烧至八成热,下入鸭块速炸2分钟,炸至色泽变深,捞出控油,放在大汤碗里,加入料酒、葱段、姜片、酱油、白糖、味精、精盐、高汤,入屉,架在水锅上,用旺火烧开冒气,改用中火蒸1.5小时,蒸至软烂酥熟,下屉,把鸭块盛入大盘中间。

3.另取一锅置于旺火上上,放入花生油,烧至七成热,放入油菜薹段煸炒几下,将蒸鸭块原汤倒入烧开,用湿淀粉勾芡;将

油菜薹段盛出,围在鸭四周,卤汁浇在鸭身上即可。

嫩土豆蒸卤鸭

【食材】卤鸭500克,嫩土豆300克。

【调料】葱丝、姜丝各20克,蒜蓉10克,柱侯酱15克,海鲜酱20克,沙嗲酱10克,花生酱10克,白糖25克,鸡精6克,料酒6克,胡椒粉3克,香油10克。

【做法】1.将嫩土豆洗净,投入开水中煮一下,捞出;将卤鸭剔骨后剁成块,同土豆放在一起,加入柱侯酱、海鲜酱、沙嗲酱、花生酱、白糖、鸡精、料酒、胡椒粉、香油、葱丝、姜丝、蒜蓉拌好,放入大蒸碗中备用。

2.将大蒸碗放入笼中,用大火蒸20分钟,取出盛入盘中即可。

火腿贮存的窍门（二） 将火腿挂在通风的阴凉干燥处,避免阳光直射,并可用植物油80%,面粉20%调成糊状,涂抹在火腿表面。或将火腿埋藏到小麦、稻谷、黄豆等粮食中,也能防止火腿走油、生虫和变质。另外,火腿斩制后的断面,应立即包上一层塑料纸,以防止放生脂肪氧化。

Tips

银杏蒸鸭

【食材】鸭1只（约1400克），银杏200克。

【调料】植物油65克（实耗35克），胡椒粉2
　　　　克，料酒15克，姜片、葱段各10克，精
　　　　盐3克，花椒2克，味精3克，高汤150
　　　　克，湿淀粉15克，香油10克。

【做法】1.将银杏敲破去壳，放入开水内煮熟，
撕去皮膜，切去两头，除去心，再放入开水中焯
去苦水，然后放入油锅中炸一下，捞出备用。

2.将鸭洗净，斩去头、脚，用精盐、胡椒粉、
料酒抹匀，放入盆中，加入姜片、葱段、花椒，
上笼蒸1小时取出；拣去姜片、葱段、花椒不
用，用刀从鸭背脊骨处剁开，去净骨头，盛入
碗内，齐碗口修圆。

3.将剩下的鸭肉切成丁，与银杏混合放于
鸭脯上，将原汁倒入，放入少许高汤，入蒸笼
蒸半小时至鸭肉烂，出笼翻入盘中。

4.将锅中加入高汤，放入香油、料酒、精
盐、味精、胡椒粉，用湿淀粉勾芡，放入植物
油，挂芡汁于鸭肉上即可。

酒蒸全鸭

【食材】填鸭1只（约1200克）。

【调料】葱段25克，姜片20克，料酒150克，味
　　　　精2克，高汤1000克，精盐3克。

【做法】1.将填鸭宰杀，去净毛、翅尖等，剁去
脚，由背部切开，取出内脏洗净，在冷水中泡一

下，然后放入开水中汆一下，去净血污，备用。

2.取一大蒸碗，将沥干水的鸭放入，加入
料酒、葱段、姜片、精盐及高汤，放入笼中蒸
熟，拣出葱段、姜片不用，加上味精、精盐，连
汤倒入鸭碗中即可。

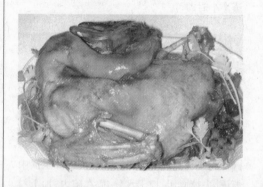

清蒸枣梨酿鸭

【食材】光鸭1只（约1000克），雪梨3个，红枣
　　　　30克，水发香菇5只。

【调料】精盐6克，料酒20克，姜片15克，葱段
　　　　30克，清汤1200克，胡椒粉3克，味精
　　　　3克，棉纸1张。

【做法】1.将光鸭去内脏，洗净，用精盐、料酒、
胡椒粉、姜片、葱段20克调味，腌20分钟，放
入沸水锅中汆一下，捞出。

2.将雪梨削去外皮，除去梨核，切成丁，与
洗净的红枣、水发香菇一同酿入鸭腹中；将剩
余的葱段挽结，塞在鸭尾的剖口处。

3.将酿好的鸭放入大盘中，腹部向上，灌

猪肉巧贮存（一） （1）喷酒冷藏法：将肉切成肉片，放入塑料盒里，喷上一层料酒，盖
上盖，放入冰箱的冷藏室，可贮藏1天不变味。（2）切片冷冻法：将肉切成片，然后将
肉片平摊在金属盆中，置冷冻室冻硬，再用塑料薄膜将肉片逐层包裹起来，置冰箱冷
冻室贮存，可1个月不变质。用时取出，在室温下解冻后，即可进行加工。

厨房小窍门

猪肉巧贮存(二)(1)煸炒法:将肉切成肉片。在铁锅内加适量的油用旺火加热,油热后将肉片放入,煸炒至肉片转色,盛出,凉后放进冰箱的冷藏室里,可贮藏 2~3 天。(2)浸花椒水法:将煮沸的花椒水盛入容器里,晾凉,将鲜肉放入(让盐水没过肉),2~3 天不会变质。

厨房小窍门

入清汤,放入剩下的姜片、料酒、胡椒粉、精盐,用棉纸封碗口,放入笼中用旺火蒸3小时,蒸至鸭翅骨松散、肉软熟取出,去棉纸,调入味精即可。

清蒸鸭饺

【食材】活鸭1只(约1000克),冰糖25克。

【调料】酱油25克,料酒30克,大料5克,精盐10克,葱段25克,姜片20克。

【做法】1.将活鸭宰杀后洗净,放入水锅中,加入酱油、料酒、冰糖、大料、葱段、姜片、精盐,煮至六成熟;将鸭取出,斩成长方块(每块重70克),分置在8个碗内。

2.将原汤过滤后倒入各个碗内,上笼用旺火蒸2个小时,至鸭肉酥烂即可。

罗汉鸭

【食材】鸭1只(1200克),冬笋片150克,水发冬菇片50克,扁尖笋段20克,栗子片20克、腐竹15克,白果肉10克,青菜心20克。

【调料】葱段、姜片各10克,料酒15克,白糖10克,精盐5克,酱油10克,湿淀粉15克,香油3克,清汤150克,猪油50克。

【做法】1.将鸭从背部剖开,除去内脏、脚爪,洗净,放入热猪油中滑一下;倒出猪油,加入酱油、精盐、葱段、姜片、料酒、白糖、清汤,盖好锅盖,炖 10 分钟,取出鸭。

2.将鸭放在盘中,上笼蒸50分钟,取出,拆去大、小骨头,放好。

3.将水发冬菇片、青菜心、栗子片、白果肉、冬笋片、扁尖笋段、腐竹放入锅内,加入精盐烧5分钟,取出,塞在鸭肚里。

4.将鸭仰放在盘中,再上笼蒸15分钟,取出,放在另一盘中。

5.用部分原鸭汤、湿淀粉勾芡,淋在鸭上面,撒上香油即可。

金鱼鸭掌

【食材】鸭掌12只,鸡脯肉200克,火腿30克,香菜15克。

【调料】鸡蛋清1个,料酒25克,味精4克,精盐5克,湿淀粉30克,高汤200克。

【做法】1.将锅内倒入清水烧开,放入鸭掌煮半小时至熟,然后整掌去骨;火腿切成细丝备用。

2.将鸡脯肉去掉脂皮、白筋,用刀背砸成细泥,放入碗内,加鸡蛋清、料酒、味精、湿淀粉、精盐,顺一个方向搅匀成鸡料子。

3.将1只鸭掌整齐地放入鱼盘内,取汤匙一个,放入鸡料子做成金鱼身,放在鸭掌上面,形似金鱼,再将火腿丝点缀于金鱼之上,勾画出嘴、眼睛。依此逐个做好12个,入笼蒸10分钟取出,摆在盘的周围,中间放上香菜。

4.炒锅内放入高汤、料酒、精盐,烧沸后撇净浮沫,用湿淀粉勾芡,放入味精,浇在金鱼上面即可。

神仙鸭

【食材】肥鸭子1只（约1500克）,熟火腿25克,冬笋25克,青菜心25克。

【调料】葱段10克,姜片5克,花椒10粒,精盐6克,味精1克,料酒10克。

【做法】1.将宰杀去毛的肥鸭子从翅下开一刀口,用手掏出内脏,割去尾尖,用刀斩断颈骨,剁去翅尖和鸭掌,取出鸭舌,用清水将鸭腹腔冲洗干净,放入沸水锅中略煮捞出;熟火腿、冬笋分别切成长方片;青菜心切成段;将冬笋片、青菜心段放入沸水锅中略烫,捞出备用。

Tips

切辣椒、洋葱防辣眼睛的窍门 (1)把洋葱先放在冰箱中冷冻一会儿,然后现拿出来切,也会获得较好的效果。(2)切辣椒、洋葱时,先将刀在冷水中蘸一下,再切就不会辣眼睛了。(3)切辣椒、洋葱时,如盛一碗凉水放在旁边,即可以缓解挥发性物质对眼睛的刺激,也能使眼睛有清凉舒适的感觉。

禽肉蒸品／鸭肉蒸品

2.将煮过的鸭子冲洗干净,腹向上平放入大汤盆中,把鸭头别放在鸭体一侧,放入精盐、味精、料酒、葱段、姜片、花椒粒和清水,上笼蒸3个小时,至鸭子熟烂时取出,拣出葱段、姜片、花椒粒不用。

3.将锅置于旺火上,加入精盐、味精、料酒、青菜心段、冬笋片和蒸鸭子的原汤,烧沸后撇净浮沫,起锅浇在蒸好的鸭子上,撒上火腿片即可。

樟茶鸭

【食材】鸭1只（约1000克）,花茶15克,樟树叶10克,稻草、松柏枝、橙皮各4克。

【调料】精盐3克,料酒10克,香油5克,花椒水3克,胡椒粉2克,醪糟汁15克,熟菜油30克。

【做法】1.从鸭背尾部横开口,取出内脏,割去尾部洗净;盆内放入料酒、醪糟汁、胡椒粉、精盐、花椒水拌匀抹在鸭身上,腌8小时捞出。

2.将腌好的鸭放入沸水锅中焯紧皮,沥干水分,放入熏炉内;用花茶、稻草、松柏枝、樟树叶拌匀做熏料,熏至鸭皮呈黄色时取出;再将鸭放入大蒸碗内,上笼蒸2个小时,出笼晾凉。

3.将锅置于旺火上,放入熟菜油,烧至八成热,放入熏蒸后的鸭子,炸至鸭皮酥香捞出。

4.将鸭颈斩成段,盛入圆盘中间;再将鸭身上刷上香油,斩成条(鸭皮朝上),盖在鸭颈块上,摆成鸭形即可。

白汁鸭条

【食材】白煮鸭半只(约500克),冬菇、冬笋、熟火腿、青菜心各25克。

【调料】葱末10克,姜汁5克,精盐5克,味精2克,料酒3克,花椒1克,胡椒粉1克,奶汤500克。

【做法】1.将白煮鸭剔除鸭骨,切成条,鸭皮向下整齐地摆入碗内,加入精盐、味精、料酒、花椒和清水,入笼蒸透取出。

2.将冬菇、冬笋、熟火腿分别切成长方片;青菜心切成段,一同入沸水锅中略烫捞出。

3.将蒸鸭子的原汁倒入锅中,鸭条翻扣在大汤碗内备用,用旺火将锅内的汤烧沸,放入

冬菇片、冬笋片、火腿片、青菜心段,放入葱末、姜汁、奶汤、味精、胡椒粉调好味,起锅浇在盛鸭条的碗内即可。

桃仁鸭片

【食材】光体鸭1只(约1500克),核桃仁100克,猪瘦肉100克,猪肥膘肉50克,摊鸡蛋皮1张,鸡蛋清2个。

【调料】精盐10克,料酒30克,味精3克,葱末10克,葱段25克,姜片10克,姜末5克,湿淀粉30克,胡椒粉1克,香油15克。

【做法】1.将光体鸭洗净,用刀顺脊背划破皮肉,剔去骨头(使皮肉保持完整),去除鸭翅和腿爪,再将整鸭顺腹部一切两半(成为两片),皮朝下平铺好;将鸭胸脯肉片平,剞上花刀,把片下来的肉垫在凹处,垫平后均匀撒入精盐,淋上料酒腌渍。

2.将鸭腿肉取出和洗净的猪瘦肉、肥膘肉一起剁成细泥,放到碗里,放入鸡蛋清,加入精盐、料酒、味精、胡椒粉、葱末、姜末、香油和湿淀粉,充分搅拌均匀,成为泥蓉;核桃仁用热水泡透,去皮,切成小块。

3.将鸭蓉泥的大部分分别抹在平铺在案板上两片鸭的上面,盖上鸡蛋皮,鸡蛋皮上再抹一层薄薄的鸭蓉泥,摆上核桃仁块,用手按一按,粘牢,然后把每片鸭卷起成筒形,再用湿洁布包住捆好,投入沸水锅中焯烫一下,使外

味精在烹调中的使用 味精的主要成分是"谷氨酸钠",也就是谷氨酸的钠盐。谷氨酸具有极其鲜美的味道和一定的营养价值。味精易溶于水,加水冲淡3000倍,还能品出它的鲜味,炒菜、做汤只要加一点儿,就能使菜肴味道更鲜美。但是,味精也要合理使用。否则会适得其反。

Tips

禽肉蒸品/鸭肉蒸品

厨房小窍门

皮绷紧,捞出放在盆里,加入余下的料酒、葱段、姜片。

4.将鸭卷入屉,架在水锅上,用旺火把水烧开冒气,改用中火蒸2小时,蒸至鸭肉酥嫩取出,用重物压成扁圆形,晾凉,去掉绳、布,改刀切成薄片(长5厘米、宽3厘米、厚0.5厘米),摆在盘中即可。

清汤柴把鸭

【食材】白煮鸭1只(约750克),水发冬笋100克,水发冬菇100克,熟火腿100克,芹菜梗6根。

【调料】葱段10克,姜片5克,精盐5克,味精1克,料酒10克,香油2克。

【做法】1.将白煮鸭剔去鸭骨,再把鸭肉、水发冬笋、水发冬菇、熟火腿分别切成段;芹菜洗净后,放入沸水锅中略烫,从中间顺长剖开,切成段,然后用芹菜梗捆扎鸭肉

成把(共12把)。

2.将捆好的鸭肉放入汤盆中,加入500毫升清水、葱段、姜片、料酒、精盐、味精,将鸭骨盖在上面,入笼用旺火蒸透取出,拣出葱段、姜片和鸭骨不用。

3.将锅置于旺火上,加入清水和蒸鸭子的原汤,放入精盐、味精、料酒烧沸,撇净浮沫,淋上香油搅匀,起锅倒入盛柴把鸭的汤碗内即可。

虎皮鸭子

【食材】净鸭子1只(约1000克),红枣25克,水发冬菇50克,冬笋50克,油菜心50克。

【调料】料酒20克,酱油10克,精盐4克,糖色2克,白糖3克,香油3克,植物油20克,湿玉米粉5克,葱段10克,葱条5克,姜片5克,鸡精2克,奶汤适量。

【做法】1.将净鸭子从背部剖开(脯部相连),洗净,沥干水分,遍身抹匀酱油,然后放入热植物油中炸成虎皮色;捞出后放入盛清水的锅内,加入酱油、料酒、精盐、糖色、白糖、葱段、姜片调好口味,上火煮。

2.将冬笋切成片,洗净;将冬笋片、油菜心、水发冬菇分别放入沸水锅中焯一下,捞出备用;红枣去核洗净;将冬笋片、油菜心、冬菇、红枣均下入煮鸭子的锅内,一起煮40分钟后捞出。

3.取一小盆,将煮过的冬菇、冬笋片和红

怎样鉴别假味精 (1)看:味精呈白色结晶状、粉状均匀;假味精色泽异样,粉状不均匀。(2)摸:味精手感柔软,无颗粒感;假味精摸上去粗糙,有明显的颗粒感。(3)口尝:好味精有强烈的鲜味;假味精则鲜味很淡,甚至没有鲜味。(4)味精溶液透明无色,无泡沫,无杂质。

食用油的保存法 用不同的容器存放,食用油的保质期也不相同。用金属容器存放最安全,既不进氧,也不进光,油难以被氧化,一般采用金属桶装油可保存2年。而玻璃瓶、塑料桶在这些方面都有欠缺,尤其是用塑料桶装,非常容易被氧化。采用玻璃瓶可保存1~2年,塑料桶仅可保存半年~1年。

厨房小窍门

枣在盆底摆成花色图案,然后放入煮熟的鸭子(脯朝下),浇入锅中的原汤,上屉蒸烂,取出后将盆中原汤滗出,将鸭子扣在盘中。

4.将锅置于旺火上,放入植物油,放入葱条略煸一下,倒入滗出的原汁,调好口味,用湿玉米粉勾芡,淋上香油(浇在鸭脯上)。

5.将油菜心用奶汤、精盐、鸡精烧至入味,围在鸭脯旁即可。

虫草鸭子

【食材】嫩肥鸭子1只(约1500克),虫草30克。

【调料】姜片10克,葱段10克,料酒25克,精盐15克,味精1克,肉汤1250克。

【做法】1.将嫩肥鸭子褪毛,去内脏,在鸭子的尾部横着开口,放入沸水锅中烫去血水,捞出斩去鸭嘴,鸭翅扭翻在背上盘好;虫草用温水泡15分钟后洗净,去根。

2.将竹筷子削尖(长1厘米、粗0.3厘米),在鸭胸腹部斜戳小孔(深1厘米),每戳1孔,插入1条虫草,逐一插完,盛入蒸碗内(鸭腹向上),加入料酒、葱段、姜片、肉汤,用皮纸封好碗口,上笼蒸3小时至熟烂,拣去姜片、葱段不用,加入精盐、味精,盛入盘内即可。

其他禽肉蒸品

黄芪蒸鹌鹑

【食材】鹌鹑2只(约400克),黄芪10克。

【调料】葱段、姜片各10克,胡椒粉2克,精盐3克,清汤100克,湿棉纸1张。

【做法】1.将鹌鹑杀后,去除毛、内脏、爪,洗净,入沸水锅中氽1分钟,捞出备用。

2.将黄芪用湿布擦净,切成薄片,分别装入鹌鹑腹中,放入蒸碗里,倒入清汤,加入葱段、姜片,用湿棉纸封口,上笼蒸半小时。

3.出笼后揭去棉纸,倒出原汁,加上精盐、胡椒粉调好味,再将鹌鹑扣入碗内,淋上原汁即可。

八宝鹌鹑

【食材】鹌鹑400克,火腿25克,莲子15克,猪肉40克,冬笋35克,枸杞10克,芡实10克,龙虾片15克。

【调料】精盐7克,料酒30克,葱段25克,姜片25克,干淀粉25克,花生油500克(实耗30克),香料5克。

【做法】1.将鹌鹑除骨,洗净,沥干水分后用精盐、料酒、葱段、姜片腌10分钟;将火腿、猪肉、冬笋均切成豆粒大小的丁。

2.将莲子、枸杞、芡实用水浸泡,洗净。

3.将火腿丁、猪肉丁、冬笋丁、莲子、枸杞、芡实一同放入碗内,加料酒、精盐拌成馅,填入鹌鹑腹内,再加入香料上笼蒸透。

4.将锅置于中火上,放入花生油,烧至五成热,投入龙虾片炸脆后捞出;再将蒸好的鹌鹑取出装盘,以龙虾片饰盘边即可。

荷叶鹌鹑

【食材】鹌鹑4只(约600克),荷叶1张,水发香菇50克,熟火腿25克。

【调料】姜片5克,精盐4克,白糖5克,胡椒粉1克,干淀粉10克,蚝油10克,香油10克。

【做法】1.将鹌鹑宰杀,去皮、内脏、脚爪,剁成块,放入沸水锅中略烫捞出,控干水分后放入盆中,加入姜片、蚝油、精盐、白糖、胡椒粉、干淀粉、香油拌匀,腌好备用;将水发香菇、熟火腿切成片。

2.将荷叶用开水洗干净,把腌好的鹌鹑放在荷叶上,摆上水发香菇片、熟火腿片,包好后放入盘中,入笼蒸至熟烂,取出即可。

豆豉荷香鹅

【食材】鹅肉600克,豆豉50克。

【调料】姜末、葱末、蒜末各5克,干红椒末5克,精盐2克,胡椒粉2克,鸡精2克,花雕酒5克,蚝油10克,湿淀粉8克,花椒油15克,香油15克,荷叶1张。

【做法】1.将鹅肉切成片,入冷水中泡去血水,捞出沥干水分;将豆豉剁成泥,与精盐、胡椒粉、鸡精、香油、花雕酒、蚝油、姜末、蒜末、湿淀粉一起放入碗中混合均匀,然后将鹅肉片放入搅匀。

2.将荷叶放入开水中氽一下,修整齐后垫入盘底,将鹅肉片整齐地码在荷叶上,然后将荷叶向里包起扎紧,放笼中用旺火蒸20分钟取出。

3.将荷叶揭开口,撒上葱末、干红椒末;将锅置于火上,放入花椒油烧至七成热,淋在鹅肉片上即可。

圆笼粉蒸鹅

【食材】鹅肉600克,大米150克,荷叶1张。

【调料】葱末5克,蚝油5克,鸡精4克,白糖5克,甜面酱15克,香辣酱5克,香油2克,胡椒粉2克,香叶、大料、丁香各5克,花椒油10克。

【做法】1.将鹅肉切成长方片,放入清水中泡去血水;将锅置于小火上,放入大米及香叶、大料和丁香,炒至大米香黄时取出,然后将香叶、大料、丁香拣去不用,大米压碎备用。

2.将蚝油、鸡精、白糖、甜面酱、香辣酱、香油、胡椒粉一同放入鹅肉片抓匀,腌5分钟,再将鹅肉片两面蘸匀大米粉。

3.将荷叶修整齐后,入沸水中氽过,然后捞出铺在小笼中间,再将鹅肉片整齐地放在小笼的荷叶上,用旺火蒸半小时后取出,撒上葱末,浇上花椒油,上桌即可。

清蒸鹅掌

【食材】鹅掌500克,熟火腿25克,冬笋50克,水发香菇25克。

煮牛肉易熟烂的技巧 表层涂芥末法:老牛肉肉质地粗糙,很不易煮烂。在煮前,可先在老牛肉上涂1层芥末,放6~8小时后,用冷水冲洗干净,即可烹制。经过这样处理的老牛肉不仅容易煮烂,而且肉质也可以变嫩。煮时若再放少许料酒和醋(1千克牛肉放2~3汤匙料酒、1汤匙醋),肉就更易煮烂了。

厨房小窍门

【调料】葱段5克,姜片10克,精盐5克,味精1克,料酒15克,鸡油10克,高汤50克。

【做法】1.将熟火腿、冬笋、水发香菇切成片;将鹅掌去趾尖,刮去粗皮洗干净,放入沸水锅中煮一下,捞出洗干净,拆去鹅掌骨洗净,放入一大碗中,加入精盐、味精、料酒、高汤浸泡。

2.取大碗一个,将葱段、姜片放入,再码上熟火腿片、冬笋片、香菇片,摆上鹅掌,加入腌渍鹅掌的汤,入笼用旺火蒸至鹅掌熟,取出扣入大盘中,拣去葱段、姜片不用,淋入鸡油即可。

荷香乳鸽

【食材】乳鸽1只(约300克),猪里脊肉50克,木耳25克,黄花菜25克,冬菜25克,荷叶1张。

【调料】酱油20克,料酒25克,白糖3克,鸡精1克,葱末5克,姜末3克,精盐4克,干淀粉3克,香油3克,植物油15克。

【做法】1.将木耳洗净,切成丝;黄花菜和冬菜洗净,切成段;荷叶洗净,用开水煮透,晾凉备用。

2. 将乳鸽宰杀后洗净取出内脏,放入酱油、料酒、白糖、鸡精、葱末、姜末腌15分钟;猪里脊肉切成丝,加入精盐、料酒、干淀粉、酱油、香油腌制入味备用。

3.将锅置于旺火上,倒入植物油,待烧至四成热时,倒入葱末、姜末炒出香味,放入猪肉丝、料酒、木耳丝、黄花菜段、冬菜段炒匀盛入盘中,晾凉后酿入乳鸽腹中;将荷叶铺平,把酿好的乳鸽包好,放到蒸锅中,蒸半小时即可。

花旗参蒸乳鸽

【食材】肥嫩乳鸽2只(约600克),花旗参5克,猪肥瘦肉50克。

【调料】姜片5克,料酒20克,精盐5克,清汤750克,胡椒粉1克,香油10克。

【做法】1.将乳鸽宰杀,放入80℃的温水中煺去毛,然后剖腹去内脏,清洗干净,再入沸水中略烫,捞出备用;花旗参切成小片;猪肥瘦肉洗净,用刀背捶成蓉。

2.取一大碗,放入乳鸽、花旗参片、猪肉蓉、姜片、精盐、清汤,再加入料酒和香油,入笼盖上锅盖用中火蒸1个小时,至乳鸽肉软透时取出,食用时加入胡椒粉调味即可。

怎样使螃蟹增肥 买回螃蟹后不用水冲洗,放入干净的缸、坛里,用糙米加入两个打碎壳的鸡蛋,再撒上两把黑芝麻将蟹盖住淹没,然后用棉布蒙住缸口,使空气能流通,但又不能使蟹见阳光,这样养3天左右取出。由于螃蟹吸收了米、蛋中的营养,蟹肚即壮实丰满,重量明显增加,吃起来肥鲜香美。

Tips

厨房小窍门

禽肉蒸品\其他禽肉蒸品

水产蒸品

鱼类蒸品

将鱼块翻身两次)。

2.待鱼块入味后,再放入清水内清洗一次,放入大碗中,加入精盐、姜片、葱段、高汤;将猪肥膘肉用刀切成片,盖在碗中的鱼块上面。

3.将鱼块碗放入蒸笼中,用旺火蒸半小时,拣出肥膘肉、葱段、姜片不用;净莴笋切成细丝,放入盛有高汤的锅中,煮沸加入味精,再舀入鱼碗中即可。

4.将姜块去皮,先用刀拍破,再剁成细蓉,装入小碗中,加入醋、味精及香油,调成姜醋碟,同清蒸鲤鱼一同上桌蘸食即可。

清蒸鲤鱼

【食材】活鲤鱼750克,猪肥膘肉100克,净莴笋100克。

【调料】葱段20克,料酒10克,精盐5克,高汤500克,醋30克,姜块60克,姜片8克,香油10克,味精1克。

【做法】1.将活鲤鱼宰杀,去鳞、鳃、内脏,洗净,用刀先剖成两半后,切成小块,装入盆中,加入姜块、葱段、料酒、精盐腌20分钟(其间

豉汁蒸鲫鱼

【食材】活鲫鱼4条(约500克),豆豉50克。

【调料】葱丝20克,香菜20克,蒜末20克,精盐4克,味精1克,料酒25克,植物油40克。

【做法】1.将活鲫鱼去鳞、鳃和内脏,洗净;豆豉剁细;香菜洗净,切段。

2.将锅置于旺火上,加入植物油,烧至五

Tips

肉馅巧贮存 (1)熟油隔离法:肉馅如一时不用,可将其盛在碗里,将表面抹平,再浇1层熟食油,可以隔绝空气,存放不易变质。(2)油炒贮存法:将肉馅用油炒一下,晾凉后,装入塑料袋,封好,放入冰箱存放不易变质。

厨房小窍门

玉兰片、姜片、大料、白糖、精盐、味精也撒在鱼身上，加入料酒、猪油、香油、高汤入笼用大火蒸熟即可，出笼拣去大料、姜片不用，撒上黄瓜片，原盘上桌。

怎样鉴别鲜鱼 （1）看肛门：肛门是鱼的排泄器，最易污染变质。如鱼的肛门发白、内缩则为新鲜鱼；肛门发红稍凸为不新鲜；肛门发紫外凸则为变质鱼。

（2）看鱼鳃：鳃盖紧闭，鳃后鲜红清晰的为新鲜鱼；鳃盖松弛，鳃片暗红则为不新鲜鱼；鳃片是毛刷状则为变质鱼。

厨房小窍门

成热时，放入豆豉末、蒜末煸炒，炒出香味后，烹入料酒，加入精盐、味精调匀，倒入一大碗中。

3.再将鲫鱼放入碗中，入笼蒸10分钟（刚熟为宜）后取出，把葱丝、香菜撒在鲫鱼上。

4.将炒锅置于旺火上，放入植物油烧热，浇在鲫鱼上即可。

清蒸白鲢

【食材】白鲢1条（约1000克），水发鱼骨30克，熟火腿30克，水发冬菇15克，水发玉兰片30克，黄瓜25克。

【调料】猪板油30克，猪油30克，姜片10克，料酒75克，精盐10克，味精3克，白糖10克，高汤400克，香油25克，大料3克。

【做法】1.将白鲢去鳃、内脏，一分为二，刮去腹内黑衣，洗净备用；熟火腿、水发玉兰片、水发鱼骨切成片；冬菇、黄瓜切片；猪板油去筋，切成丁。

2.将洗净的白鲢放入大鱼盘中，将猪板油丁散开撒在鱼身上，火腿片、鱼骨片、冬菇片、

清蒸荷叶鱼

【食材】石斑鱼肉400克，云腿30克，花菇10个，荷叶1张。

【调料】姜丝8克，花生油10克，酱油5克，白糖5克，料酒8克，鸡精3克，姜汁5克，蚝油5克，胡椒粉5克，香油10克。

【做法】1.将石斑鱼肉、花菇用酱油、白糖、料酒、鸡精、姜汁、蚝油、胡椒粉、香油拌匀，腌10分钟，加入花生油拌匀。

2.将荷叶铺在蒸笼内，把石斑鱼肉、花菇、云腿、姜丝平均排放在上面，将露在笼边的荷叶边折回盖在上面。

3.将蒸笼置于火上，用旺火、开水蒸5分钟即可。

清蒸合页鱼

【食材】鲜鲈鱼1条（约750克），鲜虾蓉150克，肥猪肉泥25克，鸡蛋清1个。

【调料】精盐6克，葱段10克，姜片4克，葱姜

汁15克,味精1克,料酒15克,湿淀粉10克,香油3克,香菜段8克。

【做法】1.将鲜鲈鱼除去鳃和内脏后洗净,剁下鱼头,从下颌处劈开,用刀拍平,去掉脑石,沿鱼脊剔下两片鱼肉,各带一面尾,剔净细刺,洗净后横放在案板上,用斜刀法片成肉断皮连的若干大片(每片鱼肉厚约0.2厘米)。

2.将鲜虾蓉、肥猪肉泥放入碗中,加入葱姜汁、精盐、味精、鸡蛋清、料酒、香油和清水搅成虾料子,抹在肉断皮连的鱼片上,卷成食指粗细的合页形,放入盘中,摆上鱼头。

3.将合页鱼撒上精盐、料酒、葱段、姜片入笼蒸熟,取出,拣出葱段、姜片不用。

4.将锅置于旺火上,倒入清水,加入精盐、味精、葱姜汁烧开,用湿淀粉勾芡,淋入香油,撒上香菜段,均匀地浇在合页鱼上即可。

清蒸带鱼

【食材】带鱼400克,熟火腿5克,冬笋25克,水发冬菇4只。

Tips

切过的冬瓜怎样保鲜 冬瓜个大体重,人口少的家庭,几次才会吃完,剩下的冬瓜极易污染变质。把冬瓜切开以后,略等片刻,切面上会出现星星点点的黏液,这时取一张与切面大小相同的干净白纸平贴在上面,再用手抹平贴紧,存放3~5天仍新鲜,如果用无毒的干净塑料薄膜贴上,存放时间会更长。

【调料】植物油50克,料酒20克,精盐5克,酱油5克,葱段8克,姜片3克,鸡汤50克。

【做法】1.将带鱼去鳞、鳃、内脏,用清水洗干净,放入八成热的水锅里烫一下捞出,用刀轻轻刮去鱼身上黏液(不要刮破鱼皮),再用清水洗净,用刀在鱼身的2/3处切下鱼尾备用;将熟火腿、冬笋切成片。

2.将带鱼整齐地摆放在汤盆里,鱼身上先放冬笋片铺平,再将火腿片放在笋片上,最上面放上水发冬菇、葱段、姜片,加入植物油、精盐、酱油、料酒,上笼屉用旺火蒸10分钟,出笼后拣去葱段、姜片不用。

3.将卤汁滗入锅中,倒入鸡汤,烧滚后浇在鱼身上即可。

清蒸石斑鱼

【食材】石斑鱼600克,樱桃1个。

【调料】葱丝15克,姜片4克,精盐5克,酱油15克,植物油70克,香菜10克。

【做法】1.将石斑鱼去鳞、鳃、内脏,洗净,用精盐擦抹鱼身;将香菜洗净,切成段。

2.将葱丝铺在盘中,摆上石斑鱼、姜片,加上精盐、酱油,用大火蒸15分钟取出,倒去汤汁,拣去姜片不用,淋上加热的植物油,用香菜段装饰在鱼尾,樱桃放在鱼眼上即可。

清蒸武昌鱼

【食材】武昌鱼1条（约1000克），熟火腿25克，水发香菇50克，冬笋50克。

【调料】鸡油10克，猪油75克，鸡汤150克，味精2克，料酒10克，精盐25克，胡椒粉10克，葱段6克，姜块7克。

【做法】1.将武昌鱼去鳞、鳃、内脏，洗净，在鱼身两面剞花刀，撒上精盐，盛入盘中；水发香菇去蒂洗净，和熟火腿切成薄片，互相间隔着摆在鱼上面；冬笋切成薄片，镶在鱼的两边，加入葱段、姜块（拍松）和料酒。

2.将锅置于旺火上，倒入清水烧沸，将整鱼连盘放入蒸笼中，蒸至鱼眼突出、肉已松散时（约15分钟）出笼，拣去姜块、葱段不用。

3.将炒锅置于旺火上，放入猪油，烧热，倒入蒸鱼的汤汁、鸡汤烧沸，加入味精、鸡油起锅，浇在鱼上面，撒上胡椒粉即可。

清蒸鲳鱼

【食材】鲳鱼1条，熟火腿片5克，笋片25克，水发冬菇4只。

【调料】猪板油50克，料酒20克，精盐5克，酱油5克，葱结8克，姜片3克，鸡汤50克。

【做法】1.将鲳鱼去除鳞、鳃、内脏，用清水洗净，放入八成热的水锅里烫一下捞出，再用清水洗净，猪板油切成丁。

2.将鲳鱼整齐地摆放在汤盆里，鱼身上先放笋片铺平，火腿片放在笋片上，再放上水发冬菇、猪板油丁、葱结、姜片，加入精盐、酱油、料酒，上笼用旺火蒸10分钟，鱼熟立即出笼，拣去葱结、姜片不用。

3.将蒸鱼的汁滗入锅内，加入鸡汤，烧开后倒入鱼盆里即可。

清蒸鳜鱼

【食材】鳜鱼500克，海米5克，水发冬菇20克，冬笋30克。

【调料】葱段8克，姜片4克，料酒10克，白糖10克、精盐2克，酱油6克，清汤150克，猪油10克。

【做法】1.将鳜鱼去浮皮、内脏，洗净，放入沸水锅内氽一下，取出，刮干净，鱼身两面剞花刀，放在盘中。

怎样泡发干贝 干贝是由扇贝的闭壳肌加工而成的，是我国著名的海产"八珍"之一，是名贵的水产食品。干贝的泡发方法，事先将干贝上的老筋剥去，洗去泥沙，放入容器中，加料酒、姜片、葱段、高汤，上屉蒸2~3小时，能展成丝状即为发好，并用原汤浸泡待用。

Tips

水产蒸品／鱼类蒸品

2.将水发冬菇、冬笋切成片,与海米、葱段、姜片和猪油一起放在鱼身上,加上精盐、白糖、酱油、清汤、料酒,上笼蒸熟,拣去葱段、姜片不用,盛入盘中即可。

清蒸白鱼

【食材】白鱼1条（约500克）,猪五花肉100克,冬笋50克,冬菇25克,油菜25克。

【调料】葱丝、姜丝各7克,精盐5克,味精5克,花椒水10克,高汤300克,醋10克,香油15克。

【做法】1.将白鱼收拾干净,在鱼身两面分别剖上斜刀纹,用精盐、味精、花椒水腌10分钟。

2.将猪五花肉、冬笋、冬菇、油菜都切成丝。

3.将腌好的白鱼装在大碗内,把冬笋、冬菇、油菜、猪五花肉交叉地码在鱼身上,撒上葱丝、姜丝,倒入高汤,上屉蒸五分钟取出。

4.将蒸白鱼的汤滗在锅内,烧开后撇净浮沫,加上醋,淋上香油,最后浇在鱼碗内即可。

软蒸鱼

【食材】活草鱼1条（约1000克）,鲜荷叶2张。

【调料】精盐5克,酱油25克,料酒50克,味精1.5克,红油15克,干淀粉30克,胡椒粉1克,香油5克,葱末15克,猪油100克。

【做法】1.将草鱼去鳞、鳃、鳍、内脏,剔除骨和背脊骨,取下两扇带皮鱼肉,再斜片成块;将鲜荷叶切成圆形,取 1 张垫在小蒸笼内。

2.将草鱼块放入盘内,加入料酒、精盐、酱油、味精、红油、胡椒粉、猪油拌匀,再撒上干淀粉,放入垫荷叶的蒸笼内,上面再盖上1张荷叶,用旺火蒸10分钟,揭开荷叶,撒上葱末,淋上香油,再将荷叶盖好,即可上桌。

麻辣蒸鱼

【食材】鲜活草鱼1000克,米粉200克。

【调料】花椒粉、辣椒粉各10克,豆瓣酱50克,酱油35克,腐乳汁30克,醪糟汁25克,白卤水50克,葱姜汁25克,色拉油20克,生菜油10克,葱末5克。

怎样水发蹄筋 先用木棒将蹄筋砸一砸,使之松软(这样易于涨发,且成品酥脆,出品率高),再放入水中浸泡 12 个小时,然后加清水,蒸或炖 4 个小时,当蹄筋绵软时,捞入清水中浸泡 2 小时,剔去外层筋膜,再用清水洗干净即可使用。蹄筋带有残肉要去除。

厨房小窍门

【做法】1.将锅置于旺火上,放入色拉油烧热,放入豆瓣酱炒香,放入白卤水、腐乳汁、醪糟汁、酱油、葱姜汁,烧开后用小火熬浓稠,出锅晾凉,过滤渣,为老卤。

2.将鲜活草鱼宰杀,擦干内外水分,连胸鳍取下两扇肉,切成条。

3.取蒸碗,将草鱼肉整齐地放入,加入老卤水,拌匀腌10分钟,放米粉、花椒粉、辣椒粉,入笼用旺火蒸10分钟,淋入生菜油,撒上葱末即可。

潮式蒸梭鱼

【食材】梭鱼半条(约350克)。

【调料】精盐5克,味精2克,青红椒丝各5克,白糖10克,色拉油20克,蒜蓉6克,蒜末5克。

【做法】1.将梭鱼去鳞、腮,除内脏,洗净取中段,剞成"一"字连刀形,摆入盘中。

2.将锅置于旺火上,倒入色拉油烧热,加入蒜蓉、味精、精盐、白糖炒香,均匀地撒在梭鱼上,入蒸锅蒸8分钟取出,撒上葱末及青红椒丝,淋上热色拉油即可。

粉蒸鲫鱼

【食材】活鲫鱼500克,米粉60克,豆瓣30克。

【调料】鸡油25克,精盐3克,酱油20克,料酒30克,葱末15克,味精1克,熟菜油30克,香油10克,醪糟汁25克,香菜15克。

【做法】1.将活鲫鱼宰杀后,去鳞及内脏,洗净,再放入精盐、料酒、味精腌10分钟;鸡油切成豌豆大的粒;豆瓣剁细,与葱末、酱油、醪糟汁、腌鲫鱼一同拌匀,然后放入米粉、熟菜油、香油拌匀。

2.将拌好的原料装入碗中,上笼用大火蒸20分钟取出,翻扣在盘中;将香菜去老叶,洗

Tips

调味怎样使用高汤 高汤是用新鲜的鸡鸭或其他鲜味较浓的原料,精心调制而成,色泽呈乳白色或澄清,味道异常鲜美,且营养丰富。在烹调菜肴时,要适量加入高汤,这样可以弥补各种原料和调味品的不足,如果是野味和海味,尤其是一些干货原料,如粉条、腐竹、豆腐、干笋,都应使用高汤才能增加其鲜味。

厨房小窍门

净,切成小段,撒在鱼身上即可。

金银花蒸鱼

【食材】草鱼1条(约750克),金银花50克,米粉100克。

【调料】香油50克,料酒25克,胡椒粉2克,精盐3克,味精1克,酱油15克。

【做法】1.将金银花洗干净,用清水泡一下,沥干水;米粉加入清水发湿;将草鱼宰杀,去内脏,洗净沥干水分,剔下鱼肉切成块,加入料酒、精盐、味精、酱油、胡椒粉、香油拌匀,备用。

2.将调好味的鱼块,用刀划一缝儿(深度为鱼的1/2),在缝中插上几朵金银花,抹上少许米粉,放入蒸碗中,将剩下的金银花同湿米粉及调鱼块的汁拌匀,撒在鱼块上,入笼蒸熟即可。

牡丹花蒸鱼

【食材】草鱼1条(约750克),牡丹花2朵,米粉100克。

【调料】香油50克,料酒25克,胡椒粉2克,精盐3克,味精1克,酱油15克。

【做法】1.将牡丹花洗净,用清水泡一下,沥干水分;米粉加入清水发湿;将草鱼宰杀,去鳞、内脏,洗净沥干水,剔下鱼肉切成块,加入料酒、精盐、味精、酱油、胡椒粉、香油拌匀,备用。

2.将调好味的鱼块,用刀划一缝儿(深度为鱼的1/2),在缝中插上牡丹花瓣,抹上少许米粉,放入蒸碗中,剩下的牡丹花瓣同米粉及调鱼块的汁拌匀,撒在鱼块上,入笼蒸熟即可。

干蒸黄鱼

【食材】黄鱼500克,猪肉丝30克,泡辣椒丝25克,香菇丝、冬笋丝、榨菜丝各20克。

【调料】姜丝3克,胡椒粉2克,葱丝8克,植物油20克,精盐3克,料酒5克,酱油、白糖、味精各1克。

【做法】1.将黄鱼洗净,两侧剞"一"字形花刀,用料酒、精盐、葱丝、姜丝、胡椒粉腌半小时。

2.将锅置于旺火上,放入植物油烧热,放入精肉丝翻炒;趁肉嫩放入泡辣椒丝、葱丝、姜丝煸炒,再放入香菇丝、冬笋丝、榨菜丝,加上酱油、胡椒粉、料酒、味精、白糖翻炒,出锅后浇在鱼上,上笼蒸熟。

烹调菜肴怎样用油 烹调菜肴时,应分三次用油。第一次称作"底油",目的是润滑勺面和锅,并使菜肴煸炒入味,除掉水分和异味,防止菜肴粘锅。第二次称为"焖油",目的是通过摇荡使油和汤汁混合在一起,增加卤汁的浓度。第三次称作"明油",目的是使油与芡汁混合均匀,达到保温、防冷的作用。

厨 房 小 窍 门

3.蒸熟取出后在鱼的表面撒上葱丝,浇些热植物油即可。

豆豉蒸鱼

【食材】鲜鱼1尾(约750克),豆豉35克,里脊肉75克。

【调料】干红椒末25克,姜末、葱末、蒜末各10克,酱油、料酒各15克,精盐、胡椒粉、味精各2克,菜油35克。

【做法】1.将鲜鱼洗净,拭干水分,用精盐、料酒、胡椒粉、味精拌匀腌半小时,放入盘中备用。

2.将里脊肉切成丁,与豆豉(淘洗干净)、干红椒末、葱末、姜末、蒜末、酱油拌匀,浇在鱼身上,用大火蒸至刚熟时取出。

3.将菜油放入锅中,烧至七八成热浇在鱼身上即可。

上海蒸鱼

【食材】鲜鱼1尾(约750克),香菇25克。

【调料】葱段25克,姜片25克,料酒15克,白糖5克,精盐3克,味精1克,冬笋20克,熟火腿20克,香油3克,胡椒粉1克。

【做法】1.将鲜鱼宰杀,去鳞、鳃、内脏,洗净;将熟火腿、冬笋切成片。

2.将鱼放入长盘里,放入葱段、姜片、香菇、冬笋片、熟火腿片,再加上料酒、白糖、精盐、味精、胡椒粉拌匀放到鱼身上,上笼用旺火蒸15分钟,出笼后,淋上香油即可。

荷叶蒸鱼

【食材】鳜鱼1条(约1000克),鸡胸脯肉200克,冬笋150克,鸡蛋清60克,荷叶3张。

【调料】猪板油150克,猪油500克(实耗25克),香油50克,味精、白糖各5克,葱段、姜片各25克,酱油10克,湿淀粉10克,料酒100克,精盐10克。

【做法】1.将鳜鱼刮去鳞,剁去头,去除内脏,清洗干净,从脊背处入刀拆去脊骨(肚皮勿切断),斜切成12块,盛入碗中,放入葱段、姜片、料酒、酱油、白糖、精盐、味精腌一下。

2.将鸡胸脯肉去筋,切成丝,放入碗中,用精盐腌一下,再放入鸡蛋清、湿淀粉糊中拖一下挂好浆;冬笋用开水氽熟后,切成细丝。

3.将炒锅置于旺火上,放入猪油烧热,放入鸡肉丝、冬笋丝炸至四成熟,加入味精、精盐、料酒,炒好后盛出鸡肉丝、冬笋丝分成12份;把猪板油切成12片。

4.将荷叶洗净,每张分成4份,取1份抹上香油,放一片猪板油,再放上1份炒好的鸡肉丝、冬笋丝,塞进鱼肚内,用荷叶包好,共包12份,扣在大碗里,上屉蒸20分钟即可。

翠竹粉蒸鲴鱼

【食材】鲴鱼1条,熟米粉100克。

【调料】葱末5克,豆瓣酱25克,醋5克,料酒5克,五香粉10克,味精1克,酱油15克,姜末5克,甜面酱15克,精盐3克,香油20克,胡椒粉1克,红油30克,白糖1.5克,猪油40克。

【做法】1.取直径10厘米、长25厘米、两端竹节的翠竹筒1节,离竹筒两端4厘米处,横锯2条,再破成宽10厘米的口,破下的竹片做筒盖。

2.将鲴鱼从腹部剖开,去内脏,洗净沥干水分,切成长方形块,再用清水洗一遍,沥干水分,放入大碗内。

3.向碗内加入酱油、豆瓣酱、胡椒粉、五香粉、甜面酱、精盐、白糖、醋、料酒、味精、香油、红油、葱末、姜末拌匀,然后加入熟米粉、猪油拌匀,腌5分钟,再将腌好的鱼放入竹筒,盖上筒盖,上笼蒸20分钟,取出即可。

清蒸鱼段鸽蛋

【食材】带鱼500克,鸽蛋12只,黄瓜50克,胡萝卜50克。

夏天炼油怎样凝固 夏天由于气温高,炼出的猪油很难凝固,这样的油影响存放时间。下面介绍一个使猪油凝固的方法。可以在将油炼好后,端离火源,视油温降至80℃左右时,加入白糖搅匀即可。糖和油的比例可为1:15。油加入糖后倒入瓷缸或瓦钵内,浸于冷水中即可凝固,且不易变味。

水产蒸品／鱼类蒸品

【调料】精盐4克,味精4克,料酒8克,香油3克,高汤750克,葱段6克,姜片4克,醋3克,胡椒粉2克,猪油500克(实耗50克)。

【做法】1.将带鱼去头、去内脏,用60℃的温水烫一遍,刮洗皮上白膜,洗净,剁成段,用精盐、味精、料酒腌渍半小时,然后用七成热的油炸呈金黄色捞出;将黄瓜、胡萝卜切成小菱形片。

2.取12只汤匙,抹上一层油,将鸽蛋逐一打入汤匙内,上屉用中火蒸熟取出。

3.将炸好的鱼段装入盆内,倒入高汤,加上精盐、味精、料酒、姜片,上屉蒸半小时取出。

4.将汤滗入锅内,放入黄瓜片、胡萝卜片,烧开后撇净浮沫,撒上胡椒粉、葱段,淋入香油、醋,浇上烧热的猪油,浇入装鱼的盘内,放入鸽蛋即可。

豆豉鲮鱼蒸鸡蛋

【食材】豆豉鲮鱼1罐,鸡蛋3个。

【调料】精盐3克,鸡精3克,葱末5克,香油3克。

【做法】1.将鸡蛋打入碗内,加上精盐、冷开水、鸡精,用筷子打匀。

2.将豆豉鲮鱼放入鸡蛋液中,撒入葱末,上锅蒸20分钟,出锅淋上香油即可。

鱼蓉蒸豆腐

【食材】鱼肉250克,豆腐2块(约100克)。

【调料】葱粒5克,精盐5克,酱油5克,干淀粉10克,胡椒粉1克,熟植物油5克。

【做法】1.将鱼肉剁烂,加入精盐,拌打至有鱼胶;干淀粉、清水调成糊状,边拌鱼胶边加淀粉糊;再放入葱粒、豆腐(成蓉)、精盐、干淀粉拌匀。

2.将酱油、胡椒粉、熟植物油调成味汁。

3.将蒸锅烧沸,放入鱼蓉豆腐,用中火蒸15分钟取出,淋上味汁即可。

蒸鱼豆花

【食材】鲜鱼肉150克,鸡蛋清4个,炸花生仁末15克,榨菜末15克,油酥豌豆15克,熟芝麻5克。

【调料】蒜泥5克,姜末、葱末各10克,精盐3克,红油20克,花椒粉5克,干淀粉20克,味精1克,香菜段5克,高汤200克。

【做法】1.将鲜鱼肉去皮、刺,用刀背捶成蓉,去筋络、血丝,至鱼肉细腻;放入碗内,加入清水稀释,再加入鸡蛋清、干淀粉、精盐、味精拌匀，并放入高汤调成鱼糊，入笼蒸半小时。

2.取一只碗，放入姜末、蒜泥、榨菜末、熟芝麻、炸花生仁末、油酥豌豆、味精、精盐、红油、花椒粉，调成麻辣汁，取出蒸熟的鱼豆花，淋上调好的味汁，撒上葱末、香菜段即可。

粉蒸香椿鱼卷

【食材】活草鱼1条（约1250克），香椿芽200克，红青椒丝40克，米粉100克，鸡蛋清1个。

【调料】沙嗲酱10克，酱油10克，葱姜汁20克，鲜菠萝汁30克，料酒15克，精盐5克，鸡精3克，胡椒粉1克，红油10克。

【做法】1.将活草鱼去鳞、鳃、内脏，用清水冲净血污，剁下头、尾，修整好，放入碗内，加入精盐、鸡精、葱姜汁、料酒腌渍入味。

2.取下两扇鱼肉，除尽胸刺，铲尽鱼皮，然后片出鱼片共20片放入碗内，加上精盐、鸡精、葱姜汁、鸡蛋清、沙嗲酱、料酒、胡椒粉轻轻抓匀，静腌入味后备用。

3.将香椿芽洗净，择成小段，加上精盐、鸡精、沙嗲酱拌匀稍腌备用。

4.将鱼片铺开，放入香椿芽、红青椒丝，卷成鱼卷，逐一做好后，放入碗内，加入米粉、酱油、鲜菠萝汁、红油，轻轻拌匀。

5.将腌好的头、尾摆在鱼盘的两端，中间摆上香椿鱼卷（先在盘底摆2排，每排7卷，再在2排的上面压摆1排，6卷），上笼用旺火蒸熟，出笼即可。

云耳金针蒸鳜鱼

【食材】鳜鱼1条（约500克），金针菇10克，木耳10克，冬菇2粒，红枣10颗。

【调料】陈皮1克，香菜2克，白糖3克，酱油10克，干淀粉5克，胡椒粉2克，精盐5克，色拉油10克，香油2克。

【做法】1.将金针菇、木耳浸透，洗净泥沙，沥干水分，木耳切丝；冬菇去蒂，浸透，切条。

2.将陈皮浸软，切丝；香菜去根，洗净切成段；红枣去核，切成丝。

3.将鳜鱼剖好，去鳞、内脏，洗净，抹上胡椒粉、色拉油和干淀粉备用；鱼身铺上陈皮丝。

4.把金针菇、木耳、冬菇条、红枣，用白糖、精盐、酱油、干淀粉、胡椒粉、色拉油拌匀，铺在鱼身上。

5.将蒸锅内的水烧滚，放入装有鳜鱼的鱼盘，隔水用旺火蒸10分钟，撒上香菜段，淋入香油即可。

鱼片蒸蛋

【食材】鲜鱼片200克，鸡蛋3个。

烹调怎样用醋 (1)用于需要去腥解腻的原料，如烹制水产品或肚、肠、心等，可消除腥臭和异味。对一些腥臭较重的原料还可以提前用醋浸渍。(2)用于烹制带骨的原料，如排骨、鱼类等，可使骨刺软化，促进骨中的矿物质如钙、磷溶出，增加营养成分。

【调料】姜丝、葱丝各10克,高汤200克,精盐5克,酱油15克,胡椒粉1克,味精3克,熟植物油40克。

【做法】1.将鲜鱼片加入精盐、熟植物油拌匀。

2.将鸡蛋搅拌成蛋液,放入精盐搅匀,然后加上高汤、精盐、味精、胡椒粉、熟植物油调好味备用。

3.将切好的鱼片和葱丝、姜丝用酱油拌匀,再将调好味的鸡蛋液,放入碗中,然后将鱼片逐一排好放在蛋液的平面上。

4.将装好鱼片的蛋液碗上笼蒸,先用旺火蒸,后改用小火,蒸5分钟后开盖,跑出一些气,再蒸10分钟即可。

柴把鱼

【食材】鲜鱼肉200克,水发香菇75克,冬笋50克,熟火腿25克,青蒜叶30克。

【调料】姜丝25克,猪油50克,料酒25克,鸡油25克,湿淀粉50克,胡椒粉1克,精盐4克,味精2克,鸡汤50克,葱姜汁15克,香油2克。

【做法】1.将鲜鱼肉切成粗丝,加上料酒、葱姜汁、精盐、味精腌入味;将水发香菇、冬笋、熟火腿均切细丝。

2.用青蒜叶将姜丝、火腿丝、香菇丝、鱼丝捆绑在一起,共分成24捆。

3.用刀将两头切下,整齐排入碗中,加入

鸡汤、精盐、味精、葱姜汁、猪油、料酒、胡椒粉上笼屉蒸熟,码放整齐,将鱼头、鱼尾用水焯好,复位。

4.将蒸鱼的主料滤净,倒入锅中烧开,用湿淀粉勾芡,淋上香油即可。

荷包鲫鱼

【食材】活鲫鱼1尾(400克),鸡脯肉100克,水发玉兰片50克,水发香菇50克。

【调料】酱油5克,精盐3克,料酒2克,味精1克,葱丝、姜丝各2克,醋1克,色拉油100克(实耗30克),香菜段5克,湿淀粉25克,鸡蛋清1个,香油2克,高汤50克。

【做法】1.将活鲫鱼去鳞、除腮,由脊背开膛,剔去脊骨,洗净;将水发香菇、水发玉兰片切成丝,放入沸水锅中焯一下,沥净水分;将鸡脯肉切成丝,放入鸡蛋清、湿淀粉调好的糊中抓匀。

2.将炒锅置于旺火上,放入色拉油烧至四

怎样调制鲜姜汁 将鲜姜用刀削去外皮,切为薄片,再切成小细丝,然后剁成末放入干净的容器中,加入醋、精盐、味精、香油,调拌均匀而成。鲜姜汁可以用于腌拌菠菜、扁豆、松花蛋以及清蒸鱼、清蒸螃蟹的蘸食。

厨房小窍门

成热时,放入鸡脯肉丝滑好,倒在漏勺内,控
净油。

3.锅内留底油烧热,用葱丝、姜丝炝锅,放
入玉兰片丝、香菇丝煸炒,放入鸡脯肉丝,加
入精盐、酱油、醋、味精、料酒,拌炒后盛出,装
进鲫鱼膛内,上屉蒸熟取出。

4.将锅内添上高汤,加入精盐、酱油、料
酒、味精,烧开后撇净浮沫,用湿淀粉勾芡,淋
上香油,浇在鲫鱼身上,撒上香菜段即可。

油淋草鱼

【食材】草鱼1条(约1000克)。

【调料】干红椒10克,葱丝10克,姜丝5克,香
菜5克,精盐3克,料酒25克,鸡精1
克,香油3克,胡椒粉2克,醋3克。

【做法】1.将草鱼去鳞、去鳃、去内脏,洗净后
从腹部剖开(脊背处要连接),两面剞上花刀,
再用精盐、料酒、鸡精、胡椒粉腌制入味,装入
盘中;干红椒切成丝。

2.将草鱼放入盘中,上笼蒸15分钟取出,
盘中的汤汁滗入锅内烧沸,加醋、胡椒粉调成
酸辣汁,浇在草鱼身上,再将干红椒丝、葱丝、
姜丝均匀地撒在上面。

3.将锅置于旺火上,加入香油,烧至冒烟

怎样制作高汤 烹制菜肴,有时需要高汤,如手头没有
可以自制。方法是取100克稍肥些的猪肉,切成片或
丁,再将锅烧热,放入猪肉,待肉熟时,迅速将滚水倒入
锅中。此时,锅中会发出炸响并翻起大水花儿。一会儿,
一锅乳白色的高汤即可。如果没有猪肉也可以用大油,
此汤可存放冰箱中随用随取。

时,浇在鱼身上,最后撒上香菜即可。

如意鱼卷

【食材】鳜鱼750克,鸡蛋200克,青、红椒各
25克。

【调料】料酒25克,精盐3克,鸡精1克,胡椒
粉1克,香油3克,猪油5克,玉米粉6
克,牛奶50克,鸡蛋清2个,葱姜汁
10克。

【做法】1.将鳜鱼收拾干净,剔骨去皮,取用鱼
肉,制成鱼蓉,再加葱姜汁、胡椒粉、精盐、料
酒、鸡精、鸡蛋清、香油、牛奶、玉米粉搅匀;将
鸡蛋打成蛋液,加上精盐、玉米粉搅匀,用猪
油锅摊成鸡蛋皮。

2.将青、红椒去籽,洗净切成丝,放入沸
水锅中焯熟捞出,用冷水过凉,沥干水分;摊
好的鸡蛋皮切成长方形,平铺在案上,拍上玉
米粉,抹上鱼蓉;将青、红椒丝分别摆在鱼蓉
的两边(各摆成一条),然后从两边中间卷
起,最后用鱼蓉封住中间的缝隙,即为"如意
卷"。

3.将如意卷摆入盘中,上笼用小火蒸熟,
取出晾凉,切成片即可。

其他水产蒸品

清蒸大虾

【食材】大虾500克，生菜75克。

【调料】葱段、姜片各10克，精盐8克，胡椒粉3克，味精3克，料酒10克，鸡油8克，姜末2克，米醋5克。

【做法】1.将大虾剪去须枪，从触角处剪一刀，捞出沙包，再在颈脊至尾部剪几刀，割断肚筋，洗净后放入盆内，用精盐、料酒、味精、胡椒粉腌制入味；生菜切段。

2.将腌过的大虾整齐地摆在盘中，淋上鸡油，放上葱段、姜片，上笼蒸7分钟，取出后拣去葱段、姜片不用；生菜段配在盘边作点缀。上席时，配用姜末、米醋调成的姜醋汁食用。

清蒸大龙虾

【食材】大龙虾1只（约100克）。

【调料】姜蓉5克，醋15克，香油1克。

【做法】1.将洗净的大龙虾放在大盘上，上蒸笼用旺火蒸10分钟至熟取出；把龙虾掰开外壳（外壳要保持完整），虾肉斜切成块。

2.将虾壳和虾肉码成龙虾原状上席，跟姜

蓉、醋、香油调成的佐料一起食用。

柠檬蒸麒麟虾

【食材】竹节虾250克，鲜鱿鱼250克，柠檬1个。

【调料】精盐3克，味精1克，料酒20克，色拉油20克，湿淀粉15克，清汤200克。

【做法】1.将柠檬切成片，铺在盘中。

2.将鲜鱿鱼切成花刀，和竹节虾一起放入盛有精盐、味精、料酒的碗中腌渍2分钟，然后把鱿鱼包在竹节虾外面，摆在柠檬上，入蒸锅用旺火蒸5分钟取出。

3.将炒锅置于旺火上，放入色拉油，倒入清汤烧开，用湿淀粉勾芡，淋在竹节虾上即可。

蒜泥蒸虾

【食材】鲜虾500克。

【调料】味精2克，蒜泥50克，香油10克，干红椒25克，花生油25克，精盐5克。

【做法】1.将干红椒切成丝；将鲜虾剪去须爪

怎样炒糖色 糖色是烹制菜肴的红色着色剂。方法是：将炒锅擦净炒热，倒入一些油，待油热后，放入白糖，随即用勺不断搅动，此时随油温升高，糖开始溶化起泡，待泡由大变小，油面全部翻起，色泽由淡黄变枣红或深红时，立即倒入半锅开水即可。

厨房小窍门

（大的在背部割开），洗净，控去水分，放入盆中，再放上精盐、味精、蒜泥、香油、花生油拌匀，上盘摊平。

2.将虾盘放在旺火蒸熟即可。

原汁蒸大虾

【食材】大虾12只（约600克）。

【调料】味精2克，精盐2克，胡椒粉1克，料酒5克，姜丝、葱丝各20克，花椒1克，高汤400克，化鸡油50克。

【做法】1.将大虾洗净，剪去须、爪，从背部虾节处去沙线。

2.将大虾放入盆内，倒入高汤，放入姜丝、葱丝、花椒、胡椒粉、料酒、精盐、化鸡油拌匀。

3.将拌匀的大虾放入蒸笼中，用中火蒸15分钟，取出晾凉，将大虾整齐地排放在小圆盘中，另取小碗，加入少许原汁、精盐、味精调味，浇在大虾上即可。

豉汁蒸带子

【食材】鲜活带子10个，豆豉20克。

【调料】蒜末10克，料酒25克，酱油25克，猪油15克，味精1克。

【做法】1.将鲜活带子洗去泥沙，放入盆内，加清水饲养 2~3 个小时，用清水洗净。

2.将鲜活带子用刀剖开，剥去盖壳，用清水洗净，放入盘中。

3.将炒锅置于旺火上，放入猪油，烧至七

成热时，放入蒜末、豆豉略炒后出锅，均匀地放在每只带子肉上，再加上酱油、料酒、味精，上笼用旺火蒸5分钟即可。

虾仁蒸豆腐

【食材】鲜虾仁100克，豆腐200克，鸡蛋3个。

【调料】葱姜汁15克，精盐4克，味精1克，料酒5克，湿淀粉15克，香油2克。

【做法】1.将豆腐切成丁，放入沸水中略烫捞出；将鸡蛋磕入大碗中，加入葱姜汁、精盐、味精、清水，用湿淀粉勾芡，再放入豆腐丁搅匀。

2.将鲜虾仁放入小碗中，加精盐、味精、料酒腌入味，然后整齐地摆放在豆腐丁鸡蛋液上。

3.将盛豆腐的大碗放入蒸笼中，用中火蒸15分钟取出，淋入香油即可。

怎样视不同原料调浆 上浆挂糊的浓度要根据原料情况决定，如质地较老的原料，由于含水量低，吸水力强，浆糊就可薄些；质地较嫩的原料（含水量较多）和吸水力弱的原料（如鱼片等），浆糊就应浓稠些；含脂肪量较多的原料，如肥肉，浆糊应浓稠些，而脂肪量较少的瘦肉，浆糊应稀些。

Tips

厨房小窍门

海味蒸白玉卷

【食材】鱿鱼100克，冬瓜200克，香菇丝50克，火腿丝50克。

【调料】精盐3克，味精2克，白糖3克，湿淀粉15克，色拉油20克，清汤适量。

【做法】1.将冬瓜去皮，切成长方形大片，用盐水浸泡。

2.将鱿鱼切成丝，与香菇丝、火腿丝一起放入精盐、味精拌匀，用泡好的冬瓜片卷上鱿鱼丝、香菇丝、火腿丝，入蒸锅蒸熟取出装盘。

3.将炒锅置于旺火上，放入色拉油，加上清汤、精盐、味精、白糖烧开，用湿淀粉勾芡，淋在冬瓜卷上即可。

糯米蒸闸蟹

【食材】大闸蟹1只（约250克），糯米400克。

【调料】精盐2克，味精1克，料酒10克，葱末5克。

【做法】1.将大闸蟹清洗干净，用盐水泡2分钟。

2.将糯米淘净，沥干水分，加入精盐、味精、料酒、葱末拌匀，同大闸蟹一起摆在盘内，入蒸锅用慢火蒸20分钟取出，撒上葱末即可。

鲜奶蒸蟹肉

【食材】蟹肉500克，鸡蛋清3个，鲜牛奶100克。

菜肴怎样勾芡 （1）淋芡。在菜肴将成熟时，一面将调匀的芡汁均匀淋入锅中，一面用勺铲推动菜肴，使芡汁和菜肴均匀结合，汤汁浓稠。

（2）拌芡。事先将各种调味品及芡汁放在一起调匀，校正好口味，使芡汁粘裹在原料上。

（3）浇芡。菜肴成熟装盘后，芡汁兑好与调味品一起另锅加热搅拌做熟，再快速浇在菜肴上。

厨房小窍门

【调料】粟粉100克，干淀粉5克，高汤300克，精盐5克，蚝油5克，味精1克，料酒15克，花生油15克。

【做法】1.将蟹肉洗净，上笼蒸15分钟，晾凉后拆肉；将粟粉加上鲜牛奶搅匀，加再入鸡蛋清打匀。

2.将锅内放入花生油，加上精盐、料酒、味精、高汤煮开锅后，放入蛋清粟粉糊，边搅边煮，至幼滑时放入蟹肉，搅匀，再煮开锅，倒入抹油的盆中，晾凉后切件，沾上干淀粉；放入滚油中炸至微黄色取出，装入盘中即可。可蘸蚝油或精盐食用。

葱姜蒸河鳗

【食材】净河鳗500克。

【调料】精盐3克，葱丝、姜丝各20克，酱油25克，料酒30克，胡椒粉1克，香油20克，植物油15克。

【做法】1.将河鳗洗净切成片，用料酒、精盐、香油、植物油腌匀，码放在盘中，放上葱丝、10克姜丝，入笼蒸熟。

2.将胡椒粉、葱丝和姜丝撒在河鳗片上，

淋上酱油即可。

清蒸大蟹

【食材】海蟹6个（约2000克）。

【调料】葱末5克，葱姜汁15克，酱油5克，醋25克，料酒10克，精盐3克，味精1克，香油2克。

【做法】1.将大蟹用刷子刷洗干净，取下蟹壳，将蟹肉从中间剁为两半，放在大盘上，盖上蟹壳，撒上精盐、味精、料酒、葱姜汁，入笼蒸10分钟后取出，整齐地摆入圆盘中。

2.取一小碗，加入味精、酱油、醋、姜末和香油搅匀兑成调味汁，同大蟹一起上桌，用来蘸食即可。

芙蓉菊蟹

【食材】赤甲蟹10个，虾肉150克，猪肥肉25克，水发海参丝100克，水发干贝丝50克，水发鱼肚丝50克，熟火腿丝10克，鸡蛋清3个。

【调料】香菜10克，蛋皮1张，精盐3克，味精2克，料酒15克，葱姜汁10克，湿淀粉10克，香油3克。

【做法】1.将赤甲蟹洗净蒸熟，揭下蟹盖，将肉挖出放入碗内，放入水发海参丝、水发干贝丝、水发鱼肚丝，加上葱姜汁、精盐、料酒拌匀，分别装入10个蟹壳内。

2.将虾肉和猪肥肉剁成细蓉，加入精盐、料酒、香油、清水搅匀，分别抹在蟹肉上，入蒸笼用旺火蒸至九分熟时取出。

3.将鸡蛋清抽打成蛋泡，分别抹在蟹肉上，再用香菜、蛋皮、火腿丝点缀成菊花状，入笼蒸取出，摆在圆盘中。

4.将炒锅内加入精盐、料酒和清水烧沸，用湿淀粉勾芡，浇在蟹肉上即可。

泡椒蒸水鱼

【食材】甲鱼350克，泡椒丝30克。

【调料】精盐5克，香油5克，白糖3克。

【做法】1.将甲鱼宰杀清洗干净，用热水烫后切成块，放入精盐、白糖、香油、泡椒丝拌匀，腌制入味备用。

2.将腌好的甲鱼放入蒸锅中，蒸15分钟，出锅即可。

蒸鱼怎样入味 蒸鱼时，取一块鸡油放在鱼上面同蒸，鸡油受热渗入鱼体内，吃起来新鲜滑嫩，十分可口。如手头无鸡油，也可放些生油，待蒸好后加些猪油，效果也很好。许多人蒸鱼时，要冷水上屉，这是不当的。正确的上屉方法是：先将水烧开，然后加鱼上屉，蒸锅慢蒸。这样蒸出的鱼不仅味道鲜美，且外形美观。

Tips

厨房小窍门

水产蒸品／其他水产蒸品

掺入鱼蓉内。

4.将各种料丝放入平盘内,鱼蓉挤成小丸子,滚上各种料丝,装在抹油的盘内,上笼蒸熟即成"绣球",取出装盘。

5.将锅置于旺火上,加清汤烧沸,用精盐、料酒、鸡精、胡椒粉调好口味,再用玉米粉勾成薄芡,淋上鸡油,浇在"绣球"上即可。

6.将油菜心用奶汤、精盐、鸡精、料酒烧至入味,取出围在"绣球"旁边。

绣球海参

【食材】水发海参300克,鳜鱼肉100克,胡萝卜丝、干贝丝、熟火腿各5克,青菜叶10克,鸡蛋2个,油菜心10棵,鸡蛋清50克。

【调料】料酒20克,精盐5克,鸡精1克,胡椒粉1克,玉米粉5克,葱姜汁10克,猪油5克,清汤200克。

【做法】1.将鳜鱼肉中的白筋去掉,用刀背部砸成细泥(越细越好),置于容器中;鸡蛋制成蛋皮,切成细丝;青菜叶、熟火腿均切细丝;水发海参切成薄片,再切丝;油菜心洗净后沥干水分。

2.将制好的鱼泥中加葱姜汁调匀,再放入料酒、精盐、鸡精、胡椒粉搅成鱼蓉,然后加入鸡蛋清、玉米粉和猪油搅匀。

3.将海参丝用清汤和调料烧至入味,捞出晾凉,一半掺入干贝丝、火腿丝中拌匀,一半

蒸扒三丝干贝

【食材】水发干贝200克,冬笋、水发冬菇、火腿各100克。

【调料】精盐12克,料酒30克,酱油10克,味精3克,葱段10克,姜丝6克,清汤300克,香油15克,湿淀粉25克,鸡油10克,猪油100克。

【做法】1.将水发干贝放入沸水锅中汆一下,捞出后沥干水分,再整齐均匀地沿碗底直到碗边排列一层;冬笋、水发冬菇、火腿均切丝。

2.将炒锅置于旺火上,放入猪油,烧至七成热时,放入葱段、姜丝略煸,加入笋丝、冬菇丝、火腿丝煸炒;再加入一半的精盐、料酒、酱油、味精、清汤,待烧沸后用湿淀粉勾芡,淋上香油,盛入干贝碗内压紧、压平,放入笼中蒸10分钟取出,扣入大圆盘内。

3.在锅内加入剩下的一半清汤、精盐、味

怎样使炖鱼巧生出果香味 烧鱼炖肉时,加入适量的新鲜水果,如鸭梨、苹果等,可使成菜有一种水果香味,风味独特,使人食欲大开。方法是:将水果洗净,削皮去核,切成小块,装入纱布袋内,扎住袋口(也可直接放入锅中),待鱼肉即将热时放入,与鱼肉一起炖煮,肉煮熟后,取出水果袋即可。

厨房小窍门

怎样分开蛋黄蛋清　烹制菜肴时往往将蛋清与蛋黄分开使用。方法是:在玻璃杯上架一个漏斗(或用硬纸、塑料纸卷成漏斗),将鸡蛋打入漏斗里,由于蛋清含水分多,就会流入杯中,蛋黄则留在漏斗里。如无漏斗,也可在鸡蛋小头敲一个小孔,下接一杯,使鸡蛋小头朝下,蛋清即可留出,蛋黄留壳里。

厨房小 窍 门

精、料酒烧沸,用湿淀粉勾芡,淋上鸡油浇于干贝上即可。

蝴蝶海参

【食材】干灰刺参1只(约200克),鲤鱼肉50克,猪肥膘肉50克,冬笋50克,火腿50克,黑芝麻10克。

【调料】胡椒粉2克,精盐5克,豆粉15克,鸡蛋清3个,清汤500克。

【做法】1.将干灰刺参用开水泡发,洗净,放入锅中加清水煨25分钟,捞起用刀片成0.3厘米厚的片,用刀修成蝴蝶状。

2.将鲤鱼肉剁成细蓉,猪肥膘肉也剁成细蓉,一同放入碗中并加鸡蛋清2个、胡椒粉、精盐和清水搅为鱼糁。

3.将鸡蛋清1个加豆粉搅匀成蛋清豆粉。

4.将蝴蝶刺参片放入清汤中,加上精盐煮10分钟左右,捞出铺于板上用洁布揩干,逐片在白色一面上抹匀蛋清豆粉,把鱼糁做成橄榄形放于蝴蝶片中央做成蝴蝶腹部。

5.将冬笋切成长丝和若干短丝,火腿切成

短丝,然后将长笋丝做蝴蝶的触须,火腿丝和短笋丝做足或身纹,黑芝麻做眼。

6.将做好的蝴蝶放于盘中,上笼蒸三分钟定型,即取出放入汤碗内,碗内加入清汤和精盐、胡椒粉即可。

珍珠海参

【食材】水发海参250克,鸡脯肉200克,火腿末5克,猪肥膘肉50克,鸡蛋清1个。

【调料】香菜末3克,葱段10克,姜片5克,酱油10克,精盐3克,料酒10克,味精3克,白糖5克,花椒粉2克,清汤400克,湿淀粉20克,香油5克,花生油500克(实耗75克)。

【做法】1.将水发海参洗净顺长切成刀片形。

2.将锅置于旺火上,放入花生油,烧至九成热,放入海参片,一触即捞出备用;鸡脯肉、猪肥膘肉剁成细泥放入碗内,加清汤、精盐、鸡蛋清、花椒粉、香菜末、火腿末搅拌成馅,挤成小丸子,放入沸水锅中汆透捞出备用。

3.锅内放入花生油,用中火烧至六成热,加入葱段、姜片炸出香味后捞出不要,加入清汤、海参片、鸡肉丸、料酒、酱油、白糖、精盐烧开,撇净浮沫,改用小火烧透,至汤剩1/3时,用湿淀粉勾芡,放入味精,淋上香油,搅匀装盘即可。

白菜扣虾

【食材】干大虾150克,白菜750克,大冬菇1个。

【调料】精盐5克,酱油10克,料酒10克,味精3克,香油1克,姜块10克,葱段10克,辣椒粉1克,湿淀粉5克,植物油10克。

【做法】1.将干大虾用温水泡透,用刀切成两半,去掉沙线洗净;白菜洗净切长条,用开水余一下,沥干水分。

2.将锅置于旺火上,倒入植物油烧热,将姜片、葱段下锅爆香,放入大虾、料酒、酱油、精盐和味精炒一下,放入蒸碗中。

3.将大冬菇择洗干净,放在大虾碗中,锅内汁浇在碗内,上笼蒸15分钟,下屉滗出原汤扣在盘中。

4.将原汤放在锅中烧开,用湿淀粉勾芡,撒上辣椒粉,淋上香油即可。

八宝原壳鲜贝

【食材】大虾肉50克,水发海参50克,海米、鲜鲍肉25克,鲜贝300克,冬笋25克,水发冬菇25克,火腿25克,熟鸡肉50克。

【调料】葱段15克,姜片10克,葱末15克,姜末10克,精盐4克,酱油4克,味精4克,清汤300克,湿淀粉30克,鸡蛋清75克,干淀粉50克,香油25克,鸡油20克,料酒20克,香菜末30克,黄蛋糕末30克,花生油150克。

【做法】1.将鲜贝洗净,放入沸水锅中汆透备用;部分冬笋和水发冬菇、火腿、大虾肉、熟鸡肉、水发海参、海米、鲜鲍肉均切成小丁,即"八宝丁",剩余的冬笋、冬菇切片;鸡蛋清打成雪丽糊,加上干淀粉和适量清水搅匀。

2.取12只贝壳放在碱水中用毛刷刷净,入开水煮过,捞出控水,均匀地围大盘摆一周,上笼蒸10分钟取出。

3.锅内放入花生油,用旺火烧至六成热时加葱末、姜末爆锅,随即加上八宝丁煸炒,再放入精盐、酱油、味精、料酒、清汤稍煮,用湿淀粉勾芡,淋上香油即成八宝馅料,盛入碗内。

4.将八宝馅料均匀地盛在贝壳内,抹上一层雪丽糊,撒上香菜、黄蛋糕末,入笼蒸5分钟

Tips

为什么炖肉不宜撇浮油 烹制炖菜时,原料中的脂肪会因高温分解成油脂而浮在汤面。有的人担心菜太油腻而将其撇去,这是不正确的。原因是汤面上的浮油可减少水气的蒸发,保持水温,减少香味散发。同时油本身也可以使汤汁味鲜香浓,增加营养。如果想去除油腻,可在原料成熟前将浮油撇去为宜。

厨房小窍门

取出,盛入大盘中。

5.将锅内放入花生油,烧热后加葱段、姜片炸出香味,倒入清汤,捞出葱段、姜片不用,放入冬菇片、冬笋片,加上精盐、味精、料酒稍煨,然后用湿淀粉勾芡,淋上鸡油,盛在大圆盘中央即可。

夹心虾糕

【食材】虾仁200克,猪肥膘肉100克,鸡蛋清2个,绿叶菜100克。

【调料】精盐5克,料酒15克,味精0.5克,鸡汤200克,湿淀粉15克,猪油10克。

【做法】1.将虾仁洗净沥干水;绿菜叶剁成细泥。

2.将虾仁和猪肥膘肉剁成细泥放在碗内,加上精盐、味精、清水、料酒搅匀,再放入鸡蛋清搅拌上劲,最后加入湿淀粉搅匀。

3.将绿菜叶泥放在碗里,加精盐、虾泥搅拌均匀成绿色虾泥。

4.取大盘1个,盘心抹一层薄薄的猪油;把肥膘虾泥分成相等的两份。放一份虾泥在盘中铺平,把绿色虾泥放在上面摊平,再将另一份肥膘虾泥放在绿色虾泥上摊平(三层共厚2厘米),上笼用旺火蒸制。

5.将蒸好的虾糕切成长条,再改刀切成菱形块。

6.将切下来的虾糕边角料放在盘中心,再

把整块虾糕的尖朝里围成一圈,如此一层层摆成底大上小的塔形,另用虾泥制成花朵放在塔形顶部。

7.将锅置于旺火上,放入鸡汤、精盐(1.5克)烧开后,撇净浮沫,用湿淀粉勾芡,淋上大油,起锅倒入盘中即可。

蟹黄蒸牛奶

【食材】牛奶450克,鸡蛋清200克,蟹黄150克,蟹肉75克。

【调料】味精10克,盐4克,胡椒粉、香油少许,高汤100毫升,湿淀粉10克,白醋5克,料酒15克,猪油500克。

【做法】1.取一个深底的大盘子,擦上一层猪油;将牛奶烧沸,加白醋、味精、盐、鸡蛋清,搅匀后除去泡沫,倒入盘中,上笼用文火蒸熟,取出。

2.用沸水将蟹黄烫过,沥干;炒锅下猪油,烧热后将蟹黄放入稍炸,取出沥油。

3.把蟹肉放入油锅中炒熟,倒入料酒、高汤,加味精、盐、胡椒粉,用湿淀粉勾芡,再放入蟹黄,淋入香油,然后倒在牛奶上。

4.最后将盘子入笼再蒸2分钟即可。

蛋类蒸品

三色蒸蛋

【食材】鸡蛋100克，咸鸭蛋75克，松花蛋50克。

【调料】精盐3克，胡椒粉1克，鸡精1克，香油5克，湿玉米粉20克，鸡汤200克。

【做法】1.将鸡蛋、咸鸭蛋、松花蛋洗净；松花蛋用沸水浸泡两次，剥去皮，每个切成四半；咸鸭蛋破壳取出黄，每个切两瓣；鸡蛋分出蛋清和蛋黄，分别磕在两个碗内。

2.取平底高边盘子一个，底部刷一层香油，铺上玻璃纸，上面再刷一层香油；先将松花蛋置于盘内，摆成两排，再把咸鸭蛋黄摆在松花蛋中间。

3.在盛鸡蛋黄的碗内放入鸡汤、精盐、胡椒粉、鸡精搅匀，浇入摆好松花蛋、鸭蛋黄的盘内，上屉用小火蒸至凝固；取出后，用干净的消毒巾拭去表面的浮水和油质，再用刷子抹上湿玉米粉。

4.将用精盐、鸡精调好口味的鸡蛋清浇入，再用刷子抹上湿玉米粉，上屉用小火蒸熟，取出晾凉，食用时切长方薄片装盘。

清蒸鸡蛋羹

【食材】鸡蛋4个。

【调料】精盐2克，白糖3克，清水100毫升，鸡精1克，米酒5克。

【做法】1.将盆中注入清水，把鸡蛋打入搅匀，放入蒸锅中蒸15分钟取出。

2.将锅置于旺火上，放入清水，加入白糖、米酒、精盐、鸡精，烧沸后浇在蒸好的鸡蛋中即可。

三色鸽蛋

【食材】鸽蛋50个，鸡蛋100克，胡萝卜80克，红小豆3粒。

【调料】精盐5克，葱末5克，姜末3克，香油2克，白糖2克，清汤150克，湿淀粉10克，酱油、味精各5克，花生油500克（实耗约50克）。

【做法】1.将鸽蛋放入冷水锅内煮熟，去壳。

怎样选购海蜇 质量好的海蜇圆形完整，颜色呈乳白或淡黄，有光泽，无血衣、泥沙和红斑，质坚实，并有拉力和韧性，放在鼻下闻无腥臭味。将海蜇皮揉开，越大越白越薄、质地越坚韧越好。劣质海蜇皮则皮小瘦薄，色暗或发黑，无光泽，血衣多，含细粒沙质，肉质发酥易裂，无韧性。

厨房小窍门

2.将锅置于旺火上,放入花生油烧热,将50个鸽蛋放入油锅炸至呈金黄色捞出;胡萝卜切成同鸽蛋同样大的圆球,用开水烫熟。

3.将鸡蛋磕入碗内搅散,上笼蒸成蛋糕,晾凉后拼成3个鸽形,用红小豆做鸽眼,放在盘边。

4.将锅内放底油烧热,放入葱末、姜末爆香,放入清汤、酱油、精盐、白糖及50个鸽蛋与胡萝卜球,烧开后加入味精,用湿淀粉勾芡,淋入香油,倒在盘中即可。

仙人掌蒸蛋

【食材】鸡蛋2个,仙人掌200克,猪肉馅100克。

【调料】精盐3克,酱油10克,葱末5克,姜3克,香油2克,鸡精1克。

【做法】1.将仙人掌洗净,先切成厚片再从中

间切成"双飞片"(一刀不切断,另一刀切断),将鸡蛋打散,蛋清、蛋黄分别装碗。

2.取一盆放入猪肉馅,加入鸡蛋清、酱油、精盐、葱末、姜末、鸡精拌匀备用。

3.将猪肉馅夹入仙人掌片中,把有肉馅的一面朝下,放到汤盘里淋上香油,浇入蛋黄液,再将汤盘放到蒸锅中蒸15分钟,出锅即可。

鲫鱼蒸蛋羹

【食材】鸡蛋4个,鲫鱼1条(约250克)。

【调料】猪油25克,精盐3克,酱油10克,料酒15克,味精2克,葱末10克,姜末5克,香油10克,高汤500克。

【做法】1.将鸡蛋磕到大碗内,加入料酒、精盐、味精和高汤搅匀;将鲫鱼收拾干净,放入沸水锅中焯一下断生,去掉腥味,捞出控去水分,并用洁布拭干水;取碗一个,放入酱油、葱末、姜末、香油和高汤,调成清味汁。

2.将拭干水的鲫鱼放入鸡蛋液碗的中间,加入猪油,入屉,架在水锅上用旺火、沸水、足气蒸15分钟,蒸至鱼肉软嫩熟、蛋液成羹状时取出,浇上清汁味即可。

肉末蒸蛋羹

【食材】鸡蛋2个,肉末50克,冬菜末25克。

【调料】花生油15克,猪油15克,精盐2克,味精2克,料酒5克,酱油10克,白

怎样保护蔬菜中的维生素 (1)熬菜或煮菜时应将水煮沸后再将菜放入,这样可以减少维生素的损失,同时也能减轻蔬菜原有色泽的改变。(2)烹调蔬菜时适当加点醋,可以减少维生素 C 的损失。这是因为维生素 C 在碱性环境中是比较稳定的。

Tips

厨房小窍门

蛋类蒸品

糖、湿淀粉各5克,葱末5克,高汤250克。

【做法】1.将鸡蛋磕到碗内,加上精盐、味精和高汤,搅匀,放入猪油,然后入屉,架在锅上用大火烧开,改用中火蒸 8~12 分钟,至鸡蛋液凝结、嫩熟时取出。

2.将锅置于旺火上,放入花生油烧至七成热,下入葱末炝锅出香味后,放入肉末炒1分多钟,见肉末变色,加入冬菜末炒几下,随即放入料酒、酱油、白糖、精盐和高汤,烧开后用湿淀粉勾芡,待汁转浓,浇在蒸熟的蛋羹上即可。

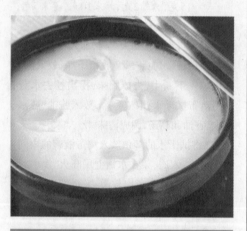

鸭油蒸蛋

【食材】鸡蛋4个。

【调料】熟鸭油25克,精盐2克,酱油10克,鸡清汤2000克。

【做法】1.将鸡蛋磕入碗内,搅匀,加入鸡清汤、精盐、熟鸭油搅拌均匀。

2.上笼用中火蒸5分钟时,掀开锅盖放汽(避免蒸出蜂窝状),盖上锅盖再蒸约5分钟取出,淋入酱油即可。

首乌蒸蛋

【食材】鸡蛋2个,何首乌15克,鸡肉90克。

【调料】姜末10克,精盐3克,料酒10克,味精1克,纱布袋1个。

【做法】1.将何首乌洗净,切成丝装入纱布袋封口;鸡肉剁成泥;鸡蛋磕入碗内打匀。

2.将锅置于火上,放入何首乌,倒入清水,用小火煮1个小时,弃何首乌留汁,倒入蛋液中,放入鸡肉泥、姜末,加上精盐、料酒、味精搅匀,上笼屉蒸熟即可。

双耳蒸蛋皮

【食材】鸡蛋3个,银耳20克,木耳20克,猪肉馅200克。

【调料】精盐3克,味精1克,料酒10克,胡椒粉1克,湿淀粉10克,色拉油10克。

【做法】1.将鸡蛋打入碗中,加入湿淀粉搅匀;银耳、木耳切成块,分别与猪肉馅拌在一起,加入精盐、味精、料酒、胡椒粉。

2.将锅置于旺火上加色拉油烧热,将鸡蛋液倒入锅中摊成鸡蛋皮,取出备用。

Tips

怎样掌握油温 油温的高低通常用"成"来表示。油温一二成(30℃~60℃)时,锅底有一些小油泡慢慢泛起;三四成(90℃~120℃)时,油面开始波动,但没有油烟;五六成(150℃~180℃)时,油面波动明显,有轻微油烟;七八成(210℃~240℃)时,油面趋于平静,出现大量油烟;九成油温(270℃)时,油烟浓且呈密集型上升。

厨房小窍门

Tips

为什么黄豆一定要烧透了再吃 生黄豆含有一种有毒的胰蛋白酶抑制物，它能抑制人体内蛋白酶的正常作用，并对肠胃有刺激作用。这种物质比较耐热，需要高温煮熟后才会被破坏。所以，黄豆一定要煮熟了再吃，否则就会发生恶心、呕吐、腹泻等中毒症状。

厨房小窍门

3.将鸡蛋皮铺在盘子上，先铺上银耳馅，再铺上木耳馅做成两种颜色的厚饼，上蒸锅蒸5分钟取出，改成菱形块，摆在盘中即可。

豆腐蒸蛋

【食材】鸡蛋3个，豆腐200克，熟火腿50克。

【调料】葱姜汁10克，精盐4克，味精1克，香油2克。

【做法】1.将豆腐洗净后压成泥蓉，放入碗中，磕入鸡蛋搅散，再加入清水、葱姜汁、精盐、味精搅匀；火腿剁成碎末，撒在豆腐鸡蛋液上。

2.将盛豆腐鸡蛋液的碗放入蒸笼中，用中火蒸10分钟取出，淋入香油即可。

芦荟蒸蛋

【食材】鸡蛋3个，鲜芦荟300克，熟火腿50克。

【调料】精盐5克，味精1克，料酒10克，葱末10克，香油2克。

【做法】1.将鲜芦荟削去外层硬皮，切成小丁，入沸水中略烫捞出，用凉水过凉备用；鸡蛋磕入碗中，用筷子搅散，加入清水、精盐、味精、葱末、料酒搅匀；熟火腿切成同芦荟大小相同的丁。

2.将芦荟丁、火腿丁撒在鸡蛋液上，入笼用中火蒸5分钟后取出，淋入香油即可。

蒸烩蛋糕丁

【食材】鸡蛋2个，熟白肉25克，水发海参25克，水发香菇25克。

【调料】猪油15克，精盐2克，酱油10克，料酒10克，味精2克，湿淀粉15克，高汤200克。

【做法】1.将熟白肉、水发海参、水发香菇均切成丁；将鸡蛋磕到碗内，加入精盐和高汤（汤量为蛋的一半左右，不可多加），打散，搅匀，入屉，架在水锅上用旺火、沸水、足气蒸8分钟，蒸至蛋液软嫩成固体状时取出，即为"蛋糕"；晾凉后切成0.8厘米见方的丁，投入沸水锅焯烫至断生，捞出控水。

2.将锅置于旺火上，放入剩余的高汤烧开，下入蛋糕丁、熟白肉丁和海参丁、香菇丁，再烧开，加入酱油、味精、料酒、精盐搅匀，用湿淀粉勾薄芡，淋入溶化的猪油即可。

蛋类蒸品

其他蒸品

蒸白菜卷

【食材】大白菜750克，猪肉馅400克。

【调料】葱末6克，姜末4克，料酒15克，鸡精1克，精盐4克，湿淀粉5克，胡椒粉1克，鸡蛋1个，香油2克，葱姜汁10克。

【做法】1.将大白菜叶放入沸水锅中焯一下，再放入冷水中过凉，捞出备用。

2.将猪肉馅加入葱末、姜末、料酒、鸡精、精盐、胡椒粉、鸡蛋、香油搅至上劲。

芰白巧贮存 先在缸或桶的底部铺上约5厘米厚的食盐，然后将经过挑选的、带2~3张壳的芰白按次序平铺于缸或桶内，堆至离盛器口5~10厘米后，上面再用精盐封好，就能使芰白存放较长时间。

厨房小窍门

3.将烫好的大白菜叶摊开，包入搅好的猪肉馅成卷状。

4. 将包好的大白菜卷用旺火蒸5分钟，取出装盘。

5.将锅置于旺火上，倒入滗出的汤汁，再加入清水（50毫升）、精盐、鸡精，用湿淀粉勾芡，淋入葱姜汁，浇在大白菜卷上即可。

清蒸冬瓜盅

【食材】冬瓜500克，熟冬笋100克，水发冬菇100克，蘑菇100克。

【调料】植物油10克，料酒15克，酱油6克，白糖3克，味精1克，湿淀粉10克，清汤100克，香油4克。

【做法】1.将水发冬菇、蘑菇洗净，熟冬笋洗净去皮，分别切成碎末。

2.将锅置于旺火上，倒入植物油，烧至6成热，放入冬菇末、蘑菇末煸炒，再加入料酒、酱油、白糖、味精、清汤，烧开后用湿淀粉勾厚芡，冷后成馅。

3.将冬瓜选肉厚处用圆槽刀捅出14个圆柱形，皮不去掉，刻上花纹及文字后片下瓜皮，焯水后抹上香油备用。

4.冬瓜柱掏空填上馅，放入盘中，上笼蒸10分钟取出，装盘，并饰以刻好的瓜皮，盘中汤汁烧开调好味，用湿淀粉勾芡，浇在冬瓜盅上即可。

百花蒸北菇

【食材】净北菇24朵，虾胶50克，火腿蓉15克，香菜2克，鸡蛋清25克。

【调料】香油5克，胡椒粉3克，味精5克，料酒

15克,湿淀粉15克,干淀粉8克,高汤125克,精盐5克,色拉油10克。

【做法】1.先用洁净毛巾将北菇吸干水分,北菇内涂上干淀粉,排上碟。另将虾胶拌匀,分成24个小丸,瓤在北菇内,用鸡蛋清将其轻轻抹成山形,每个上面贴上香菜叶一片,加上火腿蓉,放入蒸笼中,用旺火蒸熟,取出另碟盛装。

2.将锅置于旺火上,放入色拉油烧热,烹入料酒,放入高汤、精盐、味精、胡椒粉,用湿淀粉勾芡,淋上香油即可。

红花绿叶

【食材】西兰花150克,冬菇50克,红甜椒25克,黄甜椒25克,热开水200毫升。

【调料】姜末15克,素蚝油15克,高汤30克,糖10克,盐8克,淀粉5克,色拉油少许。

【做法】1.西兰花洗净切成小朵状;冬菇切小段;红甜椒、黄甜椒切成小菱片;所有调味料搅拌均匀成酱汁备用。

2.炒锅中加水烧开,将西兰花、红甜椒、黄甜椒、冬菇分别氽烫一下,捞起摆入盘中,淋上调好的酱汁。

3.蒸锅加水烧开,将盘中食材放入,蒸3分钟后取出即可。

蒸酿黄瓜

【食材】黄瓜300克,猪肉馅250克。

【调料】精盐3克,味精1克,料酒10克,湿淀

粉5克,葱末5克,姜末3克,色拉油15克,清汤500克。

【做法】1.将黄瓜洗净,切成段(厚1厘米),去掉黄瓜瓤,备用。

2.将猪肉馅放入碗中,加入味精、精盐、料酒、姜末、葱末搅匀,做成肉丸,放在切好的黄瓜段内,入蒸锅蒸3分钟。

3.将锅置于旺火上,放入色拉油烧热,加入清汤、精盐(2克),烧开后用湿淀粉勾芡,淋在黄瓜段上即可。

蒸茄斗

【食材】茄子500克,猪肉50克,水发海米10克,鸡里脊肉50克,樱桃5粒,水发木耳5克,水发玉兰片20克。

【调料】鸡蛋清1个,葱末、姜末各10克,湿淀粉20克,料酒10克,精盐5克,味精2克,高汤200克,植物油30克,香油10克。

老汤巧贮存 保存老汤时,一定要先除去汤中的杂质,等汤凉透后再放进冰箱里。盛汤的容器最好是大搪瓷杯,一是占空间小,二是保证汤汁不与容器发生化学反应。容器要有盖,外面再套上塑料袋,即使放在冷藏室内,5天之后也不会变质。如果较长时间不用老汤,则可将老汤放在冰箱的冷冻室里,3周之内不会变质。

Tips

厨房小窍门

其他蒸品

【做法】1.将茄子去皮、蒂,切成块,中间挖去2厘米见方,成"斗"形,洗净;猪肉切成绿豆大小的丁;水发海米切碎;鸡里脊肉剁成泥状,加鸡蛋清、湿淀粉、精盐均匀搅拌成鸡料;樱桃每个切为两半;水发木耳、玉兰片切成末。

2.将锅置于旺火上,倒入植物油,烧至七成热时,加入葱末、姜末爆锅,加上猪肉丁、玉兰片末、木耳末、海米末炒熟,加入香油、味精拌匀成馅料,盛入碗内;将茄斗装上馅料,上面抹上鸡料,每个上面粘一片樱桃,放入笼中蒸透,取出装入盘中。

3.将锅置于中火上,加入高汤、味精、料酒、精盐烧沸,用湿淀粉勾芡,淋在茄斗上即可。

清蒸藕丸

【食材】藕500克,香菇30克,鸡蛋清2个,荷叶1张。

【调料】干淀粉50克,精盐4克,香油3克,湿淀粉10克,植物油10克。

【做法】1.将藕去节、削皮,洗净,剁成细末,沥干水分;香菇用温水泡软,洗净后去蒂,切成碎米粒状备用。

2.将藕末和香菇粒放在碗里,加上鸡蛋清、干淀粉、精盐和香油搅拌均匀,团成藕丸(直径3厘米),用洗净的荷叶包裹好,上笼屉蒸15分钟至熟软。

3.将蒸好的藕丸放在盘中,把蒸藕丸的汤汁滗入锅中,置于旺火上烧热,用湿淀粉勾芡,淋入植物油,出锅浇在藕丸上即可。

水晶南瓜

【食材】南瓜1只(约1500克),鸡肉200克。

【调料】甜面酱6克,豆瓣酱10克,酱油8克,白糖3克,香油4克,酒酿露15克,葱末5克,姜末3克,植物油10克,米粉100克,猪油、花椒1克,料酒15克。

【做法】1.将南瓜洗净后,在瓜皮四周雕上各种图案,瓜顶也要刻些花纹。

2.将瓜顶切下,作为瓜帽,去掉瓜瓤,放在小火植物油锅内汆七分钟,使瓜内水分汆去而有光彩。

3.将鸡肉切成片(厚1厘米),放入盆中,加入甜面酱、豆瓣酱、酱油、白糖、香油、酒酿露、

去鹅毛的窍门 将鹅杀后先用冷水浸透毛,再放入62℃~66℃的水中浸烫。当鹅头部的毛可以拔掉时,说明其他部位的毛已烫好,应立即捞出拔毛。先拔大羽毛,后拔绒毛,顺着毛的方向拔,然后用明火烧去不易拔的绒毛。拔毛时注意不要拔破皮,皮破后脂肪会溢出。

厨房小窍门

葱末、姜末、猪油、花椒、料酒调好味后,再拌上米粉。

4.将拌上米粉的鸡酿入南瓜,上笼蒸20分钟,取出放在圆盘内即可。

多味茄泥

【食材】茄子500克。

【调料】花椒10粒,小葱1棵,白糖15克,酱油8克,醋15克,红油8克,香油8克,精盐5克,味精3克,大蒜1头,香菜3克。

【做法】1.将茄子洗净、去皮,切成长条,撒上精盐,放入清水中泡去茄褐色,捞出控干水分;茄条放入蒸锅内用旺火蒸熟,取出晾凉。

2.将香菜、小葱洗净,分别切成碎末;花椒炒熟,碾碎成末;大蒜剥去蒜皮,剁成蒜泥。

3.将酱油、醋、白糖、花椒末、小葱末、香菜末、红油、蒜泥、精盐和味精调匀成浓汁;将浓汁均匀地浇在晾凉的茄条上面,拌匀即可。

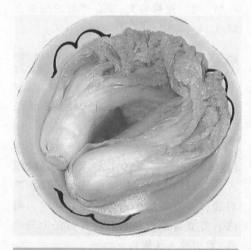

开水白菜

【食材】白菜心500克。

【调料】精盐4克,味精1克,胡椒粉1克,清汤75克。

鸽子煺毛方法 鸽子的煺毛方法有干煺和湿煺两种。干煺是待鸽子已经死去而体温尚未散尽时即把毛拔净;等到身体完全冷却,毛就难煺了。湿煺是用60℃的水烫后煺毛。因为鸽皮很嫩,水温不能太高,否则皮易烫破。

厨房小窍门

【做法】1.将白菜心洗净,放入沸水中焯一下至断生(保持鲜绿色),立即捞入凉水中浸凉,再捞出,顺条放在菜墩上用刀修整齐,放入汤碗内,加入味精。

2.将锅内加入清汤、精盐、胡椒粉烧沸,撇净浮沫,轻轻倒入盛白菜心的碗内,上笼蒸熟即可。

清莲花豆腐

【食材】嫩豆腐750克,鸡蛋清200克,火腿末20克,猪肥肉50克,猪瘦肉100克,干贝50克,虾肉150克。

【调料】精盐10克,味精10克,高汤600克,猪油8克。

【做法】1.将豆腐的上、下两层切下不用,只用豆腐的中间部分,在砧板上用刀磨烂、磨碎,用竹箕盛起,沥干水分;用鸡盅盛起豆腐膏,加入鸡蛋清、精盐、味精,用筷子搅匀。

2.将干贝浸洗干净,剁成末;将猪肥肉切成碎丁,猪瘦肉剁烂,虾肉拍扁剁烂,用碗盛起,加入鸡蛋清、味精、精盐,搅成虾胶,再放入干贝末、火腿末、猪肥肉碎丁,轻轻搅匀,做成24粒料馅。

其他蒸品

173

3.用汤匙24只,汤匙内抹点猪油,匙底先落些豆腐膏做底,再放一粒料馅,然后淋上豆腐膏,用手指抹光滑,放入碟中;将整碟放进蒸笼,用中火蒸5分钟取出。

4.将豆腐从匙中取出,逐件摆入汤钵中,摆成白莲花的形状,然后再加入高汤、味精、精盐,放进蒸笼,蒸10分钟取出即可。

三鲜豆腐盒

【食材】水豆腐800克,鸡脯肉、水发海参、青虾仁各50克,胡萝卜20克,香菜10克,青椒15克。

【调料】料酒10克,花椒水2克,白糖25克,番茄酱25克,葱段、姜片5克,姜末2克,精盐8克,味精3克,湿淀粉20克,猪油200克(约耗50克),熟豆油750克(实耗约50克),香油5克,鸡蛋清3个,干淀粉25克,鸡汤200克。

【做法】1.将豆腐500克切成长方块,放入热豆油中炸成金黄色捞出,将上边的一层硬壳片去,挖出中间的豆腐瓤;将鸡脯肉、青虾仁

剖取河蚌肉的窍门 先用左手握紧河蚌,使蚌口朝上,再用右手持小刀由河蚌的出水口处,紧贴一侧的肉壳壁刺入体内,刺进深度约为1/3,用力刮断河蚌的吸壳肌,然后抽出小刀,再用同样方法刮断另一端的吸壳肌,打开蚌壳,蚌肉即可完整无损地取出来。

切成粒,用热豆油炒熟。

2.将水发海参切成粒,放入沸水锅中焯一下,与鸡脯肉粒、虾仁粒和在一起,加上精盐、姜末拌成馅,装在豆腐盒内;将胡萝卜、青椒切成片。

3.将鸡蛋清2个、干淀粉打成蛋泡糊,抹在豆腐馅上面,放上香菜、胡萝卜片、青椒片点缀好,上屉用小火蒸3分钟取出,摆在盘内围成一圈。

4.取豆腐300克搓碎,加上鸡蛋清1个、干淀粉、精盐调成稠粥状,用猪油煎成小圆饼倒出。

5.将锅内放入底油,放入葱段、姜片炸出香气来,加上番茄酱煸炒,倒入鸡汤,加上精盐、料酒、花椒水、味精,拣出葱段、姜片不用,将煎好的豆腐饼放入,烧开后用湿淀粉勾芡,淋入香油,盛在盘中间。

6.将锅内放入清汤烧开,加入精盐、味精,用湿淀粉勾芡,浇在蒸好的豆腐上即可。

文思豆腐

【食材】豆腐3块(约750克),水发冬菇10克,熟冬笋10克,熟火腿25克,熟鸡脯肉50克,青菜15克。

【调料】精盐40克,味精2克,清汤800克。

【做法】1.将豆腐表皮批去,切成细丝,放入碗中;将水发冬菇、熟冬笋、熟火腿、熟鸡脯肉、青菜均切成丝;冬菇丝放入碗内。将豆腐丝放在碗内加入清汤上笼蒸熟,取出放入汤碗内。

2.将锅置于旺火上,倒入清汤烧沸,放入冬菇丝、熟冬笋丝、青菜丝、熟火腿丝、熟鸡脯肉丝,加上精盐,烧沸后放入味精,盛入放有豆腐丝的汤碗即可。

腐竹卷

【食材】腐皮1张,粉丝1把,绞肉250克,香菇4个,鸡蛋1个。

【调料】酱油10克,白糖8克,料酒20克,葱末8克。

【做法】1.将粉丝以温水泡软,捞出切段;绞肉剁细;香菇泡软,去蒂并切成丝。

2.将鸡蛋打入碗中搅匀,加入绞肉、葱末、酱油、白糖、料酒搅拌均匀,制成绞肉馅。

3.将腐皮摊开,放入粉丝段、香菇丝和绞肉馅,用手卷起来摆入盘中,放入蒸锅中蒸熟,晾凉后切成小段即可。

双扣相蒸

【食材】干豆腐150克,海带结150克。

【调料】精盐3克,味精2克,白糖3克,鸡汤200克,湿淀粉5克,葱末5克,姜丝3克,干红椒2克。

【做法】1.将干豆腐切条,系成豆腐扣,与海带结放入热水锅中焯水,沥干水分,摆入碗中,加入鸡汤、精盐、味精、白糖,置于蒸锅中蒸2分钟取出,扣在盘中。

2.锅内倒入鸡汤,加入精盐、味精,放入葱末、姜丝、干红椒丝,烧开,用湿淀粉勾芡,淋在豆腐扣、海带结上即可。

百花蒸豆腐

【食材】豆腐750克,猪里脊肉75克,甜椒50克。

【调料】精盐3克,鸡精1克,鸡粉3克,鸡蛋清25克。

【做法】1.将豆腐切成菱形块,摆入盘内,再在豆腐块上面挖个小孔。

2.将猪里脊肉剁成肉末,放入沸水锅中焯透,再用精盐、鸡精调味,然后酿入豆腐孔中,放入笼中蒸熟。

3.将甜椒切成小颗粒,加鸡蛋清、精盐、鸡精、鸡粉勾芡调味,淋在蒸好的豆腐块上面即可。

蒸豆腐圆子

【食材】豆腐100克,净鱼肉100克,猪五花肉200克,海米10克,鸡蛋1个,糯米150克。

【调料】精盐2克,酱油10克,葱末25克,姜末5克,胡椒粉2克,味精2克,植物油20克。

【做法】1.将豆腐浸入清水中,换二次水,用纱

除海参苦涩味的窍门 将泡发好的海参切成所需要的形状,每5000克发好的海参,配250克醋加500克开水,然后倒在海参内,拌匀。海参沾醋后即收缩变硬,海参中的灰粒(碱性物质)和醋中和,并溶于水中。随后将海参放入自来水中,漂浸2~3个小时,至海参还原变软,无酸味和苦涩味即可。沥尽水分,即可烹制。

Tips

厨房小窍门

其他蒸品

Tips

烹调时先煸炒后添汤 菜肴先煸炒透，可使原料表面遇到高温后，收缩起来。由于表面的收缩，其内部的营养成分和汁水就不容易大量逸出，能保持原汁原味。煸炒还能将水分除掉一部分，使原料变得软化，体积缩小，并易于掌握添加汤汁的多少，加快菜肴的成熟。

厨房小窍门

布包起来，沥干水分。

2.将糯米用清水淘洗干净，放入沸水锅中煮熟捞出，以清水浇淋，直至冷却。

3.将猪五花肉除去肉皮后，切成肉丁，拌入味精、姜末、精盐腌制入味。将净鱼肉剁成蓉；海米用温水浸泡胀发后，沥干水分。

4.将沥干水的豆腐倒入盆中，搅细、搅散，放入鱼蓉、味精、胡椒粉、精盐、鸡蛋、姜末、海米拌均匀，再放入猪五花肉丁搅拌均匀，然后将糯米、葱末放入继续拌匀。

5.将蒸笼格用植物油擦抹一遍，洒一点清水，以防粘连；将拌好的食材挤成鸡蛋大的圆子，码放在笼格上，蒸半小时后取出码入盘中，撒上葱末即可。

蒸素火腿

【食材】豆腐皮80克。

【调料】酱油60克，红曲粉20克，姜汁10克，白糖10克，料酒20克，味精4克，香油20克。

【做法】1.将豆腐皮润潮后，切去边筋，叠齐，用刀按"十"字形切成四方块，抖散。

2.将锅中放入清水，加入红曲粉，用小

火煮3分钟倒出，过滤成红曲液倒入面盆，加入酱油、姜汁；将豆腐皮放入红曲液中浸拌，捞出后用刀切成黄豆大的粒，放入面盆内，加入白糖、料酒、酱油、味精、香油搅拌均匀。

3.将浸拌后的豆腐皮分别放在10只素火腿模型里摁实，豆腐皮要高出模型0.3厘米左右，盖上锅盖，用麻线扎紧，放入蒸笼用旺火蒸20分钟出笼；冷却后解掉麻线，取出，用剪刀修齐边缘，抹上香油即可。

咸蛋黄蒸豆腐

【食材】豆腐500克，咸鸭蛋2个，海米25克。

【调料】白糖25克，猪油35克。

【做法】1.将豆腐用清水浸泡，然后切成小方块；海米洗净，用热水泡软，剁碎。

2.将咸鸭蛋打碎放入碗内，蛋黄、蛋清分开，蛋清用筷子搅匀，加白糖后倒入豆腐块中，轻轻拌匀，蛋黄入热猪油锅中划开成小粒，分散在豆腐块上，撒上碎海米，加入猪油，然后放入蒸锅中蒸6~7分钟即可。

金蒜蒸菜

【食材】蒜80克，银鱼200克，芥蓝100克，小白菜100克。

【调料】植物油20克，盐4克，蚝油2克，白糖15克，酱油10克，胡椒粉3克，淀粉10克，葱花5克，红辣椒10克。

【做法】1.蒜洗净切末；银鱼洗净沥干；芥蓝和小白菜用热水烫一下码放在盘子中备用；红辣椒切碎。

2.坐锅点火倒入植物油，将蒜末用微火炒至呈金黄色，放入银鱼，加盐、酱油、蚝油、白糖，翻炒均匀，加少量水，汤沸后浇在芥蓝和小白菜上，入蒸锅蒸10分钟，出锅后撒上葱花、红辣椒即可。

南派蒸菜

【食材】普通蔬菜（如茼蒿、芹菜叶等)200克；野菜(如荠菜、蕨菜、绵羊头等)200克。

【调料】猪油20克，大米粉100克，盐5克，胡椒粉3克，香油2克。

【做法】1.将选好的各种菜切碎，加盐、大米粉、猪油、拌匀，装入盘中。

2.菜盘上蒸屉，旺火蒸20分钟，取出。

3.盘内菜上撒胡椒粉，淋香油，即可食用。

北派蒸菜

【食材】普通蔬菜（如茼蒿、芹菜叶等)200克；野菜(如荠菜、蕨菜、绵羊头等)200克。

【调料】植物油20克，面粉100克，盐5克，蒜10克，酱油10克，醋5克，香油3克，味精2克。

【做法】1.将选好的各种菜撕成大片，加植物油、盐、面粉拌匀，装入盘中。

2.菜盘上蒸屉，旺火蒸20分钟，取出。

3.蒜捣成蒜泥，加酱油、醋、味精、香油，拌匀成调味料，供蘸食。

蒸肉豆腐

【食材】豆腐20克，鸡脯肉15克。

【调料】香油1克，酱油4克，淀粉5克，葱头10克，鸡蛋液8克。

【做法】1.将豆腐洗净，放入锅内煮一下，沥去水分，研成泥摊在抹过香油的小盘内。

2.将鸡脯肉剁成细泥，放入碗内，加入切碎的葱头、鸡蛋液、酱油及淀粉，调至均匀有粘性，摊在豆腐上面，用中火蒸12分钟即成。

蒸臭豆腐

【食材】臭豆腐4块，绞肉150克。

【调料】植物油15克，豆豉5克，蒜末3克，虾米50克，红辣椒4克，葱6克，香菜5克，酱油、米酒各4克，糖5克。

【做法】1.先用植物油将蒜末炒香，再加豆豉拌炒，接着放绞肉，虾米和酱油、米酒、糖调味，一起炒好盛起。

2.将上述炒好的酱料淋在臭豆腐上。

3.将红辣椒切末撒在淋过酱汁的臭豆腐上。

4.放入蒸锅蒸10分钟，蒸好起锅时在上面

腌制雪里蕻的窍门 将雪里蕻5000克洗净，沥干水分，去掉根和黄叶，平放入缸内，一层雪里蕻一层精盐(1000克精盐25克花椒)，最上层多放些精盐，第二天翻一下个儿，以后每隔一天倒翻一次，半个月后即可食用。一个月后雪里蕻变为深绿色。

撒上葱末和香菜即可。

豆腐蒸咸鱼

【食材】嫩豆腐1盒,咸鱼1条,五花肉40克。

【调料】干红椒3克,姜2克,酱油5克,米酒
3克。

【做法】1.咸鱼去头、尾,片下两面鱼肉,切成8
块备用。

2.豆腐切1厘米厚片;五花肉、干红椒及姜
片切细丝。

3.将豆腐先排于盘底,上面放咸鱼,在豆
腐与咸鱼之间和上面分别撒上五花肉丝、辣
椒丝与姜丝。

4.酱油、米酒对成调味料调匀,淋在鱼上,
置蒸笼以中火蒸15分钟即可。

山药蒸椒

【食材】青椒12个,山药300克,鸡蛋1个。

【调料】白糖10克,盐5克,酱油15克,鸡精3
克,淀粉20克,香油2克,料酒5克,葱末4克,
姜末3克,高汤适量。

【做法】1.青椒洗净去蒂,剔去籽及内筋,注意
保持形状完整,然后冲洗干净;山药上笼蒸
熟,去皮,捣成泥,加盐、香油、料酒、鸡精、酱
油、白糖、姜末、葱末、淀粉,搅拌均匀。

2.鸡蛋磕破取蛋清,加入淀粉调成糊。

3.将空心青椒里面刷一层蛋清糊,然后装
入山药泥。

4.全部装完后,将青椒上笼蒸6分钟后取
出装盘,炒锅加少量高汤、盐、淀粉做成芡汁,
烧在青椒上即可。

素蒸萝卜卷

【食材】白萝卜350克,豆腐150克,鸡蛋50克。

【调料】植物油20克,盐4克,味精1克,胡椒
粉1克,淀粉25克。

巧发木耳 (1)凉水浸泡法:木耳在生长过程中含有大
量水分,干燥后变成革质,如用凉水浸泡,缓缓地渗透,
可使木耳恢复到生长期的半透明状,吃起来脆嫩爽口。
(2)开水浸泡法:泡发木耳时,可先除去杂质,再用开水
泡开摘去根,洗净泥沙即可食用。

厨 房 小 窍 门

【做法】1.将豆腐、鸡蛋、胡椒粉、味精、盐、淀
粉拌匀成泥。

2.白萝卜洗净去皮,顺长片成薄片,放入
沸水中略焯一下捞出,沥干水分。

3.把白萝卜摊开,放上豆腐泥,卷成卷,上
笼蒸熟即可。

家常煮菜

随着人们饮食观念的不断更新,鲜美滋养的煮菜越来越受到人们的青睐。煮菜指的是一种以凉水、温水或沸水来加热菜肴的烹饪方式,特点是有汤有菜,口味清鲜,汤汁多,不勾芡。常见的煮菜有:排骨汤、水煮鱼、水煮牛肉、香菇鸡汤、冬瓜虾米汤……由于主料的质感和汤汁的质量主要取决于烹调的火候,因此制作煮菜的关键,在于能根据原料的性能和菜肴的要求掌握好火力。比如要求汤浓的要用大火煮,而原料老韧的则要用小火慢慢熬。本篇为你介绍的即是各种肉类、水产、蛋类及蔬菜的煮制方法,相信汤鲜味美的煮菜会带给你和家人一份舒畅与惬意。

煮菜秘诀

什么是煮

煮，是指原料以水为导热体，大火烧开后用中火、小火做较长时间的加热，成菜汤宽汁醇的一种烹调方法。煮的加热时间与炖差不多，但用水量大大超过炖菜。成菜的汤与原料至少要 1:1，大多在 2:1 或 3:1 左右。由于经过中、小火烧制，汤汁都有一定的浓度，或乳白（若加酱油为红中泛白），或清醇；原料或软嫩，或酥烂。煮菜强调汤菜并重。

煮的方法还常用于需要凉拌的菜肴和某些要求用熟料进行烹制的热菜肴。如牛肉、羊肉、鸡、鸭、兔、猪肉和禽畜的内脏的加工等。

煮在烹调中用途很广，在具体煮制时根据原料性质和菜肴要求，可分为凉水煮、温水煮和沸水煮三种技法。

煮菜烹制要领

煮制法的操作关键是：

1.要正确掌握火候。煮菜的火力直接关系到菜肴的质量。要求汤清的，就不能用大火或中火；要求汤浓的，就不应该用小火和微火。原料老韧的要用小火或微火慢慢熬；原料鲜嫩的就该用中火或大火。煮菜的质感和汤汁质量，主要取决于烹调的火候。

2.要讲究原料的选择。煮菜强调原料本味，经过一定时间的加热后，原料中鲜美的风味物质析于汤汁中，使汤、菜并美（有时甚至汤鲜醇重于菜鲜醇）。因此原料的选择首先必须强调新鲜、含腥膻味少的；其次是要选含蛋白质丰富的原料（以老韧的动物原料为主）。水煮的原料，都要求在水煮前清洗干净，尤其是含有血腥异味的原料，在正式煮制前必须经过焯水、过油等初步处理。不同质地的原料

配合在一起时，也应借助于初步熟处理，使各种原料达到同步烹制的要求。

3.煮时要掌握好用水量，并一次加足（一般水量应控制在以淹没原料一指高为度），中途加水会影响煮的质量。

4.要正确添汤加料。为了增强汤汁的鲜醇度，许多原料在煮制前要以高汤或浓汤或清汤辅佐；也有些原料为求突出本味，较排斥添加高汤，比如鱼汤、鸡汤的熬煮都强调用清水。为强调原味，煮菜的调味一般都比较轻，以单纯的精盐加味精或酱油、加少量白糖、精盐、味精，多为单纯的鲜香味。除非为突出某一种调料（比如糟卤等），一般反对煮菜口味多样化。一些加热时间长、质地老的原料，烹调时还应注意咸味调料放到后边加，防止因过早加入而影响原料酥烂的速度和程度。

5.控制好火力的大小,应保持水面微沸不腾。这样才不影响原料的鲜香味和滋润度。煮的原料不能沾染异味和异色。根据原料的老嫩,掌握好成熟程度。同一原料也有老嫩之分,因而其水煮的时间也不同,应视原料的老

嫩,适时从汤中捞出。有些原料捞出后,还可以用原汤浸泡一下,以保持其皮面滋润光泽,颜色美观,如鸡、鸭、兔、猪肉、猪肚等,就经常采取这种方法。

煮的方法和原则

1.煮的方法

煮菜的原料一般都应先经过焯水后再煮制;新鲜又基本无异味的原料,如新鲜的鸡肉、猪肉等也可洗涤干净后直接煮熟。

为满足菜肴的要求,要根据原料的不同严格控制水煮的成熟程度。如猪肚、牛肉、肘子等原料应煮至软熟;鸡、兔、肝、心等原料应煮至刚熟;舌、鸭、肫等原料应煮至熟透;又如蒜泥白肉只煮至断生,晾凉后片成片,再入高汤内烫一下,才会恰到好处。

2.煮的原则

首先,煮的原料应分类,分别煮制。如牛

肉与鸡肉是绝不能同锅煮制的,因为牛肉膻、膘味重,要影响鸡肉的鲜香味。一般情况,不同类别的原料都应分别煮制,即使是同类原料,如猪肉、猪肝、猪肚、猪心、猪舌等,也应分别煮制,才能更好地保证烹制成菜的质量。

其次,将要煮的原料一次放入,不要边煮、边捞、边下。否则,煮制的原料鲜香味差,颜色也不好看。

最后,要注意充分利用煮料的汤汁。煮料的汤汁中,由于蛋白质的溶解和脂肪溶化等原因,许多营养素都溶解在汤内,所以煮料的汤汁不能丢弃,要很好地利用。

煮菜的主要器皿

1.煲锅:煲锅的材质可以是铁的、陶的或瓷的,通常做菜的煲基本上以陶制的为主。完全用陶土烧制的锅具称为"瓦锅"。用瓦锅烹制煲菜所需时间稍短一些,适合烹制海鲜、豆腐等食物。用瓦锅做好菜之后,不要把锅放在冰冷的灶台或餐桌上,一定要在煲锅下放一个垫子,以防锅底因骤冷而炸裂。

2.沙锅:沙锅具有通气性、吸附性强,传热均匀、散热缓慢等特点。熬汤时,沙锅能均衡而持久地把外界热能传递给里面的原料,而相对平衡的环境温度,又有利于水分子与食物的相互渗透,这种相互渗透的时间维持得越长,鲜香成分溢出得越多,煮出的汤品或菜肴的滋味就越鲜醇,原料的质地就越酥烂。

畜肉煮菜

猪肉煮菜

水煮肉

【食材】猪里脊肉、青笋尖各250克。

【调料】鸡蛋1个，植物油、豆瓣酱各25克，青蒜100克，干红椒5克，花椒粉、精盐各2克，干淀粉20克，味精3克，料酒10克，植物油75克，香油3克。

【做法】1.将猪里脊肉剔去筋骨，顶刀切成薄片；青笋尖去皮后切成薄片。

2.将切好的猪里脊肉片用鸡蛋清、料酒、精盐、干淀粉浆好，加入香油拌匀备用。

3.将锅置于旺火上，倒入植物油，放入干红椒炸至呈枣红色时捞出，剁成末，油内放入豆瓣酱，炒散后加入清水烧开，加入料酒、精盐、味精，把青笋尖放入汤里滚，捞出放碗里。

4.将浆好的猪里脊肉片逐一放在沸汤里，待猪里脊肉片变色时捞出盖在青笋尖上，撒上做好的干红椒粉、花椒粉和青蒜。

5.另将锅置于旺火上，放入植物油烧至冒青烟时，浇在猪里脊肉片上即可。

煮白肉

【食材】连皮猪腰排肉300克。

【调料】红油15克，蒜蓉5克，豆腐乳25克，韭菜花10克。

【做法】1.将连皮猪腰排肉切成方块，用铁叉把猪腰排肉块叉住，放在明火上烤，两面翻转，烤至猪腰排肉块"吱吱"冒烟，猪腰排肉皮将近焦糊出现白沫为止。

2.将烤好的猪腰排肉放入水中(春、夏、秋

蒸制时原料要皮朝下 蒸制带皮菜肴，如方肉、肘子、扣肉等，要将皮面朝下摆入盆内，这样摆放可以使皮面达到松软、酥烂，色泽红润。装盘时，便于翻扣，使菜肴形蒸不散而美观，又能防止皮面脱散，影响菜肴的质量。如光面朝上，蒸制时皮面易干，收缩散乱，调味品也不易渗透到原料内部。

厨房小窍门

烹制白斩鸡的窍门 白斩鸡热浸熟后，还要用冷鸡汤浸，这样是为了使鸡冷透。因为白斩鸡是冷荤菜肴，鸡熟后放入冷鸡汤中浸，不风干变色，并且由于热浸时原料体内有热分子的运动，使鸡体内水分减少，滋味大量溶于汤中，在冷鸡汤中浸一段时间，能增加鸡体的水分，使其更加鲜嫩、味美。

厨房小窍门

用温水，冬季用热水)浸泡10分钟，再用刷子刷三四遍，把污泥刷净，然后吊起来，控净水分。

3.将烤好、控净水的猪腰排肉块，再用水洗净，放入开水锅内，猪腰排肉皮向下，用小火煮2小时，之后把猪腰排肉块翻过来，煮至猪腰排肉块烂时捞出。

4.将煮好的猪腰排肉块抽出肋骨，趁热切成大薄片(薄如报纸)，从中间折起，码在盘内成梯形。食用时蘸豆腐乳、韭菜花、蒜蓉和红油即可。

煮肉灌肠

【食材】猪瘦肉馅1750克，猪肥肉丁500克，绿豆淀粉700克，猪肠衣300厘米。

【调料】精盐60克，味精25克，姜末15克，花椒粉30克，香油50克，白糖25克，硝酸盐0.5克。

【做法】1.将猪瘦肉馅、猪肥肉丁和在一起，加上绿豆淀粉、精盐、味精、白糖、姜末、花椒粉、香油、清水和用温水溶化的硝酸盐搅拌均匀，分段灌入猪肠衣内，两端用细线扎好。

2.将灌好的猪肉肠放入清水锅内，用小火逐渐加热至沸腾，保持似开不开的状态，

见猪肉肠浮起，用竹签往猪肠衣上扎眼放气，以免破裂，煮20分钟捞出，放入清水中投凉即可。

白肉片

【食材】去骨猪通脊肉500克。

【调料】酱豆腐汁15克，韭菜花15克，酱油50克，红油25克，蒜泥10克。

【做法】1.将去骨的猪通脊肉横割成四条，切成块，刮洗干净，猪肉皮朝上放入锅内，倒入清水，盖好锅盖，先用旺火烧开，再改用小火煮2小时，用筷子扎一下肉块，以筷子一戳即入，拔出时猪肉块无嘬力为适度。猪通脊肉块煮好后，先撇净浮油，再捞出晾凉，撕去猪肉皮，切成薄片，整齐地码在盘内。

2.将酱油、蒜泥、韭菜花、酱豆腐汁和红油等调料(或凭食者喜好选择其中几样)放在小碗内调匀，随猪肉片一起上桌。

水晶肉

【食材】猪五花肉200克，猪肉皮500克。

【调料】葱段15克，姜片15克，蒜泥15克，芥末油3克，精盐5克，花椒3克，大料3克，料酒15克。

【做法】1.将猪肉皮刮洗干净，放入沸水锅中稍煮，捞出切成片，放入盛器中，加入葱段、姜片、花椒、精盐、大料，倒入清水上锅煮

烹制白煮肉的窍门 白煮肉时如果肉切得过小,肉中的蛋白质、脂肪等鲜味物质会大量溶解到汤内,使肉的营养及风味大减;肉块切得大,养分及鲜味溶解得少,滋味鲜,风味足。同时,肉如果煮得过于酥烂,会造成皮肉分离,脂肪溶化,不利于切成形、回锅调味。所以蒸制时以能捏动肉皮为度。

厨房小窍门

烂,然后将汤滤清即成水晶汤。

2.将猪五花肉洗净,切成条放入锅中,加入精盐、料酒、花椒、大料,倒入清水煮至肉烂,然后将猪五花肉条捞出装入容器中,倒入水晶汤,晾凉后置冰箱内冷凝即可。食用时可配以芥末油、蒜泥味碟上桌。

蒜泥肉

【食材】猪后腿肉350克。

【调料】蒜泥10克,香油3克,白糖4克,
醋8克,酱油10克,红油5克,味
精1克。

【做法】1.将猪后腿肉洗净。

2.将锅置于旺火上,倒入清水,水开后放入猪后腿肉,煮至发白捞出,晾凉后横切成薄片。

3.将猪后腿肉片放入沸水锅中烫一下,至猪后腿肉片卷起,捞出沥干,装盘。

4.将蒜泥、白糖、味精、酱油、醋、红油、香油调成的调味汁浇淋在猪后腿肉片上即可。

芋头煮肉丸

【食材】芋头250克,猪五花肉200克。

【调料】清汤300克,面粉150克,酱油15克,白
糖10克,葱末5克,虾油5克,香油5
克,味精2克。

【做法】1.将芋头煮烂,去皮,捣成泥,加面粉、味精混合均匀,倒入温水,用力揉捏成丸子皮料。

2.将猪五花肉剁成蓉,加入酱油、虾油、味精、白糖,拌成馅心。

3.把皮料分捏成丸子形,包入猪肉馅,放入清汤里煮至丸子浮起,待熟透时加入葱末、香油即可。

排骨煮藕块

【食材】猪排骨300克,鲜藕150克。

【调料】姜10克,料酒15克,精盐3克,胡椒粉
1克,味精1克,植物油15克,清水750
毫升。

【做法】1.将猪排骨洗净剁成块;鲜藕洗净刮去外皮,用刀拍破后入清水冲漂;姜刮皮拍破。

2.将锅置于旺火上,倒入植物油,待油烧热后放入姜块、猪排骨块爆炒,当猪排骨块由红变白后,烹入料酒,加入清水,用旺

火烧沸,撇净浮沫,加盖焖15分钟,再移入大锅,加入藕块,用小火煮至藕块酥烂,猪排骨肉粑软离骨时,加入精盐、味精、胡椒粉调味即可。

大排煮蘑菇

【食材】猪排骨500克,鲜蘑菇100克,西红柿100克。

【调料】精盐5克,味精2克,料酒15克。

【做法】1.将猪排骨洗净,剁成大块,用刀背排松,再敲断骨髓后加入料酒、精盐腌15分钟。

2.将锅置于旺火上,倒入清水烧沸,放入排骨块再烧沸,撇净浮沫,加入料酒,改用小火煮半小时,加入切碎的鲜蘑菇片再煮10分钟,加入精盐、味精,投入切碎的西红柿片煮沸即可。

海带花生煮排骨

【食材】海带200克,花生仁100克,猪排骨300克。

【调料】精盐5克,醋10克,味精2克。

【做法】1.将海带、花生仁、猪排骨分别洗净,猪排骨剁成块;海带稍稍加浸泡片刻,切成丝;花生仁用热水泡胀,去除内皮。

2.将猪排骨块、花生仁放入锅内,倒入清水用旺火煮沸,撇净浮沫,加入海带丝,改用小火煮1小时,至猪排骨肉熟易脱骨时,加入精盐、味精调味即可。

排骨煮白萝卜

【食材】猪小排骨250克,白萝卜100克。

【调料】精盐5克,味精2克,醋5克,葱段10克,姜片5克。

【做法】1.将猪小排骨洗净,剁成段;白萝卜去皮,切成块。

2.将锅置于旺火上,倒入清水烧开,下入猪小排骨块和醋煮开,撇净浮沫,加入葱段、姜片烧开后,加入白萝卜块,倒入沙锅内,盖上锅盖,改用小火煮2个小时,至猪小排骨肉熟烂离骨,拣去葱段、姜片不用,放入精盐、味精调好口味即可。

瑞士排骨

【食材】净排骨400克,土豆300克,茄汁35克,威化15克。

【调料】精盐、白糖各15克,味精1克,糖醋汁10克,料酒10克,湿淀粉15克,干淀

煮鱼时要沸水下锅 煮鱼时要沸水下锅,这是因为鲜鱼质地细嫩,沸水下锅能使鱼体表面骤受高温,体表蛋白质变性凝固,从而保持鱼体形状完整。同时,还能使鲜鱼所含的营养素和鲜美滋味不致于大量外溢,其损失可减少到最低程度。

Tips

厨房小窍门

粉10克,蒜蓉15克,高汤300克,花生油1000克。

【做法】1.将土豆去皮,切成菱形,用七成热油炸至金黄色捞起待用。

2.将锅置于旺火上,倒入植物油,烧成五成热,将威化炸膨化后捞起放在盘里。

3.将净排骨斩成段,沾上一层薄干淀粉,下入六成热的花生油锅内炸至金黄色捞出,沥去油。

4.将锅置于旺火上,倒入植物油,烧至四成热,放入蒜蓉、排骨段,烹入料酒,爆透后加入高汤,调入茄汁、精盐、味精、白糖、糖醋汁,盖上锅盖,煮至九成熟时,揭开锅盖再加入炸过的马铃薯块煮熟,用湿淀粉勾芡,取出装盘,用威化伴边即可。

肉丝煮榨菜

【食材】猪里脊肉200克,榨菜75克,豌豆苗尖50克,水发粉条100克。

【调料】胡椒粉5克,精盐10克,味精5克,湿淀粉40克,香油15克,高汤1000克。

【做法】1.将猪里脊肉切成丝,盛于碗中,用精盐、湿淀粉拌匀;榨菜洗净、去筋、切丝,漂于凉水中。

2.将锅置于旺火上,倒入高汤,放入榨菜丝,煮出香味,再放入猪里脊肉丝、胡椒粉、水发粉条、香油、味精、豌豆苗尖,推转起锅,倒入汤碗内即可。

肉丝煮冬笋

【食材】水发冬笋300克,猪瘦肉100克。

【调料】花生油20克,精盐3克,味精2克,酱油5克,湿淀粉25克,高汤1000克。

【做法】1.将水发冬笋切成丝;猪瘦肉洗净,切成丝,放在碗内,加入湿淀粉(5克)、精盐(1克)、酱油拌匀,腌20分钟。

2.将锅置于旺火上,倒入花生油烧热,放入猪瘦肉丝煸炒断生,倒入高汤烧开,下入冬笋丝、精盐(2克)、味精煮开,用余下的湿淀粉勾芡,盛在汤碗中即可。

小肉丸子煮豆腐

【食材】猪腿肉150克,嫩豆腐400克,鸡蛋2个。

【调料】洋葱50克,大蒜1瓣,花生油15克,精盐4克,料酒15克,胡椒粉1克,湿淀粉10克。

炖、煨等制法要用慢火长时间加热 炖、煨等烹调用法的原料多是一些质地很韧,柴老干硬,异味较重的鸡鸭、肘、蹄等。用慢火长时间烹制能使调味品的滋味完全渗透到菜肴之中,又可使原料中的蛋白质、脂肪等充分溶解于汤中内,使汤汁变得稠浓。还能使原料酥烂脱骨,形体整齐。

【做法】1.将猪腿肉剁成末;洋葱去皮切末;蒜瓣拍碎,剁成蓉;鸡蛋磕入碗内,搅拌均匀;豆腐切丁。

2.将猪腿肉末放入碗内,放入用花生油炒过的洋葱末,再放入精盐、胡椒粉、料酒、鸡蛋液、湿淀粉搅拌成猪肉馅,制成小丸子,用温油煎黄。

3.将锅置于旺火上,放入花生油烧热,放入蒜蓉爆香,放入豆腐丁,倒入清水煮沸,加入小丸子再焖煮3分钟,加入精盐、味精调好口味即可。

莲子煮里脊

【食材】猪脊骨750克,猪里脊肉250克,白莲子50克,红枣5个,嫩豌豆100克,鸡蛋1个。

【调料】葱段、姜片各20克,精盐3克,味精2克,胡椒粉1克,炙甘草6克,木香5克,干淀粉40克。

【做法】1.将木香、炙甘草洗净,用纱布袋包好;猪脊骨洗净剁成段;猪里脊洗净切成薄片;豌豆用清水洗净;鸡蛋去黄留清,与干淀粉调成蛋清淀粉。

2.将锅置于旺火上,倒入清水,放入猪脊骨段煮沸,撇去血沫,下入姜片、葱段煮2小时,放入红枣、白莲子煮半小时,再放入豌豆、纱布袋,拣去葱段、姜片不用。

3.将猪里脊肉片放入碗内,用蛋清淀粉和精盐拌匀上浆;将猪脊骨汤用旺火烧沸,下猪里脊肉片滑好,加入味精、胡椒粉调好口味,盛入汤碗内即可。

沙锅鲜菇肉片

【食材】猪瘦肉150克,鲜草菇160克,丝瓜200克。

【调料】姜片5克,酱油5克,精盐3克,味精2克,料酒10克,湿淀粉10克,鸡汤750克。

【做法】1.将猪瘦肉洗净,切成小肉片放在碗里,用酱油、精盐、湿淀粉拌匀上浆;鲜草菇洗净沥干水分,丝瓜去表皮,切成滚刀块备用。

2.将沙锅置于旺火上,倒入鸡汤烧开,下入猪肉片、姜片、草菇、丝瓜块,放入酱油、料酒、味精,煮沸片刻,撇净浮沫,盛在汤碗中即可。

沙锅奶汤白肉

【食材】熟白肉200克,水发海参、熟白鸡、虾仁、水发玉兰片、水发冬菇各30克。

【调料】高汤800克,色拉油20克,精盐3克,味精2克,料酒20克,牛奶30克,葱末5克,姜汁5克。

【做法】1.将熟白肉切成薄片(长4厘米);水

添汤的窍门 添汤时之所以要从锅边加入,是因为菜肴经过煸炒后已经接近成熟或已着色入味。如需添汤时直接浇在菜肴上,会冲淡菜肴的色泽和滋味,造成色彩不匀,浓淡失调,并且使菜肴吸水过多而失去脆嫩。添汤从锅边加入,就能保证菜肴的色、香、味及质感,达到最佳烹调效果。

厨房小窍门

烹制鱼的窍门 鲜鱼虽然滋味鲜美，但含脂肪少，成菜缺少脂肪的香味，还或多或少地带有腥臭等异味。为了弥补鱼肴的这些缺陷，在烹调时加入适量的肥膘肉，可以增加菜肴的香味与营养价值，去除鱼的腥臭味，并使成菜汁明油亮，质量提高。

厨 房 小 窍 门

发海参十字刀切成 4 块；熟白鸡剁成块；水发玉兰片、水发冬菇切成片备用。

2.将锅置于旺火上，放入色拉油烧热，放入葱末爆锅，烹入料酒，倒入高汤，下入熟白肉片、水发海参块、熟白鸡块、虾仁、水发玉兰片、水发冬菇片，再放入姜汁、精盐、味精、牛奶，盛在沙锅内烧开，改用小火煮10分钟即可。

沙锅白菜猪肉丸子

【食材】猪瘦肉、猪肥膘肉250克，鸡蛋清3个，白菜300克。

【调料】香菜15克，精盐4克，味精2克，葱丝、姜丝各10克，花椒水15克，香油3克，清汤600克。

【做法】1.将猪瘦肉剁成泥，猪肥膘肉切成丁，放在碗中，加入鸡蛋清、精盐搅拌均匀；白菜去叶洗净，切成小块；香菜洗净，切成段。

2.将锅置于旺火上，倒入清水烧沸，把猪肉馅做成4个大丸子放在锅内，煮熟捞出，沥净水分。

3.将沙锅洗净，放入白菜块、4个大丸子，

加入精盐、葱丝、姜丝、花椒水，添上清汤没过主料，用旺火烧开，撇净浮沫，改用小火煮10分钟，淋上香油，撒上香菜段，放上味精即可。

什锦沙锅

【食材】猪小排骨150克，白菜100克，水发粉丝50克，虾仁25克，冬笋25克。

【调料】料酒15克，姜片10克，精盐2克，味精1克。

【做法】1.将白菜洗净切成片；冬笋洗净切成片。

2.将猪小排骨放进沙锅中，倒入清水、料酒、姜片，先焖煮半小时，然后依次放入白菜片、粉丝、虾仁、冬笋片，再放入清水，用大火煮沸后，放入精盐、味精，改用小火焖15分钟即可。

沙锅肉丝酸菜

【食材】净猪肉200克，酸菜250克，水发粉丝50克，水发海米50克，咸香菜30克，咸韭菜25克。

【调料】香菜10克，精盐3克，味精1克，花椒水10克，肉汤500克，料酒25克，熟鸡油15克。

【做法】1.将猪肉洗净，切丝；酸菜洗净，去掉老帮烂叶，每个菜帮横断3刀，再改刀切成

细丝,用水洗两遍,挤净水分;香菜洗净切成小段;咸香菜、咸韭菜切成末;水发粉丝用刀断开。

2.将沙锅置于旺火上,倒入肉汤,烧开后放入酸菜丝、猪肉丝、水发粉丝、精盐、花椒水、料酒、水发海米、咸香菜末、咸韭菜末,再烧开后改用小火煮5分钟,加入味精、熟鸡油、撒上香菜段,倒入汤碗内即可。

沙锅肉丝苦瓜

【食材】猪瘦肉150克,苦瓜300克。

【调料】料酒25克,精盐8克,葱末6克,肉汤800克,植物油15克。

【做法】1.将苦瓜剖开,去尽内瓤,用精盐腌好,放入沸水锅中焯一下,捞起沥净苦液,再洗净切成条,待用。

2.将猪瘦肉洗净,放入沸水锅烫一下,捞出沥干水分,切成丝。

3.将锅置于旺火上,倒入植物油烧热,放入葱末煸香,再加猪肉丝煸炒至水干捞起放入沙锅内,加入肉汤、精盐,烹入料酒烧至汤滚,再加入苦瓜条煮熟即可。

水晶肘子

【食材】净猪肘肉500克,干冻粉25克。

【调料】葱段10克,姜片5克,精盐5克,味精1克,料酒10克,花椒1克,胡椒粉1克,醋15克,酱油10克,蒜瓣25克,香油2克。

【做法】1.将净猪肘肉放入汤锅中,加水没过后烧沸,然后加入料酒、花椒、胡椒粉、精盐、葱段、姜片,改用小火慢煮1个半小时,待猪肘肉煮烂后放入干冻粉继续熬煮,待汤汁有黏稠度时盛入碗中凉透,放入冰箱内稍冻,成冻状后取出,切片放入盘中。

2.蒜瓣用刀剁成末,同酱油、精盐、味精、香油、醋调成味汁,浇淋在猪肘肉片上即可。

沙锅丝瓜猪肉

【食材】丝瓜350克,猪瘦肉150克。

【调料】料酒25克,精盐3克,味精1克,胡椒粉1克,葱段8克,姜片5克,肉汤500克,植物油15克。

【做法】1.将丝瓜去皮洗净,切成片;猪瘦肉洗净投入沸水锅汆一下,捞出沥干水分,切成片。

2.将锅置于旺火上,倒入植物油烧至五成

蔬菜绿色的保持技巧 可以将蔬菜放入热水中烫一下,这样做可以排除蔬菜组织中的氧气,即使再经高温处理,由于氧化的机会减少,蔬菜的鲜绿色也不会失去。另外,烫后还可减少叶绿素与酸的作用,从而不易形成脱镁叶绿素,而保持其鲜绿色。如果蔬菜洗时水中加入少许碱,也可保持叶绿素原有的鲜绿色。

Tips

厨房小窍门

畜肉煮菜／猪肉煮菜

热,加入姜片、葱段煸炒,再放入猪肉片炒几下,烹至猪肉熟,然后入沙锅中,加入肉汤、丝瓜片煮熟,拣去葱段、姜片不用即可。

白云猪手

【食材】猪手(猪蹄)1000克。

【调料】醋60克,白糖240克,姜20克,精盐10克,冰糖1克,五柳料2克,山泉水1000毫升。

【做法】1.将猪手去毛剖开两边,斩断大骨留皮相边;将山泉水烧沸,放入猪手,用小火煲至熟(皮可离骨为准)。

2.将猪手捞起切件,放入流动的水中浸漂12小时,捞出沥干水分。

3.将醋、白糖、姜、冰糖、精盐一同煮滚,用瓦盆盛载,取洁布滤锅,待冷却后,把猪

手放入浸泡6小时,捞出上碟,拌上五柳料即可。

白切肘子

【食材】猪后肘子1个(约1000克)。

【调料】老抽50克,蒜泥50克,红油10克,韭菜花10克,醋5克,葱段、姜片各10克。

【做法】1.将猪后肘子用温水浸泡后,刮净皮面上绒毛,用刀切一个深口至骨,放入沸水锅内烫透捞出。

2.锅内换清水烧沸,放入猪肘子和葱段、姜片,旺火烧开后改用小火,保持似开不开的状态,盖上锅盖,煮15分钟熄火一次,焖锅5分钟,再煮15分钟,熄火焖锅5分钟,再煮15分钟,取出猪肘子扒去骨头,晾凉,切成厚片装盘内,将余下调料拌匀调成蘸料,上桌蘸食。

糟猪蹄

【食材】猪蹄750克。

【调料】精盐4克,白糖5克,葱段10克,姜片10克,料酒25克,桂皮3克,茴香2克,花椒2克,香油4克,糟酒15克,味精1克。

【做法】1.将猪蹄去毛,洗净。

2.将锅置于旺火上,倒入清水,放入猪蹄,加上精盐、葱段、姜片烧开,撇净浮沫,转用小

荤菜肴可用素菜垫底 烹制鸡、鸭、鱼、虾、蟹等荤料菜肴,配以相应的时令蔬菜垫底,能衬托出荤料菜肴的鲜味。二者相辅相成,相得益彰,并能起到爽口不腻、配色增味的作用。另外,衬底的蔬菜炒成后垫在盘底,荤料单独炒好后盖在上面。这样可以按需要调味,不受热料味道的干扰。

火焖至八成熟时捞出,待晾凉后,用刀从趾缝处斩成两片,在肉骨一面撒上些精盐,腌1个小时备用。

　　3.另取一锅置于旺火上,放入精盐、白糖、桂皮、苗香、花椒、味精,烧开后倒入盆内,捞出香料,晾凉,过滤后加料酒、香油制成卤汤。

　　4.将猪蹄浸入汤盆内,腌3~4个小时后,每片斩成4块,装入盘中,浇上原卤汤,淋上糟酒即可。

沙锅花生猪手

【食材】净猪手(猪蹄)400克,花生米80克,香菜20克。

【调料】精盐3克,味精2克,老汤300克,色拉油20克,酱油10克。

【做法】1.净猪手剁块,放入沸水锅中焯水备用;花生米洗净;香菜切末。

　　2.将沙锅内倒入老汤,放入猪手块和花生米,加酱油、精盐,煮25分钟,煮熟后放味精,出锅,淋入烧热的色拉油,撒上香菜末即可。

家常酱猪手

【食材】猪手(猪蹄)4只(约1500克)。

瘟猪肉的识别　猪瘟病是一种多发性传染病,对人体危害严重,这种肉绝不能食用。识别瘟猪肉的方法是看肉的皮肤。如皮肤有大小不等的出血点,或有出血性斑块,即为病猪肉;如果是去皮肉,则可看脂肪和腱膜,如有出血点即可认定为病猪肉。

厨房小窍门

【调料】葱段30克,姜片20克,蒜片10克,豆瓣酱15克,酱油15克,植物油10克,白糖10克,陈皮4克,大料5克,精盐3克,味精1克。

【做法】1.将猪手收拾干净,放在火上,烧至外皮变黄色,取出,放入热水中稍泡,再把表皮刷至黄白色,用刀从中间片开。

　　2.将锅置于旺火上,倒入植物油烧热,放入豆瓣酱煸香,再加入葱段、姜片、蒜片、大料、陈皮,烹入酱油、料酒,倒入清水(500毫升),再把猪手、白糖、精盐、味精放入锅内烧开,改用小火慢煮,待猪手煮烂,捞出晾凉即可。

猪蹄茭白沙锅

【食材】猪蹄2只(约800克),茭白150克。

【调料】精盐6克,味精3克,料酒10克,姜片5克,葱段10克。

【做法】1.将猪蹄刮洗净;茭白去皮切片待用。

　　2.将猪蹄放入沙锅内,倒入清水烧沸,撇净浮沫,加入葱段、姜片、料酒、精盐,改用小火焖煮酥烂,放入茭白片,再煮5分钟,加入味精调好口味即可。

淡菜猪蹄煮百合

【食材】猪蹄1只（约700克），淡菜50克，鲜百合150克。

【调料】姜片5克，葱段10克，精盐4克，味精2克，料酒20克。

【做法】1.将淡菜洗净，加入料酒、沸水浸发；鲜百合瓣成瓣，用精盐揉洗干净。

2.将猪蹄用热水洗净，在沙锅中倒入清水（1000毫升），加入葱段、姜片，下入猪蹄，改用中火煮沸，加入料酒，改用小火焖煮1个小时，加入淡菜、百合瓣，再焖煮至酥烂，用精盐、味精调味即可。

沙锅黄豆猪蹄

【食材】猪蹄1只（约800克），黄豆150克。

【调料】精盐4克，味精1克，料酒25克，葱段10克，姜片10克。

【做法】1.将猪蹄用沸水烫后拔净毛，刮去浮皮；黄豆用冷水浸泡1小时备用。

2.将猪蹄放入沙锅内，倒入清水、姜片，置于旺火上煮沸，撇净浮沫，加入料酒、葱段及黄豆，盖上锅盖用小火煮半个小时，加入精盐、味精再煮1个小时即可。

猪蹄煮丝瓜豆腐

【食材】猪蹄1只（约800克），丝瓜250克，香菇50克，豆腐300克。

【调料】葱末5克，姜片5克，精盐4克。

【做法】1.将猪蹄去毛、洗净；丝瓜带瓤洗净，切块；豆腐切块；香菇洗净备用。

2.将猪蹄、香菇放入沙锅内，倒入清水，放在火上烧沸，改用小火煮至猪蹄熟时，加入葱末、姜片、精盐调好口味，下入丝瓜块、豆腐块同煮汤即可。

沙锅莲子肚片汤

【食材】净猪肚150克，去心莲子30克。

【调料】料酒15克，葱末5克，姜片5克，精盐3克，味精1克。

【做法】1.将净猪肚切片；去心莲子加水蒸酥。

2.将猪肚片放入沙锅内，加入清水、姜片、料酒，放到旺火上煮沸，撇去浮沫，改用小火煮酥后，放入莲子（莲汁），加入精盐、味精、料酒调好口味，撒上葱末即可。

猪杂三鲜沙锅

【食材】猪蹄2副，熟盐水鸭肉块100克，鱼片100克，熟猪肚片50克，熟猪肝片50克，白菜块150克。

【调料】精盐5克，味精3克，料酒25克，姜片10克。

区分牛、羊肉等级 牛、羊肉的等级是按肉的部位划分的，各等级的质量是不同的：(1)牛肉。特级：里脊；一级：上脑、外脊；二级：仔盖、里仔盖；三级：肋条、胸脯；四级：颈肉、腱子。(2)羊肉。一级：里脊、外脊、后腿；二级：前腿、肋条；三级：颈肉、腱子、胸脯和腰窝。

厨房小窍门

【做法】1.将猪蹄洗净,投入沸水锅中焯2分钟,捞出洗净放在沙锅内,加入料酒、姜片煮至六成熟。

2.放入白菜块,上面四角分别排堆熟盐水鸭肉块、熟猪肚片、鱼片、熟猪肝片,添上清水烧开,煮10分钟,加精盐、味精调好味即可。

沙锅萝卜腰子汤

【食材】猪腰子2副(约250克),萝卜200克。

【调料】精盐4克,味精2克,料酒25克,胡椒粉1克,葱段10克,姜片5克。

【做法】1.将猪腰子除去外衣膜,除去臊腺,在猪腰子两面上分别花上五刀刀纹,深度至见腰臊处;萝卜去皮,切成滚刀块。

2.将锅置于旺火上,加水烧沸,先下入萝卜焯一下,捞起;再把猪腰子放入水中煮20分钟,

煮透,除净血污,捞起后,片成椭圆形齿轮状。

3.将沙锅置于旺火上,倒入清水,加入猪腰片、料酒、葱段、姜片,盖上锅盖,烧沸后再改用中火煮1个小时,加入萝卜块,煮至汤汁乳白、猪腰子片酥烂、没有腥臊异味,再加入精盐、味精,撒上胡椒粉即可。

水煮辣味肥肠

【食材】熟肥肠500克,白菜叶300克。

【调料】青蒜100克,葱段、姜片、蒜片共50克,植物油15克,料酒10克,酱油10克,豆瓣酱10克,胡椒粉5克,精盐3克,味精1克。

【做法】1.将熟肥肠洗净,切成块;青蒜切成段。

2.将熟肥肠块放入开水中煮透,捞出备用。

3.将锅置于旺火上,倒入植物油烧热,加入葱段、姜片、蒜片、豆瓣酱爆香,烹入料酒、酱油,加入开水500毫升,稍煮,捞净豆瓣酱的渣子,再放入熟肥肠块、白菜叶、青蒜段、精盐、味精、胡椒粉,烧开即可。

煮血肠

【食材】猪血5000克,明肠1000克。

【调料】清水1250毫升,精盐200克,醋150克,酱油10克,味精10克,姜丝10克,砂仁、桂皮、紫蔻、肉蔻、丁香共40克(磨成细面成肉料子),葱

种猪肉的识别 种猪肉质量低劣,煮不烂,味道差。识别的方法是:(1)肉皮厚而硬,毛孔粗,皮肤与脂肪之间几乎分不清界限,尤以肩胛骨部位最明显,去皮去骨后的脂肪又厚又硬,几乎和带皮的肉一样。(2)瘦肉颜色呈深红色,肌肉纤维粗糙,纹路清,水分少,结缔组织较大。

Tips

段15克,香油4克,胡椒粉1克,香菜段10克。

【做法】1.选用经过检验无病的猪鲜血,澄清后把清血倒入盆内,用作灌清血肠,剩下的用于灌混血肠。

2.把选好的明肠放入盆内,加入精盐、醋进行搓洗,见起白沫时即可,用清水反复洗净。

3.把清血放入1250毫升水;精盐100克、味精少许、肉料面25克搅拌均匀待用。

4.把明肠再用水洗一次,将一端用细绳扎好,用漏斗从一端把搅拌好的清血灌入肠内(上下抖动一下)。灌好后,再用细绳把这一端扎好,将血肠由中间折过来,再从中间用细绳扎上一道。

5.把灌好的血肠,放入冷水锅中,逐渐加热,始终保持水面似开不开的状态,煮10分钟左右,见血肠漂起,内里已熟,即捞在凉水盆内投凉。

6.把冷却后的血肠,用刀切成圆片,装在碗里。

7.把碗内的血肠片倒入漏勺内,放入沸水锅内烫成四边卷起,放入用葱段、姜丝、香菜段、味精、香油、酱油、胡椒粉、肉汤兑成的汤碗内即可。食用时可配以韭菜花、腐乳。

五味卤大肠

【食材】猪大肠1000克。

【调料】葱段、姜片、蒜末共100克,料酒10克,酱油10克,胡椒粉3克,精盐5克,花椒2克,陈皮4克,干红椒5克,大料3克,味精1克,植物油15克。

【做法】1.将猪大肠收拾干净,放入开水中稍煮,捞出洗净。

2.将锅置于旺火上,放入植物油烧热,放入葱段、姜片、蒜末、干红椒、花椒、大料、陈皮爆香,烹入料酒、酱油,倒入开水,再放入猪大肠、精盐、味精、胡椒粉煮开,改用小火慢煮,待大肠煮熟,捞出凉透,切块即可。

五更肠旺

【食材】猪大肠1根(约250克),鸭血150克,酸菜50克,干红椒2个,青蒜40克。

【调料】蒜片5克,姜片3克,花椒20粒,辣豆瓣酱15克,精盐5克,白糖5克,高汤50克,湿淀粉15克,香油10克。

【做法】1.将猪大肠清洗干净,用精盐搓净黏液,用清水洗净;将鸭血、酸菜洗净切块;干红

椒洗净切丝;青蒜切段备用。

2.将猪大肠煮10分钟,捞出控干水分,切成段(长2厘米),与鸭血块、酸菜块同放在一个锅内,备用。

3.将姜片、蒜片、辣豆瓣酱在锅内爆炒出香味,倒入干红椒丝、花椒粒、精盐、白糖、高汤,煮10分钟,用湿淀粉勾芡,倒入鸭血、猪大肠段、酸菜块、青蒜段煮40分钟,香味透出即可取出,淋上香油即可。

烫猪心粉肠

【食材】猪心1副,粉肠300克。

【调料】米酒20克、葱段10克、姜片10克、面粉15克。

【做法】1.将猪心去筋膜,洗净;粉肠刮除油膜,翻面加精盐和面粉洗净,放入滚水中加一半葱段、姜片略烫一下,以消除异味。

2.将剩下的葱段、姜片放入锅中,加入半锅清水和米酒烧开,加入猪心和粉肠,煮至熟烂。

3.待凉,猪心切成薄片,粉肠切成小段,即可上桌。

余烫猪舌

【食材】猪舌头1副。

【调料】米酒15克,精盐3克,葱段5克,姜片5克。

【做法】1.将猪舌头洗净,放入滚水中烫煮3分钟,刮除舌苔备用。

2.将锅置于旺火上,放入半锅清水,再放上葱段、姜片烧开,放入猪舌头,加入米酒、精盐,以小火煮40分钟。捞出猪舌头,浸入冷水中,待凉切成薄片,排放在盘中,食用时蘸酱即可。

余烫猪肝

【食材】猪肝800克。

【调料】米酒20克,葱段10克,姜块10克,精盐5克。

【做法】1.将猪肝洗净,对切一半,放入滚水中余烫,捞出,倒掉血水。

2.将锅置于旺火上,放入半锅清水,再放上葱段、姜块烧开,放入猪肝,加入米酒、精盐煮至肉烂。

3.晾凉后切成片,摆在盘中端出,蘸酱食用。

牛肉与驴肉的鉴别 牛肉与驴肉均属大牲畜,可用下面的方法识别:

(1)看膝盖骨:牛的膝盖骨是等腰三角形,驴则是等边三角形。

(2)看肉形:牛肉的肌肉之间有脂肪层隔开,驴肉之间则没有。

(3)烧:取脂肪少许,用打火机烧溶,如脂肪油滴入凉水中是蜡样硬壳,是牛肉。否则,是驴肉。

Tips

畜肉煮菜／猪肉煮菜

厨房小窍门

牛肉煮菜

水煮酱牛肉

【食材】酱牛肉300克。

【调料】干红椒15克，酱油10克，豆瓣酱20克，醪糟汁10克，精盐2克，花椒粉3克，植物油75克，料酒10克，湿淀粉15克，高汤50克，莴笋尖100克，蒜苗50克。

【做法】1.将酱牛肉切成片，加入精盐、湿淀粉、醪糟汁拌匀。

2.将莴笋尖切成薄片；蒜苗切成段；豆瓣酱剁细。

3.将锅置于旺火上，倒入植物油烧热，放入干红椒煸至呈深红色取出，剁细。

4.锅内放入豆瓣酱煸出色，放入剁细的干红椒和莴笋尖片炒几下，倒入高汤，加料酒、酱油和蒜苗段，煮至蒜苗断生，拣出莴笋尖片和蒜苗段盛于盘内。

初步加工对虾的窍门 初步加工对虾时，要先洗净虾体，后剥除外皮，取出沙肠，这样，能保持虾体完整，防止破碎。如果先剥皮后洗涤，会使部分虾黄，特别是虾脑被水冲掉，减少鲜味和橘红的色泽，失去部分养分，降低口味，增加虾肉的水分，不利于烹调。

厨房小 **窍** 门

5.将酱牛肉片抖散入锅，待沸时拨散，煮熟后起锅，舀盖在盘中菜上，撒上干红椒末、花椒粉，再浇上沸油即可。

辣牛肉

【食材】牛腿肉300克。

【调料】精盐3克，葱段10克，姜片5克，料酒15克，干红椒4个，花椒10粒，大料3克，酱油8克，味精3克，香油8克。

【做法】1.将牛腿肉洗净，放入葱段、姜片、精盐、料酒中腌半小时，放入沸水锅中煮过。

2.将葱段、料酒、酱油、味精、花椒、干红椒、大料加清水煮成卤汁。

3.将牛腿肉放入卤汁中煮40分钟，捞出切片，淋上香油即可。

水煮牛肉

【食材】嫩牛肉300克，莴苣尖、芹菜各100克，蒜苗50克。

【调料】精盐3克，味精1克，豆瓣酱25克，干红椒10克,花椒3克,酱油10克,湿淀粉50克,植物油50克。

【做法】1.将牛肉切成薄片放入碗中,加入精盐、湿淀粉搅匀;莴苣尖、芹菜、蒜苗洗净,切成段。

2.将锅置于中火上,加入植物油,烧至五成热时放入干红椒、花椒炒成棕红色,捞出用刀剁成末,放入碗中。

3.将锅置于旺火上,加入植物油,烧至五成热时放入莴苣尖段、芹菜段、蒜苗段炒至断生,盛入碗中。

4.将锅置于中火上,加入植物油,烧至四成热,放入豆瓣酱炒至油红、味香,加入清水、味精、酱油,烧沸后放入牛肉片用筷子推散,至汤浓沸滚时,起锅倒入盛莴苣尖段的碗内,撒上干红椒末、花椒末。

5.另在锅内加入植物油,烧至七成热时浇在上面即可。

香菇牛肉煲

【食材】牛后腿肉150克,芋头150克,冬菇5个。

【调料】葱段5克,姜片6克,蒜片5克,牛奶15克,味精5克,精盐5克,胡椒粉5克,干淀粉15克,苏打粉5克,吉士粉10克,料酒10克,白糖10克,植物油100克(实耗15克),高汤500克。

【做法】1.将牛后腿肉洗净切片,用味精、胡椒粉、干淀粉、苏打粉、吉士粉、料酒拌匀,腌2个小时。

2.将芋头去皮,洗净切片;冬菇泡软,洗净去蒂。

3.将锅置于旺火上,倒入植物油烧热,放入芋头片炸至变色捞出沥油,放入牛肉片炸至浮起,捞出沥油。

4.锅中留底油烧热,放入姜片、蒜片炒香,加入高汤、精盐、味精、白糖、料酒、清水、炸芋头片,煮3分钟,再加入牛肉片、冬菇、葱段稍煮一会儿,淋入牛奶,开锅后倒入煲锅内,用中火煮8分钟即可。

川椒煮牛肉

【食材】牛肉400克,白菜叶300克。

【调料】青蒜50克,葱片、姜片、蒜片共50克,

毒蘑菇的识别 在野外采蘑菇时要严格识别有毒无毒,可用下列方法:(1)有毒蘑菇的伞柄上有菌轮,伞柄很难用手撕开,撕断后在空气中易变色。(2)有毒蘑菇表面不光滑,有斑斑点点的肉瘤。(3)有毒蘑菇颜色比较浓艳,常发出辛辣等不正常气味。

Tips

畜肉煮菜/牛肉煮菜

植物油10克，豆瓣酱10克，料酒10克，酱油10克，玉米淀粉5克，精盐3克，味精1克。

【做法】1.将牛肉切片，用精盐、料酒、玉米淀粉拌匀上浆；白菜切块；青蒜切段。

2.将锅置于旺火上，倒入植物油烧热，加入豆瓣酱、葱片、姜片、蒜片煸香，烹入料酒、酱油，加入清水，稍煮，捞净豆瓣酱的渣子，白菜块、青蒜段下锅煮烂，捞出放碗中，汤汁烧开，牛肉片放入锅中，再放入精盐、味精，待锅烧开，出锅即可。

沙锅牛肉汤

【食材】牛杂骨500克，碎牛肉250克，洋葱50克，胡萝卜50克，青芹菜25克。

【调料】精盐、酱油各10克。

【做法】1.将胡萝卜每根顺长剖成两条；洋葱平放，横刀片成两块；青芹菜自中腰一切两段。把胡萝卜条和洋葱块分别放进热锅内，两面烙烤至黄色，起锅待用。

2.将牛杂骨洗净，棒骨砸断，与牛肉一起放进沙锅内，倒入清水，放入精盐、酱油，用旺火煮沸，撇净浮沫，然后改用小火煮沸，撇去浮油，再把胡萝卜条、洋葱块和芹菜段放入汤锅内，用小火继续煮3个小时，离火。

3.将细孔箩放在净锅上，把牛肉汤滤入锅内，盖上锅盖，放在阴凉通风的地方，随吃随取。

白菜牛肉卷

【食材】牛里脊肉20克，大白菜、菜花各100克，洋葱1个，胡萝卜60克，瓠瓜丝干100克。

【调料】精盐3克，胡椒粉1克，芥末酱10克。

【做法】1.将牛里脊肉洗净切成薄片；大白菜摘下叶片，放入沸水锅中烫软，摊开，放入牛肉片，撒上精盐、胡椒粉，用手卷起来，并以瓠瓜丝干绑紧，放入滚水中煮熟，晾凉后切段。

2.将胡萝卜、洋葱去皮，均切成厚片；菜花撕成小朵，洗净后一起放入蒸锅蒸熟，捞出，排放盘中，再放上煮好的牛肉卷，淋上芥末酱即可。

沙锅苦瓜牛肉汤

【食材】苦瓜300克，牛肉150克。

Tips

选购人参 购买人参时要选大的。一般说来，人参越大，有效成分的含量越高，疗效也就越大。在等级、支数相同的情况下，选用体较重者为宜。白参以支大、芦长、体美、皮细、色嫩黄或棕色为优等。红参以红色微透明，纹细密，体态饱满、无破伤者为佳。新鲜人参以支大、浆足、无疤痕、无破伤者为好。

厨房小窍门

【调料】精盐4克,姜片5克,清汤800克,香油3克。

【做法】1.将苦瓜剖开,去尽内瓤,用清水洗净,入开水中氽一下,沥干水分,切成块。

2.将牛肉用水洗净,沥干水分,切成薄片。

3.将沙锅置于旺火上,倒入清汤烧开,放入姜片、精盐、牛肉片、苦瓜块煮熟,即可出锅,再将香油滴入汤盆中搅匀即可。

水煮牛腰肉

【食材】牛腰柳肉200克,莴笋尖100克,芹菜100克。蒜苗100克。

Tips

大黄鱼和小黄鱼的区分 大黄鱼和小黄鱼的外形很相似,但大黄鱼个头比小黄鱼大,其尾柄的长度为尾柄高度的3倍多;臀鳍的第二鳍棘等于或大于眼径,鳞较小、组织紧密,背鳍与侧线间有鳞片8~9个;头大、口斜裂、头部眼睛较大。而小黄鱼体背较高,鳞片圆大,尾柄粗短,口宽上翘,眼睛较小。

厨房小窍门

【调料】花椒3克,精盐4克,酱油10克,肉汤500克,姜末5克,料酒5克,蒜末5克,湿淀粉50克,豆瓣酱100克,干红椒10克,混合油150克。

【做法】1.将牛腰柳肉横筋切成片;蒜苗、芹菜切成段;莴笋尖切成片。

2.将锅置于旺火上,倒入混合油烧热,再放干红椒炸至稍变色,加花椒稍炸起锅,在案板上用刀铡成花椒末、干红椒粉待用。

3.将锅置于旺火上,倒入混合油烧热,放入蒜苗段、芹菜段、莴笋尖片炒断生,放入精盐,起锅装盘垫底。

4.将锅置于旺火上,倒入混合油烧至四成热,放豆瓣酱炒香,加姜末、蒜末炒香后,掺肉汤烧沸出味,打去粗渣,加上精盐、酱油炒匀。

5.将牛腰柳肉片用料酒、精盐、味精、湿淀粉码匀抖散下锅,用筷子轻轻拨散,待牛腰柳肉片伸展熟透,汤汁浓稠后,起锅舀在菜上,把铡细的干红椒粉、花椒粉撒在上面,再淋上烧至七成热的混合油即可。

牛筋煲

【食材】牛筋300克,火腿片100克、去核红枣6颗,甘笋50克。

【调料】姜片3克,花生油20克,蚝油10克、酱油8克、白糖5克、精盐3克,料酒15克,湿淀粉20克,香油3克。

【做法】1.将牛筋用慢火炸透捞出,浸入清水少时,然后用滚水过后待用。

2.将锅置于旺火上,放入花生油烧热,爆香姜片,放入蚝油、酱油、白糖、精盐、料酒、牛筋、去核红枣、甘笋煮开,再加入火腿片用小火煮10分钟,用湿淀粉勾芡,淋上香油即可。

羊肉煮菜

肉块煮烂、牛筋煮化后，将羊腿肉块捞出撕碎，铺放在盘内。

3.煮羊腿肉块的汤过筛，再倒回煮锅内，置于旺火上烧开，收成浓汁，然后浇在撕碎的羊腿肉中，撒上香菜末、蒜末。当汤汁凝结成冻，改刀装盘即可。

京葱羊糕

【食材】羊后腿肉350克，鲜牛筋150克，白萝卜50克。

【调料】料酒20克，精盐5克，酱油10克，胡椒粉1克，葱段8克，姜片4克，香菜8克，蒜末3克。

【做法】1.将鲜牛筋焯水后洗净，放入盆中，放到蒸笼中蒸一下；羊后腿肉焯水后洗净，白萝卜洗净，切块；香菜洗净，切成末。

2.将煮锅置于旺火上，倒入清水500毫升、葱段、姜片、料酒、酱油、胡椒粉、精盐，烧开后再放入羊后腿肉块、牛筋、白萝卜块，待羊腿

白切羊肉

【食材】羊肉500克，白萝卜块250克。

【调料】料酒20克，姜块10克，葱段15克，陈皮5克，姜丝10克，青蒜丝25克，甜面酱25克，辣椒酱10克，香油25克。

【做法】1.将羊肉洗净，切成大块，在水中浸泡3~4个小时，捞出，控水，放到锅中，加清水（没过羊肉），放入白萝卜块，用旺火烧开，去掉油污和膻味后，捞出羊肉，拣出萝卜。

2.锅内另换新水，放回羊肉块，放入葱段、姜块、陈皮，用旺火烧开，撇净浮沫，加入料酒，改用小火煮1.5个小时，煮至羊肉块变酥（以用筷子能戳动为度，不要过烂），将羊肉块捞出，摊平放于平盘中。

3.取一大碗，放入香油、甜面酱、辣椒酱、姜丝、青蒜丝搅拌均匀，调成味汁。

Tips

油发干料时油温不宜过高 有些干货原料质地薄脆，伸缩性大，韧性强，不耐旺火高温，所以在油发时油温不宜过高。特别是刚发制时应使用温油浸炸，让油温逐渐升高，原料缓慢发热，里外一致，然后再升高油温使原料发透。否则，如果油温过高，会使原料卷曲，外焦内生，涨发不匀，失去风味。

厨房小窍门

4.将锅中卤汁再次烧开,撇净浮油,倒在羊肉盘内浸渍,晾凉,食用时取出切成薄片,装在盘内,蘸调味汁吃。

单县羊肉汤锅

【食材】羊肉500克,羊骨200克。

【调料】花椒5克,桂皮5克,陈皮5克,香菜50克,草果5克,姜片10克,白芷5克,葱段10克,精盐5克,红油25克,花椒水15克,丁香粉5克,桂子粉5克,酱油10克,香油25克。

【做法】1.将羊肉洗净切成块,羊骨砸断铺在锅底,上面放上羊肉块,加入清水至没过肉,用旺火烧沸,撇净血沫,将汤滗出不用。

带鱼的选购 新鲜带鱼为银灰色,且有光泽;但有些带鱼却在银白光泽上附着一层黄色物质。这是因为带鱼是一种脂肪较高的鱼,当保管不好时,鱼体表面脂肪因大量接触空气而加速氧化,氧化的产物就是使鱼体表面产生了黄色。购买带鱼时,尽量不要买带黄色的带鱼,如果买了,要及时食用,否则鱼会很快腐烂发臭。

2.另加清水,用旺火烧沸,撇净浮沫;再加上适量清水,沸后再撇净浮沫,随后把羊肉块放入稍煮片刻,再撇一次浮沫。

3.将花椒、桂皮、陈皮、草果、白芷等用纱布包起做成香料包,与姜片、葱段、精盐一同放入锅内,继续用旺火煮至羊肉块八成熟时,加入红油、花椒水,煮2小时左右即可。

4.煮时汤锅要始终保持滚沸,捞出煮熟的羊肉块,顶丝切成薄片,放入碗内,撒上香菜末即成肉汤。

菊花羊肝煲

【食材】鲜羊肝400克,鲜菊花瓣50克,枸杞、熟地各10克,鸡蛋1个。

【调料】色拉油50克,葱末、姜片各10克,精盐3克,味精1克,料酒15克,胡椒粉1克,干淀粉20克,香油3克。

【做法】1.将鲜羊肝洗净,切去筋膜,切成薄片;鲜菊花瓣用清水洗净;枸杞用温水洗净;熟地用温水冲洗一次;鸡蛋去黄留清,加上干淀粉调成蛋清淀粉。

2.将羊肝片放入碗内,加入精盐、料酒、蛋清淀粉拌匀上浆。熟地用清水熬2次,每次收药汁50克。

3.将锅置于旺火上,放入色拉油,烧至六成热,下入姜片爆香,倒入清水1000毫升,烧开,倒入煲内,再加入熟地药汁、精盐、胡椒粉、羊肝片;煮至汤沸时,用筷子轻轻把羊肝片拨散,下入枸杞、菊花瓣,放入味精,撒上葱末,淋上香油即可。

其他畜肉煮菜

五香兔排冻

【食材】兔排骨500克，猪肉皮250克。

【调料】酱油30克，精盐5克，味精2克，白糖
10克，白酒50克，葱段25克，姜片10
克，花椒3克，大料3克，桂皮3克。

【做法】1.将兔排骨用清水浸泡出血水后，
洗净，控干水，剁成块；猪肉皮洗净，切成
小块。

2.将锅置于旺火上，放入白酒、葱段、姜片、
花椒、大料、桂皮，倒入清水（没过兔排骨块），
同时下入兔排骨块和猪肉皮小块，烧开，撇
沫，用旺火滚煮20分钟，煮至兔排骨块断生
（六成熟）时，再放精盐、味精、白糖、酱油，改
用小火煮1个小时，至兔排骨块基本酥烂，提
出兔排骨块，码在大碗中，再入屉用旺火蒸15
分钟，至兔排骨块熟透，取出。

3.将汤锅继续置于旺火上，用小火煮至猪
肉皮块全部溶化于汤汁内，然后用纱布过滤

去渣，倒在盛兔排骨块的碗内，晾凉或放入冰
箱冻成冻状，最后反扣在盘中即可。

五香狗肉

【食材】带骨狗肉500克。

【调料】白酒50克，精盐3克，酱油50克，白糖25
克，姜块（拍松）15克，辣椒粉5克，大料
4克，花椒4克，小茴香2克，甘草2克。

【做法】1.将带骨狗肉放到水盆中刷洗干净，
控干水分，剁成大块，再放入清水中浸泡10
个小时，把带骨狗肉块内部血水全都泡出
后，洗净。

2.将汤锅置于旺火上，倒入清水（没过肉
块为度），投入大料、花椒、小茴香、甘草、姜块
（将这些香料放入布袋扎好）和白酒、精盐、酱
油、白糖、辣椒粉等，烧开后撇净浮沫，滚煮半
小时，成为酱汤。

3.将酱汤锅置于旺火上，把浸泡好的带骨
狗肉块下入，烧开后改用小火煮（汤面爆出沸
而不腾）并不断撇除血沫，煮2个小时，至肉质
酥烂但又不脱骨为止，改刀切成小块，盛盘即
可食用。

Tips

白萝卜宜生食 白萝卜的食用方法大有讲究。白萝卜煮
熟后其有效成分会被破坏，生吃细嚼才能使萝卜细胞
中有效成分释放出来。要注意吃后半个小时内不能进
饮食，以防其有效成分被其他食物稀释。用量是每日或
隔日吃100~150克。

厨房小窍门

禽肉煮菜

鸡肉煮菜

关东煮鸡

【食材】农家鸡1只(约1500克)。

【调料】葱段、姜片各20克,花椒、大料各5克,精盐、料酒各50克。

【做法】1.将鸡整理干净,剁去头、爪,洗净,放入清水锅中,加入葱段、姜片(拍松)、花椒、大料、精盐、料酒,用旺火烧开,撇净浮沫。

2.改用小火煮至熟透,端离火口,用原汤浸泡1~2天使其腌透,取出,放通风处晾干,再放入缸内,盖上盖贮存,如见反潮,取出再晾。食用时切成块,再用汤煨之即可。

白煮鸡

【食材】仔鸡1只(约1000克)。

【调料】葱丝10克,葱段40克,姜丝5克,姜片15克,料酒10克,植物油10克,精盐3克,味精1克。

【做法】1.将仔鸡开膛去内脏,一劈两半,用沸水焯一下,捞出控干水分。

2.将锅置于旺火上,倒入清水,把仔鸡放入,加入料酒、葱段、姜片,烧开后改用小火慢煮至熟,捞出改刀装盘。

3.将炒锅置于旺火上,放入植物油烧热,加入葱丝、姜丝煸炒几下,倒入熟鸡汤,加入精盐、味精调味,倒在仔鸡块上即可。

鸡汤煮干丝

【食材】白豆腐干500克,熟鸡肉丝50克,虾仁50克,熟鸡片25克,熟鸡肝片25克,熟火腿丝50克,冬笋片30克,虾籽2克,豌豆苗10克。

【调料】精盐5克,酱油5克,鸡汤500克,熟植物油40克。

【做法】1.将白豆腐干切成细丝,放入沸水锅中烫透,用筷子轻轻拨散,捞出沥干水分,如此反复浸烫2次,每次2分钟,然后捞出挤去水分;豌豆苗用沸水焯熟。

2.将锅置于旺火上,倒入植物油,将虾仁炒成乳白色盛出。

3.将锅置于旺火上,放入鸡汤、白豆腐干

切原料时怎样按稳原料 在切原料时,要求操作者腰不弯,膝不曲,头不歪,双脚叉开同肩宽,意守双手,目视刀口,左手按原料要呈"蟹爬状",就是左手五指并拢。指尖向手心弯曲,按稳原料,中指关节紧贴刀身,掌部依托在案板或原料上,配合右手,随刀向后移动,有节奏地切制。这样按料稳准有力,便于切制。

Tips

丝、熟鸡肉丝拌匀,将熟鸡片、熟鸡肝片、冬笋片放在锅的一边,加入虾籽、熟植物油煮15分钟,待汤浓时,加上酱油、精盐,再盖上锅盖煮5分钟,然后将锅端离火口,盛出白豆腐干丝放在盘中。

4.将熟鸡片、熟鸡肝片、冬笋片、熟豌豆苗放在白豆腐干丝的周围,加上熟火腿丝和熟虾仁即可。

煮鸡肉丸子

【食材】鸡肉250克。

【调料】牛奶50克,鸡蛋清50克,面包30克,黄油15克,精盐4克。

【做法】1.将鸡肉切成小块,放上用牛奶浸透后挤干的面包,一起用绞肉机绞成肉馅。

2.将肉馅加入鸡蛋清、牛奶、精盐拌匀,用手挤成丸子,放入开水锅内煮熟,食用时配上土豆泥或米饭,浇上黄油即可。

盐水煮鸡胗

【食材】鸡胗500克。

【调料】葱段30克,姜片20克,植物油15克,料酒15克,花椒10克,胡椒粉5克,精盐3克,味精1克。

家兔的宰杀 先把兔嘴撬开,再灌数汤匙食醋,家兔即口吐白沫很快死亡,然后用手挤压家兔小腹部,使残尿排出。宰杀后应立即将其后腿固定在后架上垂直悬吊,使之尽快放血。给兔放血时,可割断鼻腔血管和颈部静脉血管,注意将血放尽,然后等3~4分钟再剥皮。

厨房小窍门

【做法】1.将鸡胗洗净,放入开水中氽一下,捞出洗净控水。

2.将锅置于旺火上,倒入植物油烧热,放入葱段、姜片和花椒爆香,烹入料酒,倒入开水,放入鸡胗、精盐、味精和胡椒粉,烧开后改用小火慢煮,待鸡胗煮熟,捞出切片装盘即可。

煮花椒童子鸡

【食材】雏母鸡1只(约1000克),荷叶1张。

【调料】精盐20克,花椒8克,香油25克。

【做法】1.将雏母鸡洗净,用刀从鸡右翅下开口,取出内脏,洗净血水后控干水;把精盐和花椒放到锅内用小火稍炒一下,炒热盛出晾温,然后用花椒盐在鸡体上和鸡腹部搓匀,放到盆内腌入味,腌10个小时即可。也可以在搓花椒盐后在鸡腹内塞进洗净的荷叶,以增加清香味。

2.将锅置于旺火上,放入清水(没过鸡体),将腌好的鸡再用水洗净后放在锅中,用重物将鸡压在水面下,烧开后撇净浮沫,改用小火微沸煮1个小时,煮至鸡嫩熟,离火晾凉,捞出抹上香油即可。食用时,带骨切成块,或剔骨切成条。

白斩鸡

【食材】肥嫩母鸡一只(约250克)。

【调料】姜末250克,葱丝50克,精盐5克,花生油60克。

【做法】1.将姜末、葱丝、精盐装在一个小碗里,将花生油浇在调料碗内。

2.将母鸡收拾干净,去掉头、爪,放入清水锅内,用小火烧沸,盖上锅盖,使锅水保持似开不开的状态,煮25分钟,期间要熄火2次,每次5分钟,用焖法将母鸡焖熟,取出后用清水投凉。

3.将母鸡肉撕成宽条,装入盘内,同调料一起上桌,蘸食或将调味料浇在母鸡肉条上。

柠香鸡

【食材】净仔鸡1只(约800克),柠檬150克。

【调料】精盐4克,料酒15克,鸡精1克,胡椒粉1克,香油3克,酱油10克,大蒜12克,葱段6克,姜片4克,植物油100克。

【做法】1.将仔鸡洗净后沥干水,用精盐将仔鸡身搓遍,放入盆中,加葱段、姜片腌制4个小时,拣出葱段、姜片不用,再用料酒擦遍仔鸡的全身;将柠檬切片备用。

2.将锅置于旺火上,倒入植物油,烧至八成热,放入腌好的仔鸡,炸至金黄色时捞出沥油。

3.将锅置于中火上,放入香油,油热后放入葱段、姜片煸出香味,再加入料酒、酱油、精盐、鸡精、胡椒粉、清水、柠檬片,调好口味;然后放入炸好的鸡,烧沸后撇净浮沫,改用小火煮熟。

4.离火晾凉,将仔鸡捞出,置于冰箱中存放(煮鸡的汤留用)。食用时将仔鸡改刀装盘,淋上原汁即可。

酸笋煮鸡

【食材】光鸡500克,酸笋200克。

【调料】植物油20克,辣椒10克,姜5克,葱5克,胡椒粉3克,盐4克。

抽打蛋泡糊的窍门 蛋清中的浓厚蛋白有较好的弹性和韧性,所以抽糊刚开始时,动作要慢、要轻,使浓厚蛋白附着在抽制工具上,不然,就会抽打不开而脱落下去,直接影响蛋泡糊的涨发率和使用效果。当浓厚蛋白抽打起来后,即可猛烈抽打,一气呵成,达到最佳效果。

厨房小窍门

【做法】1.将腌好的酸笋洗净,用温水浸泡,直至漂去酸味。

2.光鸡洗净斩大块,放入沸水锅中氽烫5分钟,取出备用。

3.原锅洗净放清水,水开后放入酸笋煮透,然后把准备好的鸡肉放入锅里同煮,待鸡肉煮烂,停火。

4.另取一炒锅洗净下植物油,烧至五六成热时将辣椒、姜和葱放入锅中,煸炒出香味,再把煮好的酸笋鸡连汤倒入锅里,煮滚下胡椒粉、盐调味即可。

煮鸡翅拌桃仁

【食材】鸡翅膀400克,核桃仁75克。

【调料】料酒25克,精盐5克,鸡精1克,白糖4克,香油3克,葱段5克,姜片5克,葱末3克,鸡汤50克,酱油6克,植物油50克。

【做法】1.将鸡翅膀的膀尖斩去,放入沸水中焯一下捞出,再用凉水漂洗,摘去小细毛和杂物,洗净后沥水。

2.将煮锅置于旺火上,倒入清水,再加葱段、姜片、料酒,沸后投入鸡翅膀,煮20分钟即熟;然后将锅离火,加入精盐搅匀,使鸡翅膀浸泡入味;晾凉后,剁去两头的骨节,抽出骨头,放入盆中。

3.将核桃仁用沸水泡一下,撕去外皮。将锅置于旺火上,倒入植物油烧热,投入核

桃仁用小火炸至金黄色捞出,取一半切成细末待用。

4.另取一盆,放入葱末、核桃仁、精盐、鸡精、鸡汤、白糖、香油、酱油调好口味,倒入盛鸡翅膀的盆中拌匀即可。

5.食用时将鸡翅膀整齐的码放在盘中,盘边围上余下的炸核桃仁即可。

清汤鸡块

【食材】母鸡1只(约1000克),白菜200克。

【调料】葱段10克,姜片8克,精盐4克,味精2克。

【做法】1.将母鸡洗净,剁成鸡块;白菜择洗干净,切块待用。

2.将锅置于旺火上,加入清水、母鸡块、葱段、姜片,待汤烧开后转中火将母鸡块煮至熟

怎样使香料充分发挥作用 (1)包装食用。即用纱布缝个小袋,把所有桂皮、大料、花椒等香料按比例装入,使用时放入锅内,用毕捞出晾干,下次再用,一般可用3~5次。(2)做汁用。取肉桂、大料、小茴香、小橘子各5克,苹果1个,木丁香2克,花椒5克,加水1000克熬成汁,过滤后装瓶使用。

烂,汤呈浓白时为止,撇净浮沫,拣去葱段、姜片不用,放入白菜块、味精、精盐,待汤再开,起锅盛入汤碗内即可。

怪味鸡块

【食材】净雏鸡1只(约800克)。

【调料】红油15克,醋8克,白糖15克,酱油8克,麻酱8克,胡椒粉8克,香油8克,精盐5克,味精3克,葱末10克,蒜末10克。

【做法】1.将洗净的雏鸡,放入锅中煮熟,捞出晾凉,剁成长形块(长3厘米、宽2厘米)上碟。

2.将红油、麻酱、胡椒粉调匀,再放入醋、白糖、酱油、香油、精盐、味精,调匀,浇在鸡块上,再撒上葱末、蒜末即成。

咖喱煮鸡块

【食材】嫩鸡500克,土豆100克。

【调料】葱末5克,洋葱末25克,椰丝15克,精盐4克,咖喱粉5克,鸡精2克,植物油75克,鸡汤50克。

【做法】1.将嫩鸡洗净后切块,用植物油煸炒后加水煮熟;土豆用清水煮熟,去皮,切成滚刀块,放入植物油中略炸捞出。

2.将锅置于旺火上,加入植物油,烧至五成热时放入葱末、洋葱末爆锅,待油温降至三成热时,加入咖喱粉炒匀,加入鸡汤、鸡块、土豆块、精盐,先用旺火煮沸,再用小火煮15分钟,加入椰丝和鸡精稍煮即可。

三色鸡鱼丸

【食材】鸡脯肉200克,净鱼肉200克,冬笋25克,菠菜心3棵。

【调料】鸡蛋清3个,鸡蛋黄2个,番茄酱25克,精盐25克,姜末2克,料酒10克,湿淀粉100克,清汤200克,葱油25克。

【做法】1.将鸡脯肉、鱼肉洗净,剔去脂皮,用刀背砸成细泥放入碗内,加入鸡蛋清、精盐、湿淀粉、姜末、料酒,分3份装入3个碗中。一碗加鸡蛋黄搅匀呈黄色;一碗加番茄酱搅匀呈红色,一碗呈白色;冬笋切成片。

2. 汤锅内放入清水,用旺火烧至六成热,将3种颜色的鸡鱼肉泥挤成丸子,放入锅内煮,煮沸后撇净浮沫,熟透捞出,摆入盘内。

怎样制作蟹油 先将蟹黄、蟹肉剔下制成蟹粉,在烧热的油锅里加入与蟹粉等量的植物油,将葱、姜下锅,炸出香味后拣出不用。然后放入蟹粉、料酒,快速拌匀,改用旺火熬制,待锅内出现水花泛起泡沫,改用中火,待油面平静,再用旺火,如此反复直至将水分熬干,装入瓶中,待杂物沉淀即可使用。

厨房小窍门

禽肉煮菜／鸡肉煮菜

3.将炒锅置于旺火上,放入清汤、精盐、冬笋片、菠菜心、料酒,烧沸后撇净浮沫,用湿淀粉勾芡,用葱油调匀,浇在鸡鱼丸上即可。

沙锅珍珠豆腐

【食材】鸡脯肉50克,豆腐200克,水发海参100克,黄蛋糕50克,水发玉兰片25克,嫩菠菜梗25克。

【调料】鸡蛋清1个,酱油10克,精盐5克,味精3克,清汤500克,湿淀粉15克,鸡油3克,花生油25克。

【做法】1. 将鸡脯肉切成丁,加入鸡蛋清、精盐、湿淀粉拌匀;将水发海参、豆腐、黄蛋糕、水发玉兰片均切成丁;菠菜梗切成丁,入沸水锅中氽一下,捞出控净水分。

2.将锅置于中火上,放入花生油,烧至五成热,放入鸡脯肉丁划过,捞出控油。

3.沙锅内放入清汤,加入酱油、精盐、味精,倒入鸡脯肉丁、海参丁、豆腐丁、黄蛋糕丁、玉兰片丁,煮沸后撇净浮沫,淋入鸡油出锅即可。

五香脱骨鸡

【食材】净雏鸡1只(约1000克)。

【调料】姜块15克,饴糖100克,酱油75克,精盐20克,老汤1000克,香料包1个(花

厨房小窍门

椒1.6克,陈皮1.6克),大料3克,小茴香3克,桂皮5克,白芷、肉蔻、草蔻、桂圆、草果、丁香、砂仁各1克,花生油500克(实耗30克)。

【做法】1.将冲烫洗净的雏鸡两腿向后交叉盘入腹内,双翅由颈部刀口处伸进,在嘴内交叉盘出,口衔双翅,体呈卧姿,晾干待用。

2.用饴糖将鸡周身抹匀;锅内放入花生油中火烧至八成热时,将雏鸡放入炸至金黄透红时捞出。

3.将炸好的鸡放入锅内,加入老汤、清水(以漫过鸡为度)、姜块(用刀稍拍)、香料包、酱油、精盐,用铁算子将雏鸡压住,在旺火上烧沸,撇净浮沫,移至微火上焖煮(保持似开非开,但勿沸滚)6~8小时左右。

4.将铁算子取出,用旺火煮沸,用手勺搭住鸡头颈部,轻轻提扣到漏勺内,在汤中冲烫一下,捞出摆好即成。

桃杷鸡卷

【食材】鸡1只(约1000克),枇杷50克,核

桃仁100克,白卤汤750克,枸杞100克。

【调料】植物油200克,香油25克,味精1克,料酒10克,精盐3克,姜丝10克,葱丝10克。

【做法】1.将鸡宰杀后去毛和内脏,洗净,由脊背下刀剔骨,保持整形不破裂。

2.将鸡用精盐、料酒,味精抹匀,加上姜丝、葱丝腌渍3个小时。

3.核桃仁用开水泡后去皮,下植物油锅炸熟,枸杞洗净备用。

4.将鸡肉内的姜丝、葱丝去掉,皮朝下放在案板上理伸,把枸杞、核桃仁混合,放在鸡肉面上卷成筒形,用线捆紧。

5.烧沸白卤汤,放入鸡卷,煮半小时,煮时撇净浮沫。

6.煮好捞出晾冷,解去线,刷上香油,切成圆片即可。

好味鸡

【食材】鸡1只(约1000克)。

【调料】葱丝20克,姜丝20克,酱油25克,白糖15克,姜末15克,精盐30克,料酒15克。

【做法】1.将鸡洗净,抹干,用酱油搽匀鸡皮表面,将姜丝、葱丝、料酒、白糖、姜末、精盐、酱油放入肚内,用小竹签密缝鸡肚,鸡肚向上置于碟内,用微波保鲜纸包好,留一小孔透气。

2.将鸡放入碗内加清水后再放入微波炉内,用高火煮15分钟,取出,把鸡肚内的汁液倒出留用。

3.将鸡斩件上碟,把肚内汁液淋在鸡上即成。

口水鸡

【食材】活鸡一只(约1000克)。

【调料】花椒油10克,红油10克,白糖10克,芝麻酱10克,姜蒜汁30克,香油30克,葱末10克,葱段20克,姜片15克,料酒30克,花椒10克,熟白芝麻20克,熟油辣椒50克,酱油10克,熟花生末25克,醋10克,味精25克,精盐5克。

【做法】1.将活鸡宰杀洗净,去爪和翅尖,投入

烹调如何用姜 (1)烧鱼时,应先将姜切片投入少量油锅中煸炒、炝锅,然后下入鱼煎,再加入水和多种调味品,鱼与姜一起烧煮。好处是煎鱼时不粘锅,且可充分发挥姜的除腥功能。(2)做鱼圆时,应将姜和葱做成汁掺入鱼蓉中,另放其他调味品搅拌上劲,挤成鱼圆。这样做出的鱼圆鲜香滑嫩,色泽洁白,切勿将姜切末使用。

Tips

禽肉煮菜＼鸡肉煮菜

沸水中氽去血水,然后捞起用清水冲洗干净。锅中加清水烧到70℃时放入鸡,下入葱段、姜片、花椒、料酒、精盐,煮至刚断生时起锅,放入冷汤中浸泡,待冷后捞起,斩切成条形装入凹形盛器中。

2.将酱油、姜蒜汁、芝麻酱、油辣椒、花椒油、白糖、醋、味精、红油、香油于碗中,兑成汁淋在鸡条上,撒上白芝麻、熟花生末、葱末即可。

葱油鸡

【食材】嫩光鸡1只(约1000克)。

【调料】葱段10克,葱白10克,姜片10克,精盐4克,白糖5克,料酒25克,味精1克,香油3克。

【做法】1.将整嫩光鸡洗净,取下鸡脯肉留作别用,再将鸡从背部剖开,用刀背拍断鸡大腿

骨和鸡翅骨。将整鸡放入沸水锅中氽一下,去掉血水,取出。

2.将锅置于旺火上,倒入清水,放入整鸡、葱段、姜片、料酒,再烧开后,改用小火煮20分钟,撇净浮沫,关火,晾凉。

3.将葱白切末放在碗内,备用。

4.将锅置于旺火上,倒入香油,烧热后浇在葱白末上,再放入少量冷鸡汤、精盐、白糖、味精拌匀成汁。

5.食用时将鸡切成块装盘,浇上制好的汁即可食用。

手撕鸡

【食材】柴鸡半只(约800克)。

【调料】酱油25克,葱段10克,姜丝10克,料酒10克,蚝油45克,白糖15克,胡椒粉1克,花生油15克,清水450毫升。

【做法】1.将柴鸡洗净,抹干水分,涂上调味料,放入热油中炸上色捞出。

2.用花生油爆香葱段、姜丝,焦黄时捞出,烧开后放入柴鸡,改用小火煮20分钟,取出放凉。

3.用手将柴鸡肉撕下,去皮、去骨后撕成条状,排入盘内,另将剩余的汤汁淋入少许即可食用。

沙锅人参鸡

【食材】嫩母鸡1只(约500克),人参5克。

怎样配制麻辣汁 先将10粒花椒放在锅内焙至焦黄,擀为末,再将香油25克放入锅内烧热,投入辣椒糊9克,芝麻仁5克,煸炒出红油,待发出香味时倒入碗中,加酱油25克以及精盐、味精、白糖少许,最后撒上花椒末调匀即可。此汁可用来拌食各种畜、禽肉,利胃可口。

【调料】猪油75克,葱段20克,料酒15克,姜片10克,精盐3克,味精1克,奶汤1000克。

【做法】1.将人参洗净,切成薄片;母鸡收拾干净,放入开水锅中汆熟,捞出控水。

2.将锅置于旺火上,放入猪油烧热,放入葱段、姜片爆香,烹入料酒,加入奶汤、精盐。烧沸后,拣去葱段、姜片不用,将汤倒入沙锅内,再把母鸡和人参片放入沙锅,改用小火慢煮至肉烂,撇去浮油,撒上味精,连锅上桌即可。

辣味酱凤爪

【食材】净肉鸡爪500克。

【调料】葱段30克,姜片20克,酱油15克,植物油10克,豆瓣酱10克,料酒10克,白糖10克,陈皮5克,精盐4克,胡椒粉3克,大料2克,味精1克。

【做法】1.将肉鸡爪收拾干净,放入开水中焯一下,捞出。

2.将锅置于中火上,倒入植物油烧热,加入豆瓣酱,煸炒出香味,再放入葱段、姜片、酱油、料酒、大料和陈皮,倒入清水烧开,把肉鸡爪、精盐、白糖、味精和胡椒粉放进锅内,烧开

后,改用小火慢煮,待肉鸡爪煮熟,捞出晾凉即可。

椒麻鸡片

【食材】鸡脯肉250克,粉皮2张。

【调料】酱油10克,醋6克,白糖5克,味精1克,花椒8粒,香油3克,葱末5克。

【做法】1.将粉皮切成条(宽2厘米)。

2.将锅置于旺火上,倒入清水,水开后下入粉皮烫透、抖散,捞起沥干,晾凉后装盘。

3.再将锅置于旺火上,倒入清水,水开后放入鸡脯肉,煮熟后切成薄片,放在粉皮条上。

4.将花椒粒放入锅中炒出香味,出锅碾成粉末。

5.将花椒粉、葱末一起放入小碗内,加上酱油、醋、白糖、味精、香油调匀,浇于鸡脯肉片、粉皮条上即可。

沙锅鸡清汤

【食材】母鸡1只(1000克),猪肘子肉500克。

【调料】精盐10克,味精6克,料酒15克,葱末10克,姜末10克。

【做法】1.将母鸡宰杀后,去净毛、内脏。把鸡脯肉及鸡里脊肉(鸡柳)剔下,同猪肘子肉一

禽肉煮菜 / 鸡肉煮菜

Tips

怎样给原料上糖色 给原料抹糖色时,要趁热进行。这是由于原料经水煮烫后,皮层组织的毛孔扩散,糖色易于沾挂均匀,并能很快地渗透到皮层中去。同时由于皮面热时带有较多的黏性胶质,此时抹糖色也能沾得牢固,再炸制时糖色不会脱落,成品色泽红润,鲜艳美观。

起下入沙锅内,加入清水烧开,撇净浮沫,改用小火煮 3 个小时。

2. 将鸡脯肉和鸡里脊肉去净筋及油脂砸成鸡蓉,加入清水调稀,放入葱末、姜末、味精、精盐、料酒备用。

3.将煮好的鸡汤滤净碎骨肉,撇去浮油,烧开,把调好的鸡蓉倒入汤内搅匀,烧开后再撇净油沫等杂质,即成鸡清汤。

清汤珍珠鸡丸

【食材】鸡脯肉200克,鸡蛋清2个,冬笋50克,水发冬菇50克,火腿50克,青豆30克。

【调料】味精4克,精盐5克,高汤1000克。

【做法】1.将鸡脯肉先切碎,剁成蓉,放入碗中,加入鸡蛋清、味精、精盐搅匀,再用力打上劲成鸡浆。

2.将鸡浆挤成小丸子,一边做一边下锅,用小火煮熟即成珍珠鸡丸,取出。

3.将火腿、冬笋、水发冬菇均切成同青豆大小相同的小丁,与青豆一起下开水锅焯一下捞起,放在汤碗内。

4.锅内倒入煮沸的高汤,加入味精、精盐,

放入珍珠鸡丸再煮一下取出,放在冬菇丁等料上面即可。

德式鸡肉汤

【食材】熟鸡肉250克,大米、菜花、胡萝卜、洋葱、芹菜各50克。

【调料】精盐4克,鸡汤1000克,味精2克,胡椒粉1克。

【做法】1.将菜花、胡萝卜、洋葱洗净,胡萝卜、洋葱切小丁,菜花摘小朵;熟鸡肉切丁。都放在鸡汤内煮 20 分钟待用。芹菜切末。

2.将锅置于旺火上,把鸡汤倒入烧开,加入大米再煮1个小时,加精盐、味精、胡椒粉调好口味,撒上芹菜末即可。

花生煮鸡脚

【食材】花生米150克,新鲜鸡爪100克。

【调料】姜片5克,精盐4克,植物油20克,胡椒粉1克,料酒25克,酱油10克。

【做法】1.将花生米用温水略泡,洗净,沥干水分;新鲜鸡爪用沸水烫透,脱去黄皮,斩去爪尖,洗净备用。

2.将锅置于旺火上,倒入植物油烧热,放入鸡爪爆炒,再放入姜片,倒入清水,然后放入精盐、料酒,用旺火煮开10分钟,放入花生米,再煮10分钟,改用中火,撇净浮沫,待鸡

爪、花生米熟透时,滴入酱油,撒上胡椒粉,起锅即可。

蒲菜煮鸡羹

【食材】鸡脯肉150克,蒲菜250克,猪肥肉、鸡蛋清、火腿末各50克。

【调料】葱姜汁10克,料酒15克,精盐4克,味精1克,植物油20克,香油4克,湿淀粉15克,大米粉50克,鸡汤250克。

【做法】1.将鸡脯肉、猪肥肉洗净,分别剁成蓉,用刀背拍细;蒲菜洗净,投入沸水中氽一下,洗净,切成丁。将鸡蓉中加入大米粉,用鸡汤稀释后,用纱布过滤取残渣,再加入鸡蛋清、精盐、葱姜汁、料酒、湿淀粉搅和成稀糊状。

2.将锅置于旺火上,倒入植物油,烧热,加鸡汤烧沸,再徐徐倒入鸡蓉糊,不断搅拌至黏稠,再放入蒲菜丁,加精盐、味精继续搅拌,淋入香油,装入汤碗,撒上火腿末即可。

苦瓜煮鸡腿

【食材】土鸡腿1只(约200克),红枣、黑枣、枸杞各15克,苦瓜干50克。

【调料】米酒30克,精盐3克。

【做法】1.将土鸡腿洗净切块,放入沸水中氽透,捞出后再洗净。

2.将苦瓜干、红枣、黑枣、枸杞用清水浸泡半小时后放入沙锅,再放入土鸡腿块以中火煮15分钟。

3.最后加入米酒、精盐再滚煮3分钟即可。

沙锅淮山乌鸡汤

【食材】乌鸡半只(约750克),淮山药600克,香菇10个,红枣25克。

【调料】精盐4克,香油5克。

【做法】1.将乌鸡洗净,切成块,放入沸水中氽烫,捞起后再洗净。

2.红枣泡水至膨胀;香菇整个洗净、泡温水,去蒂,备用;淮山药去皮、切块。

3.将香菇、红枣、乌鸡块放入沙锅内,加冷水用中火煮15分钟,再加入淮山药块,一起煮至淮山药块松软,最后加入精盐、香油即可。

香菇母鸡汤

【食材】母鸡1只(约1000克),香菇150克,油

防止鱼肉碎的技巧(一) (1)切鱼块时,应顺鱼刺方向下刀。油炸前,在鱼块中放几滴醋、几滴酒,然后放置三五分钟,这样炸出来的鱼块香而味浓。(2)盛盘时,不要用筷子夹取,应小心把鱼倒入盘中或用铲子盛取。(3)不能加锅盖也不可开大火,且边烧边把汤汁淋在鱼上,可使鱼肉不致烧烂。

Tips

菜50克,胡萝卜50克。

【调料】姜块15克,葱白10克,料酒20克,精盐4克。

【做法】1.将母鸡宰杀后去毛、内脏,整理干净,剁下鸡颈和鸡爪,一同放入沙锅内,倒入清水(要没过鸡),将姜块放入锅内,盖上锅盖后用旺火烧开,撇净浮沫,加入料酒、精盐。

2.将葱白洗净,切成段放入锅内;胡萝卜洗净,切成片放入锅内;香菇洗净,用热水泡软后也放入锅内(泡水也可倒入锅内),用中火将母鸡煮烂。

3.将油菜洗净切段,放入母鸡汤内煮开5分钟,拣去葱白段、姜块不用;将鸡头、鸡颈、鸡爪捞出即可。

京葱煮鸡翅

【食材】鸡翅500克,京葱100克。

【调料】姜片5克,酱油20克,味精5克,植物油100克,白糖10克,葡萄酒25克,料酒50克。

【做法】1.将鸡翅洗净,拔去细毛,斩去翅尖,再将每只翅膀切成两段。京葱去头,切成长丝。

2.炒锅置旺火上,下植物油烧热后放入鸡翅膀,煸炒至断生、皮呈黄色时倒入漏勺。

3.炒锅留少量底油烧热,先入京葱煸炒成金黄色后,再将鸡翅回锅,加入料酒、酱油、白糖、姜片、清水,烧沸后撇去浮沫,加盖,用微火煮至鸡翅肉将离骨时挑去姜片,加入味精、葡萄酒烧沸即成。

沙锅鸡肉莲藕汤

【食材】老母鸡1只,莲藕500克,大枣4枚。

【调料】生姜10克,精盐3克。

【做法】1.老母鸡宰杀后去毛、皮、内脏及油脂,斩去头、爪,洗净。

2.莲藕、生姜和大枣洗净;莲藕切块,生姜去皮切片,大枣去核。

3.沙锅内注入适量清水烧开,放入鸡、莲藕块、姜片、大枣,烧开后撇净浮沫,用小火炖约3小时,加精盐调味即可。

竹荪煮草鸡

【食材】草鸡500克,竹荪200克,火腿片50克,嫩青菜心150克。

【调料】料酒、盐各10克,味精、葱段、姜片和胡椒粉各5克。

【做法】1.将草鸡宰杀后,洗净,投入开水锅

防止鱼肉碎的技巧(二)(1)烧前先炸一下鱼。炸前在鱼身上裹一层薄薄的蛋黄液,炸时油温宜高不宜低,炸到鱼身颜色泛黄即可。(2)烧鱼火力不宜太大,加水不宜多,稍淹没锅中的鱼为宜。汤开后,改用小火慢煨,汤浓、有香味即可。(3)尽量少翻动,粘锅时,将锅端起轻轻晃动冷却片刻即可。

厨房小窍门

中汆一下，漂洗干净；竹荪用冷水泡开后切成段。

2.原锅洗净，放入草鸡、竹荪和火腿片，加入清水2000毫升，再下料酒、盐、胡椒粉、葱段、姜片，武火煮沸，改用文火煮至鸡肉酥烂，下嫩青菜心，撒入味精，略滚即成。

沙锅鸡肉冬瓜汤

【食材】鸡1只，冬瓜1000克。

【调料】生姜20克，精盐适量。

【做法】1.将鸡宰杀，去毛、内脏及皮，放入开水锅中煮5分钟，捞出，沥水，去头、爪，切块。

2.冬瓜洗净(保留冬瓜皮、冬瓜瓤和冬瓜仁)，切块；生姜去皮，切片。

3.沙锅内加清水，用旺火煮至水开，放入鸡块、冬瓜块和瓜瓤、瓜仁、姜片，待水再开时撇去浮沫，改用中火煮至鸡块熟烂，用精盐调味即可食用。

凤爪阿胶

【食材】鸡爪8只，阿胶150克，香菇30克。

【调料】姜10克，精盐适量。

【做法】1.将鸡爪斩去趾甲，洗净，入沸水锅中焯一下，捞出洗净。

2.阿胶用清水浸软后切块；香菇浸软洗净；姜去皮切片。

3.锅内注入适量清水，用旺火烧开，放入鸡爪、阿胶、香菇、姜片，改用中火煮2小时至阿胶溶化、鸡爪熟透，待汤汁浓稠时下精盐调味即可。

山楂煮鸡翅

【食材】鸡翅500克，山楂30克。

【调料】料酒10克，生姜5克，葱10克，精盐3克，味精2克，高汤800克。

【做法】1.鸡翅洗净，去毛桩，入沸水锅中汆烫一下后捞出。

2.将山楂洗净，切片；生姜拍松，葱切段。

3.将鸡翅、山楂、生姜、葱同放沙锅内，加入料酒、高汤，置旺火上烧沸，再用小火炖煮35分钟，加入精盐、味精即成。

洋葱煮鸡丁

【食材】鸡肉250克，大米饭25克，洋葱30克。

【调料】植物油15克，湿咖喱粉5克，鸡汤250克，面粉、盐、辣椒粉少许。

怎样选购淡菜 淡菜是海蚌的一种，又名贻贝，煮熟去壳晒干而成，因煮制时没有加盐，故称淡菜。淡菜味道极鲜，营养也很丰富，它所含蛋白质、碘、钙和铁都比较多，但所含脂肪很少。只有与肉同烧，才能相互调制，相得益彰，一般不宜单独做菜吃。淡菜个体越大越好，质嫩，肉肥，味鲜。

厨房小窍门

禽肉煮菜／鸡肉煮菜

215

【做法】1.将洋葱、鸡肉切成小丁。

2.炒锅内放植物油烧热,加入洋葱丁,炒至金黄色时,放入面粉和湿咖喱粉炒热,倒入鸡汤煮沸,加入盐、辣椒粉,再将鸡肉丁、大米饭倒入汤内煮5分钟即可。

沙锅菠萝苦瓜鸡腿

【食材】鸡腿2只,罐头菠萝100克,苦瓜50克,香菇5朵。

【调料】精盐少许。

【做法】1.将苦瓜去皮,剖开去瓤,切成大小适中的块状;香菇用水泡软,去蒂切片;菠萝也切成小片。

2.鸡腿肉洗净去皮,剔除筋膜,剁成小块。

3.沙锅内注入适量清水烧开,将鸡肉块投入,煮约30分钟后改小火,加入菠萝片、苦瓜块和香菇片,煮1小时至鸡肉熟透时,加精盐调味即可。

碧螺煲鸡丝

【食材】鸡胸肉150克,碧螺春茶叶15克,豌豆苗10克。

【调料】料酒10克,鸡蛋清20克,淀粉15克,精盐3克,鸡汤适量,胡椒粉少许。

【做法】1.鸡胸肉去皮,剔净筋膜,洗净,切成5厘米长的细丝;豌豆苗择洗干净。

2.将鸡丝放入碗内,用精盐、料酒、胡椒粉、鸡蛋清、淀粉调好并腌渍入味;锅中放入清水烧开,加入腌渍过的鸡丝焯熟,捞出后沥净水。

3.将碧螺春茶叶放在杯中,先用少许开水泡一下,滤去水,再用开水泡3分钟,备用。

4.鸡汤放锅内烧开,加入熟鸡丝,再放入精盐、茶水,煲至收汤撒上豌豆苗稍煮即成。

黄芪煲鸡

【食材】鸡胸肉500克,黄芪10克,香菇3朵,豌豆荚20克。

【调料】葱20克,生姜5克,精盐2克,味精1克,胡椒粉3克,香油、淀粉各适量。

【做法】1.将鸡胸肉去皮,切成薄片,放碗内,用精盐、胡椒粉、淀粉拌匀上浆备用。

2.豌豆荚去筋;香菇用温水泡发后,去蒂;葱与生姜分别洗净切末。

3.煲内注入适量清水,放入黄芪和鸡肉片,

食物的搭配(一) (1)芝麻配海带:把它们放在一起煮,能起到美容、抗衰老的作用。因为芝麻中的亚油酸有调节胆固醇的功能,能改善血液循环,促进新陈代谢。海带含有钙和碘,能对血液起净化作用。(2)猪肝配菠菜:猪肝、菠菜都具有补血的功能,一荤一素,相辅相成,对治疗贫血有奇效。

厨房小窍门

煮开后依次加入香菇、豌豆荚、葱生姜末，煮至鸡肉熟透，再用胡椒粉、味精、香油调味即可。

乌鸡红豆汤

【食材】乌鸡1只，红豆150克。

【调料】黄精20克，陈皮10克，精盐适量。

【做法】1.红豆、陈皮用水浸透，洗净；黄精洗净。

2.乌鸡宰杀，去毛和内脏后洗净。

3.汤煲内注入适量清水，上火烧开，将乌鸡、红豆、黄精、陈皮同放锅内，煮开后撇净浮沫，改用中火煮3小时，下精盐调味即可。

乌鸡绿豆汤

【食材】乌鸡1只（约1000克），绿豆150克。

【调料】料酒10克，姜5克，葱10克，精盐3克，味精2克，胡椒粉2克，香油少许。

【做法】1.将绿豆淘洗干净，用清水浸泡 2 小时，捞出沥水。

2.将乌鸡宰杀后，去毛桩、内脏及爪，斩成小件；姜切片，葱切段。

3.将乌鸡、绿豆、姜片、葱段、料酒同放炖锅内，加清水，置旺火上烧沸，再用小火煮35分钟，加入精盐、味精、胡椒粉、香油即成。

乌鸡茯苓汤

【食材】净乌鸡半只，茯苓15克。

【调料】陈皮10克，白术、山药各15克，紫河车粉5克，生姜10克，精盐适量。

【做法】1.将乌鸡洗净，斩成小件。

2.生姜去皮洗净，切片；山药去皮，洗净，切块。

3.汤煲内注入清水，上旺火烧开，先将乌鸡放入锅内，待沸后撇净浮沫，再放入陈皮、白术、山药、茯苓、姜片，改中火煮约60分钟，待乌鸡熟烂时，将汤倒出，冲入紫河车粉，加入精盐，搅匀后即可饮用。

芝麻枸杞乌鸡汤

【食材】乌鸡1只，黑芝麻100克，枸杞50克，红枣4枚。

【调料】生姜10克，精盐5克。

【做法】1.将黑芝麻洗净，放入干锅内炒香；枸杞洗净，用温水浸泡回软。

2.乌鸡宰杀后去毛和内脏，冲洗干净；姜去皮，洗净切片；红枣去核洗净。

3.煲内注入适量清水烧开，将上述原料放入，用中火煮3小时，下入精盐调味即可。

食物的搭配(二) (1)牛肉配土豆：牛肉营养价值高，并有健脾胃的作用。但牛肉粗糙，有时会破坏胃黏膜，土豆与之同煮，不但味道好，且土豆含有丰富的维生素，能起到保护胃黏膜的作用。(2)羊肉配姜：羊肉补阳生暖，姜驱寒保暖，相互搭配，暖上加暖，可以治寒腹痛。

厨房小窍门

禽肉煮菜／鸡肉煮菜

鸭肉煮菜

3.煮鸭子的汤汁也同时离锅(下次再用),待鸭子冷却后,再浸入汤汁内,临吃时取出,切成长方块装盆,浇上少许卤汁即可。

盐水鸭

【食材】鸭子1只(约1300克)。

【调料】精盐25克,葱段、姜丝各15克,花椒5克,料酒25克,味精3克。

【做法】1.将鸭子内脏去净,清洗后,在鸭子腹壁里外抹上精盐,腌2小时。

2.将锅烧热,倒入清水,放入花椒、精盐、葱段、姜丝,将鸭子下锅,烧开后改用小火煮至四成熟时,再加入料酒、味精,继续煮至鸭子全熟时取出。

丁香鸭

【食材】鸭子1只(约1200克)。

【调料】丁香5克,肉桂5克,豆蔻5克,姜15克,葱段20克,精盐3克,卤汁500克,冰糖30克,味精1克,香油25克。

【做法】1.将鸭子宰杀后,去毛和内脏,洗净。

2.将丁香、肉桂、豆蔻用水煎熬两次;每次水沸后20分钟即可滤去药汁,取两次药汁合并倒入锅内,姜洗净拍破,同葱段、鸭子一起放锅中,鸭子淹没在药汁中,用小火煮至六成熟,捞起稍凉,再放入卤汁锅内,用小火卤熟后捞出。

3.取适量卤汁放入锅内,加精盐、冰糖、味精拌匀,放入鸭子,在小火上边滚边浇卤汁,直到卤汁均匀地粘在鸭子上,色泽红亮时取出,抹上香油,切块装盘即可。

芥末鸭掌

【食材】仔鸭掌20对,芥末25克,粉皮丝100克。

烹调如何巧用水 在煮肉、煮鱼时,应用沸水下锅,这是因为肉类原料传热性能较差,沸水下锅可使其表面骤遇高温而突然紧缩,使原料内部营养物质及氨基酸减少外溢,从而保持营养及风味。特别是鱼比较鲜嫩,用沸水下锅还可以保持形体的完整。

厨房小窍门

【调料】精盐5克,酱油3克,味精1克,醋5克,葱段25克,姜片15克,料酒15克,肉汤5克,香油10克。

【做法】1.将仔鸭掌去粗皮,洗净放入锅内,加水煮熟透,捞出用凉开水漂凉后,从鸭掌背部剖开,抽去筋骨,斩去爪尖和上部关节。芥末盛入小杯内,加开水搅匀,用湿纸封严杯口。

2.在锅内放少许清水和葱段、姜片、料酒,煮沸后放入鸭掌氽一下,除去臊味,用凉开水漂凉,沥干水分,放入盘中(粉皮丝垫底)。

3.取碗,放入芥末糊、精盐、味精、醋、香油、酱油、肉汤,调匀后成味汁,浇在鸭掌上即可。

盐水鸭肫

【食材】鸭肫10个。

【调料】精盐3克,米酒20克,葱段10克,姜片8克,花椒3克,植物油15克。

【做法】1.将鸭肫洗净,加上精盐抓拌一下,腌5分钟。

2.将锅置于旺火上,放入植物油烧热,放入花椒粒炒香,放入鸭肫,再加入米酒、葱段、姜片,倒入清水,盖上锅盖煮3分钟,熄火再焖一下。

3.待鸭肫放凉,切成薄片,即可盛出。

菊花鸭肫

【食材】鸭肫400克。

【调料】精盐4克,料酒25克,白酒10克,花椒2克,葱段6克,姜片5克。

【做法】1.将鸭肫洗净,将精盐和花椒放入无油的锅中炒透,晾凉,搓擦在鸭肫上,再撒些白酒拌匀,然后用重物压上,压至平扁。

2.将腌好的鸭肫取出洗净,焯水后再洗一次。

3.将煮锅置于旺火上,加清水、葱段、姜片、料酒、精盐,烧沸后投入鸭肫,改用小火煮熟。

4.离火后待其晾凉,将鸭肫捞出,切片装盘即可。

醋椒鸭架煲

【食材】鸭骨架350克,鸭头50克,鸭翅膀100克,黄瓜75克,香菜50克。

【调料】精盐5克,鸡精2克,胡椒粉1克,醋10克,香油4克,料酒5克,鸭油20克。

【做法】1.将鸭骨架、鸭头、鸭翅膀洗净,放入煲锅中,倒入清水(1000毫升)煮半小时。黄瓜切成片;香菜切成末。

Tips

荤菜怎样装盘 烹制鸡、鸭、鱼、肉等荤料菜肴装盘时,要衬以时令蔬菜,如白菜、油菜、韭黄、菠菜等垫底。这样装盘可以衬托出荤菜肴的鲜味,荤素并存,相得益彰。另外,应先装盘后浇入卤汁,即是"蒙汁法",便于主料整理、拼摆、造型和点缀。

厨房小窍门

禽肉煮菜／鸭肉煮菜

2.煲内倒入鸭油,然后放入胡椒粉、料酒、精盐、黄瓜片,待锅开后撇净浮沫,加入鸡精、醋、香油,撒上香菜末即可。

山楂麦芽鸭肾汤

【食材】鸭肾4只,山楂30克,麦芽50克,猪瘦肉150克,鸡内金5只。

【调料】精盐、香油各少许。

【做法】1.将鸭肾剖开洗净,不要剥去鸭肾衣;猪瘦肉洗净切块,入沸水锅中氽烫一下,捞起备用。

2.山楂、麦芽、鸡内金用温水浸软后洗净,置于干净纱布袋内,扎紧袋口。

3.炖锅内注入清水,置于旺火上烧开,倒入上述材料,先用中火煮90分钟,再改用小火炖煮90分钟,捞出纱布袋,下香油、精盐调味即可。

荸荠松子鸭丁

【食材】熟烧鸭胸肉500克,荸荠100克,熟松子仁30克,熟火腿25克,黑木耳20克。

【调料】精盐、鸡汤各适量。

【做法】1.将鸭胸肉切成丁。

2.熟火腿切成丁;荸荠削皮后也切成丁;黑木耳泡发好后撕成小片。

3.鸡汤注入沙锅内,上火烧开,将荸荠、木耳倒入略煮,再放入火腿丁、熟鸭丁、精盐煮沸,撇净浮沫,再放入熟松子仁即成。

蘑菇莲子鸭汤

【食材】鸭肉250克,蘑菇100克,鲜莲子50克,丝瓜30克。

【调料】料酒、葱段各10克,精盐3克,味精、胡椒粉各2克,姜2片,植物油、清汤各适量。

【做法】1.将鸭肉洗净,切成粒,下沸水锅略氽一下捞起,放入深碗内,加入适量清汤、精盐、料酒、姜片、葱段,上屉蒸半小时后取出,撇去浮沫备用。

2.鲜莲子去壳,下沸水锅中焯一下,去莲衣、莲心备用。

3.丝瓜刮去外衣,洗净切粒;蘑菇去杂质,也洗净切粒。

板栗贮存方法(一) 将板栗装在塑料袋中,放在通风好、气温稳定的地下室内。当气温在10℃以上时,要将塑料袋口打开;当气温在10℃以下时,要把塑料袋口扎紧保存。初期每隔7~10天就翻动一次,一个月后,翻动次数可适当减少。

4.炖锅入植物油烧热,烹入料酒,加入清汤、鸭肉、莲子、蘑菇烧滚,下精盐、味精、胡椒粉,最后下丝瓜烧至入味即可。

冬瓜荷叶鸭

【食材】净鸭1只,冬瓜1000克,荷叶1片,去心白果150克,芡实100克。

【调料】陈皮10克,精盐5克,植物油适量。

【做法】1.将鸭去残毛桩和内脏,洗净后切3厘米见方的块;冬瓜连皮去瓤,洗净切大块。

2.白果、芡实淘洗干净,用清水浸泡发胀;荷叶洗净,切成几大块;陈皮浸软洗净。

3.锅内下入植物油烧热,将鸭肉放入翻炒几下,出锅晾凉。

4.炖锅放适量清水,下入冬瓜,水煮开后放入鸭块、荷叶、白果、芡实、陈皮,煮约3小时,下精盐调味即可。

野鸭山药汤

【食材】野鸭1只,山药250克。

【调料】料酒10克,姜5克,葱10克,精盐3克。

【做法】1.野鸭去毛及内脏,洗净后放入锅内,加入适量清水煮熟,捞出待凉,去骨切丁,原汤留用。

2.山药去皮,洗净切碎;姜切片,葱切段。

厨房小窍门

3.将山药与鸭丁一起倒入原汤内,加入料酒、姜片、葱段、精盐,继续煮沸成汤即可。

薏仁鸭肉煲

【食材】鸭肉300克,薏仁50克。

【调料】料酒10克,生姜5克,葱10克,盐3克,味精2克,香油少许。

【做法】1.鸭肉洗净,去残毛桩,切3厘米见方的块。

2.薏仁洗净,除去杂质;生姜拍松,葱切段。

3.将薏仁、鸭肉、生姜、葱、料酒同放炖锅内,加清水,先置旺火上烧沸,再改用小火烧煮35分钟,加入盐、味精、香油即成。

其他禽肉煮菜

姜汁卤乳鸽

【食材】鲜乳鸽1只（约500克）。

【调料】葱段30克，姜片20克，植物油15克，甜面酱10克，料酒10克，酱油10克，白糖10克，胡椒粉1克，精盐3克，陈皮3克，花椒3克，大料2克，味精1克。

【做法】1.将乳鸽收拾干净，放入开水中氽一下，捞出控水。

2.将锅置于中火上，放入植物油烧热，放入甜面酱煸炒出香味，烹入料酒、酱油，放入白糖、胡椒粉、精盐、味精、花椒、大料和陈皮，倒入开水，再把乳鸽和葱段、姜片放进锅里，烧开后，改用小火慢煮，待乳鸽煮至软烂捞

出，晾凉即可。

鸽子羹

【食材】鸽子1只（约500克），鸡肉150克，烫熟青菜50克。

【调料】精盐3克，胡椒粉2克，葱末8克，鸡汤1000克。

【做法】1.将鸽子宰杀，去毛、内脏、脚爪，洗净，放入沸水中氽一下，捞出剔骨，鸽肉切丁；鸡肉洗净，投入沸水中氽一下，捞出，切丁。

2.将锅置于旺火上，倒入鸡汤，放入鸽肉丁、鸡肉丁、精盐、胡椒粉、葱末，用小火煮至肉烂，再加入烫熟青菜（切碎），盛入碗内即可。

鹌鹑汤

【食材】鹌鹑10只，水发香菇50克，冬笋50克。

【调料】精盐5克，味精3克，料酒15克，陈皮10克，葱段20克，姜片20克。

【做法】1.将鹌鹑宰杀，去毛、内脏，用剪刀剪去脊骨，去血块，洗净；水发香菇去蒂洗净，切片；冬笋洗净，切成薄片；陈皮洗净，切成细丝。

2.将鹌鹑放入锅中，倒入清水，用旺火烧开，翻身稍煮一下，取出，用温水洗净血沫，再

料酒的使用　料酒又叫黄酒、绍酒（因浙江绍兴产的品质最好而得名）。在烹调中，料酒的主要功能是除腥味。白酒、果酒也有同样的作用，但白酒的酒精含量多，加热后含有残留的酒气，影响菜的味道，所以，除对腥味很大的原料用它腌渍浸泡去腥外，一般不用；果酒去腥效力差，只能用于某些菜增加清香味。

厨房小窍门

放进沙锅内,上面放上香菇片、冬笋片、陈皮丝,加入葱段、姜片、精盐、味精、料酒,再倒入用网筛滤过的煮鹌鹑的原汤,盖上锅盖,改用小火煮2个小时即可。

鹌鹑鲜奶汤

【食材】鹌鹑3只,脱脂牛奶500克,红枣3枚。

【调料】生姜2片,精盐适量。

【做法】1.鹌鹑宰杀后去毛净膛,洗净,放沸水锅内氽烫一下,再用清水洗净,沥水备用。

2.红枣用温水浸软去核,洗净沥水。

3.炖锅内注入适量清水烧开,将鹌鹑、大枣、姜片放入,盖严,用旺火煮约2小时,至鹌鹑肉烂时再加入牛奶,再煮约15分钟,下精盐调味即可。

参芪鹌鹑汤

【食材】鹌鹑2只,党参、北芪各40克,红枣4枚。

【调料】姜10克,精盐适量。

【做法】1.将鹌鹑宰杀后洗净,去毛、内脏,再洗净切块。

2.姜去皮切片;红枣洗净去核;北芪、党参分别洗净。

3.锅内注入适量清水,用旺火煮至水开,放入鹌鹑、红枣、北芪、党参、姜片,待水再开,撇净浮沫,改用中火煮3小时,下精盐调味即成。

小米鹌鹑汤

【食材】鹌鹑1只,小米100克,蛋清30克。

【调料】姜10克,淀粉、料酒各5克,精盐3克,清汤适量,香油少许。

【做法】1.鹌鹑整理干净,抹干水起肉,鹌鹑骨放入滚水中煮5分钟,取出洗净;鹌鹑肉切小粒,加入淀粉、蛋清、精盐搅匀。

2.小米洗净,用汤匙碾碎成蓉;姜去皮切片。

3.锅内注入适量清水,放入鹌鹑骨、姜片煮滚,改用小火煮1小时,取汤备用。

4.把小米蓉放入锅内,下入清汤煮滚,用料酒、精盐调味,再加入鹌鹑肉和鹌鹑骨汤,待鹌鹑肉熟后,淋上香油即成。

冬莲荷叶鹌鹑汤

【食材】鹌鹑2只,冬瓜500克,莲子30克,红豆20克,嫩荷叶1块。

【调料】香油、精盐各少许。

【做法】1.将鹌鹑宰杀干净,去其头、爪、内脏,每只斩成两边,入沸水锅内烫煮一下后漂净。

2.莲子洗净,放沸水锅中焯10分钟,捞出后去莲衣、莲心。

3.冬瓜洗净,连皮切成大块;红豆洗净泡软;荷叶洗净,切成大块。

4.锅内注入清水,置于旺火上烧开,倒入以上材料,先用大火煲30分钟,再用中火煲60分钟,最后改用小火煲90分钟,取出荷叶,下香油、精盐调味即可。

鹌鹑雪梨汤

【食材】鹌鹑3只,雪梨2个,西洋参10克,川贝10克,红枣3枚。

【调料】精盐适量。

【做法】1.将鹌鹑宰杀,去头、爪、内脏,每只斩成两半,入沸水锅中稍煮片刻。

2.雪梨洗净,每个切成2~3块,剜去梨心。

3.西洋参、川贝、红枣分别洗净。

4.锅中注入约2000克清水,置旺火上烧开,将全部食材倒入锅内,先用中火炖1小时,改小火再炖1小时,入精盐调味即可。

鹌鹑山药汤

【食材】鹌鹑1只,山药30克。

【调料】葱、姜各5克,精盐适量。

【做法】1.鹌鹑宰杀,去毛及内脏,洗净切块。

2.山药去皮,洗净切片;葱洗净切段,姜去皮切片。

3.锅内注入适量清水,将鹌鹑肉、葱、姜一同放入锅内,先用旺火煮沸,再转用小火慢炖至鹌鹑肉熟烂,加精盐调味即可。

鹌鹑笋菇汤

【食材】鹌鹑5只,冬笋50克,香菇30克。

【调料】葱、生姜、料酒各10克,陈皮5克,精盐3克,味精2克。

【做法】1.先将鹌鹑宰杀,去毛及内脏,用剪刀剪去脊骨,去血块,洗净。

2.冬笋洗净,切成薄片;水发香菇去蒂,洗净后切片;陈皮洗净后切成细丝;葱切段,生姜切片。

3.锅内注入适量清水,用旺火烧开,翻身稍煮一下后取出,用温水洗净血沫。

4.鹌鹑再装入炖锅内,上面铺上冬笋片、香菇片、陈皮,加入葱、生姜、精盐、味精和料酒,再加入煮鹌鹑的原汤,盖上锅盖,置小火上煮2小时即成。

鹌鹑大枣莲子汤

【食材】鹌鹑2只,莲子肉100克,红枣15枚。

【调料】雪蛤膏15克,陈皮1块,精盐适量。

【做法】1.先将鹌鹑宰杀后去毛、去内脏剖洗干净。

2.莲子肉和陈皮分别用清水浸透,择洗净;红枣去核洗净。

3.雪蛤膏预先用清水浸透发开,拣去杂质。

4.锅内加入适量清水,用旺火烧开,放入以上全部原料,水再开后改用中火继续煮至鹌鹑、莲子肉熟烂,下精盐调味即可。

切鸡、鸭时皮朝上,切鱼时皮朝下 鸡、鸭的肌肉纤维长,韧性长,切制时不易碎断,所以切制时要将皮面朝上,一刀切到底,这样原料形状整齐美观。而鱼肉质地细嫩松软,易于破碎,切制时应将鱼皮朝下,免得刀在韧性较强的鱼皮上用力时,把下面的鱼肉挤碎,影响原料的形状与菜肴的质量。

厨 房 小 窍 门

冬虫夏草双鸽汤

【食材】乳鸽2只,冬虫夏草25克,莲子25克,银耳10克。

【调料】姜15克,精盐适量。

【做法】1.乳鸽宰杀,去毛、内脏及头爪,洗净后放入沸水中氽烫一下,取出沥水。

2.莲子用温水浸软,去莲衣及莲心;银耳用清水浸透,洗净去蒂;冬虫夏草洗净。

3.将乳鸽、莲子、银耳、冬虫夏草放入炖锅内,注入适量清水烧开,然后改小火煮3小时,用精盐调味即可。

乳鸽汤

【食材】乳鸽1只,女贞子10克。

【调料】料酒10克,姜5克,葱10克,精盐3克,味精2克,香油少许。

【做法】1.乳鸽宰杀后去毛桩、内脏及爪。

2.女贞子洗净,去杂质;姜切片,葱切段。

3.将女贞子、乳鸽、姜片、葱段、料酒同放炖锅内,加水置旺火上烧沸,再用小火煮35分钟,加入精盐、味精、香油即成。

水产煮菜

鱼类煮菜

水煮鱼

【食材】鱼肉250克,芹菜心100克。

【调料】青蒜150克,干红椒15克,郫县豆瓣酱40克,植物油200克,酱油15克,味精1克,姜片10克,蒜片15克,料酒10克,花椒10克,胡椒粉6克,湿淀粉15克,清汤500克。

【做法】1.将鱼肉去骨去刺(一般说选用无刺的鱼比较好),鱼肉切成薄片,装入碗中,用酱油、料酒码味,用湿淀粉拌匀。

2.将青蒜、芹菜择洗干净,切段。

3.将锅内放入植物油烧热,放入干红椒、花椒,炸至呈棕红色(不要炸煳,以出色出香为度),捞出剁细。

4.锅内留原油烧热,放入青蒜段、芹菜段,炒至断生装盘。

5.锅内放植物油烧热,放入郫县豆瓣,炒出红色,倒入清汤稍煮,捞去豆瓣渣,将青蒜段、白菜、芹菜段再放入汤锅中,加酱油、味精、料酒、胡椒粉、精盐、姜片、蒜片,烧透入味,捞入深盘或荷叶碗内。

6.将鱼肉片倒入微开的原汤汁锅中(汤要微开),用筷子轻轻拨散,刚熟就倒在装配料的碗中,撒上干红椒末、花椒末,随即淋上植物油,使之有更浓厚的香辣味即可。

鲫鱼豆芽汤

【食材】活鲫鱼1条,黄豆芽30克。

【调料】通草3克,精盐适量。

【做法】1.先将鲫鱼宰杀,去头、鳞、鳃及内脏,放入清水中洗净,沥干水;黄豆芽、通草洗净。

怎样区别青鱼和草鱼 青鱼和草鱼的体形非常相似,二者的区别主要在于:(1)体色不同:青鱼的背部及两侧上半部呈乌黑色,腹部青灰色,各鳍均为灰黑色;草鱼呈茶黄色,腹部灰白,胸、腹鳍带灰黄色,其余各鳍颜色较淡。(2)嘴形不同:青鱼嘴呈尖形,草鱼嘴部呈圆形。

Tips

厨房小窍门

2.锅内注入适量清水,用旺火烧开后将鲫鱼放入,随即改用中火炖煮。

3.鲫鱼半熟时加入黄豆芽、通草,煮至鱼熟汤成时捞去通草即可。

河鳗煮三味

【食材】河鳗700克,猪肥膘肉、水发冬菇和火腿各50克。

【调料】植物油1000克,豆豉30克,盐10克,干红椒10克,葱5克,姜片4克,料酒15克,高汤1000毫升,味精3克,酱油10克,香油3克,胡椒粉12克,干淀粉10克。

【做法】1.将河鳗去肠和鳃,洗干净,投入开水锅内烫一下捞出,除去黏液,切成段;猪肥膘肉、火腿、冬菇、葱和干红椒均切成丁。

2.将河鳗用酱油和干淀粉抹匀,投入烧至七成热的油锅内炸至金黄色,取出放在另一锅内。

3.原锅留少许底油,将猪肥膘肉、冬菇、火腿、豆豉、葱和红辣椒倒入稍炼,加入料酒、酱油、盐和高汤,烧滚后倒入河鳗锅,放入葱段和姜片,用小火煮1小时,淋入香油,撒入味精和胡椒粉即成。

鲫鱼莲子汤

【食材】鲫鱼1条(约重350克),莲子20克,芡实80克,红枣4枚。

【调料】生姜10克,精盐适量。

【做法】1.将鲫鱼去鳞、鳃及内脏,用清水洗净。

2.莲子去心,保留莲子衣,与芡实用水浸

透,洗净。

3.红枣和生姜洗净,红枣去核,生姜去皮切片。

4.锅内注入适量清水,用旺火煮至水开,放入全部原料,待水再开,用中火煮约3小时,用精盐调味后即可饮用。

白煮葱油鲫鱼

【食材】鲫鱼7条(约750克)。

【调料】葱丝20克,植物油10克,料酒15克,精盐3克,花椒2克,姜片10克,味精1克。

【做法】1.将鲫鱼开膛,去除鳞、鳃、内脏,洗净,两面剞斜刀,用沸水焯一下捞出,再换水加料酒、精盐、姜片,水开后放入鲫鱼,煮至半熟时捞出控干,留原汁备用。

2.将锅置于旺火上,放入植物油烧热,加入花椒、姜片,炸出香味,拣去花椒、姜片不用,加入葱丝煸炒,加入料酒、适量清水放入鲫鱼,

鱼类菜肴怎样回锅 鱼类菜肴宜趁热食用,才能吃到醇香溢口的美味,如果放凉以后,就会出现腥味。这是因为残留在鱼肉中的三甲氨又出来作祟的缘故。但是回锅加热,也会有一股异味,如果在回锅时再加入少许料酒或食醋等调料,仍可使之恢复鲜美之味。

厨房小窍门

用大火收浓汤汁，加入味精，出锅即可。

姜橘椒鱼汤

【食材】鲫鱼1条（约300克）。

【调料】生姜30克，橘皮10克，胡椒5克，精盐少许。

【做法】1.先将鲫鱼宰杀，去头、鳞、鳃及内脏，放入清水中洗净，沥干水。

2.生姜、橘皮分别洗净切碎，与胡椒一同装入纱布袋内，填进鱼腹。

3.锅内注入适量清水，放入鲫鱼，以小火煮至鱼肉熟透，下精盐调味即可。

冬笋鲫鱼汤

【食材】鲫鱼1条（约250克），冬笋100克。

【调料】料酒、姜片各10克，精盐5克，味精2克，植物油适量。

【做法】1.冬笋去壳后洗净，切成长丝，入沸水锅中煮一下，除去涩味。

2.鲫鱼去鳞、鳃，去内脏，洗净。

3.锅中放植物油烧热，放入鱼煎两面至皮微黄，烹入料酒，加入清水及笋丝、姜片、烧开后改中火煮约1小时，加入精盐、味精即成。

香煮鱼皮

【食材】水发鱼皮700克，鸡脯肉100克，冬笋50克。

【调料】酱油12克，胡椒粉2克，鸡精3克，醋8

菜肴如何美化点缀 （1）要选择纯度高、色泽亮的原料做"显色"，如红樱桃、黄蛋糕、油黄青菜叶、山楂糕等，并按照明度对比、纯度对比的色彩对比规律来点缀。（2）点缀要运用"万绿丛中一点红"方式，不宜太多，以免给人杂乱之感。

厨房小窍门

克，香油4克，湿淀粉20克，鸡汤250克，精盐4克，蒜片20克，姜片16克，葱末25克，花雕酒10克，虾油20克，植物油20克。

【做法】1.将水发鱼皮洗净，切成段，放入沸水锅内略煮，除去腥味捞出。鸡脯肉切成片，放入盆内加精盐、酱油5克，用湿淀粉拌匀。

2.将冬笋切成片，入沸水锅内汆一下捞出。

3.将锅置于旺火上，放入植物油，烧至五成热，放入鸡脯肉片滑散，放入姜片、蒜片炒香，加鸡汤煮出味，加入鱼皮段、冬笋片、酱油、胡椒粉、醋、精盐、鸡精、花雕酒、虾油，改用小火煮至入味，略加湿淀粉勾芡推匀，加葱末、香油，起锅入盘即可。

川椒煮黄鳝

【食材】鲜鳝鱼肉500克，青蒜100克，水发香菇30克。

【调料】葱段20克，姜片10克，蒜片10克，豆瓣酱15克，植物油10克，料酒10克，酱油10克，白糖5克，精盐3克，味精1克，开水500毫升。

【做法】1.将鲜鳝鱼肉切成段;青蒜切段;水发香菇切片。

2.将锅置于旺火上,倒入植物油烧热,加入葱段、姜片、蒜片和豆瓣酱煸香,烹入料酒、酱油,倒入开水稍煮,水烧开后,拣去葱段、姜片、蒜片和豆瓣酱的渣子不用,放入青蒜段、鳝鱼肉段、香菇片、白糖、精盐和味精,煮熟即可。

醋茶煮鲤鱼

【食材】鲤鱼1条(约500克),醋50克,茶叶30克。

【做法】1.鲤鱼宰杀后去鳞、鳃及肠杂,切薄片。

2.茶叶放在杯中,用少许开水泡一下,滤去水分备用。

3.将鲤鱼、醋、茶叶一同放入锅内,加入适量清水,以小火煨至鱼熟即成。

鲤鱼山楂汤

【食材】鲤鱼1条(约500克),山楂30克。

【调料】料酒10克,精盐3克,味精2克,生姜5克,葱10克,胡椒粉2克,香油25克。

【做法】1.鲤鱼宰杀后去鳞、鳃及肠杂,切薄片。

2.山楂洗净,切薄片;生姜切片,葱切段。

3.将炒锅置旺火上烧热,加入香油,烧六成热,下入生姜、葱爆香,再下入山楂煸炒,加入清水烧沸,放入鲤鱼、料酒煮30分钟,加入精盐、味精、胡椒粉即成。

酸菜鲤鱼

【食材】鲤鱼1条(350克),鸡蛋清1个,陈年泡青酸菜250克。

【调料】植物油40克,高汤1250克,精盐4克,味精3克,胡椒粉4克,料酒15克,泡辣椒末25克,花椒10粒,姜片3克,蒜瓣7克。

【做法】1.将鲤鱼去鳞、鱼鳃、内脏,洗净,用刀取下两扇鱼肉,把鱼头劈开,钱骨制成块;陈年泡青酸菜洗后切段。

2.将锅置于旺火上,放入植物油,烧至五成热,放入花椒粒、姜片、蒜瓣炸出香味后,倒入泡青酸菜段煸炒出味,加高汤烧沸,放入鱼头、鱼骨,用大火熬煮,撇去汤面浮沫,滴入料酒去腥,再加入精盐、胡椒粉。

3.将鱼肉斜刀片成连刀鱼片,加入精盐、料酒、味精、鸡蛋清拌匀,使鱼片均匀地裹

识别活宰和死宰家禽 活宰的家禽,血放尽,血液鲜红,禽的表皮干燥紧缩,脂肪呈乳白色或淡黄色,肌肉有光泽,有弹性,呈玫瑰红;死宰的家禽,放血不尽,血液呈暗红或暗紫色,皮粗糙发暗红,并间有青紫色死斑,脂肪呈暗红色,肌肉无弹性。

上一层蛋浆。

4. 将锅内汤汁熬出味后，把鱼片抖散入锅；用另一锅入油烧热，把陈年泡青酸菜段炒出味后，倒入汤锅内煮2分钟；待鱼片断生至熟，加入味精，倒入汤盆中即可。

加入精盐、味精、熟火腿片、熟笋片、撕好的水发香菇，煮2分钟后端离火口，拣去葱段、姜片不用，盛入大汤碗。

3. 将火腿片、香菇片放在鱼身上，淋入熟鸡油即可。

白汤鲫鱼

【食材】活鲫鱼1条(500克)，熟笋片50克，熟火腿片25克，水发香菇25克。

【调料】料酒50克，精盐7克，味精2.5克，葱段10克，姜片5克，猪油7克，熟鸡油10克。

【做法】1.将活鲫鱼去鳃、鳞、内脏，洗净，在鲫鱼脊背两侧剖斜十字刀纹。

2.将锅置于旺火上烧热，倒入猪油，烧至四成热时，将鲫鱼放入，两面略煎后，加料酒、葱段、姜片和清水，烧沸后撇净浮沫，盖上锅盖，改用小火煮至汤色乳白时，再改用旺火，

辣鱼粉皮

【食材】带皮青鱼肉200克，干粉皮2张。

【调料】猪油500克(实耗80克)，料酒、酱油各10克，甜面酱7克，干红椒10克，葱丝5克，鸡汤750克，香油3克，味精3克，精盐2克，糖色3克。

【做法】1.将干粉皮掰成小方块，用温水洗净、泡软；干红椒切段。

2.将带皮青鱼肉切成条，放入热猪油锅中稍炸，用漏勺捞出控去油。

3.将锅置于火上，放入猪油烧热后，放入葱丝、干红椒段稍炒，即烹入料酒和鸡汤，加入味精、甜面酱、精盐、酱油，再用糖色调成浅红色汤汁，把青鱼条倒入汤中。

4.汤烧开后，撇去浮沫，改用中火煮10分钟，加入粉皮块再煮10分钟，淋入香油即可。

大蒜煮鲇鱼

【食材】鲇鱼450克，大蒜50克，香菜15克，泡红辣椒15克。

【调料】郫县豆瓣酱10克，植物油500克，料

Tips

厨房小窍门

水产煮菜／鱼类煮菜

酒15克，精盐5克，葱段10克，姜片10克，白糖20克，酱油10克，醋10克，湿淀粉30克，醪糟汁10克，高汤200克。

【做法】1.将鲇鱼从腹部开口，去掉内脏，用洁布擦净血水，剁去嘴尖、尾梢，背部剁成连接段；大蒜选大小一致，修齐，洗净装碗中，加精盐、料酒、高汤，上笼蒸熟取出晾凉；泡红辣椒（去籽）切成段，郫县豆瓣酱剁细；香菜洗净，切成段。

2.将锅置于旺火上，放入植物油烧热，放入鲇鱼稍炸，捞起。

3.锅内留底油，放入郫县豆瓣酱炒至红色时，加入高汤，烧沸后捞去豆瓣渣，放入鲇鱼、精盐、酱油、白糖、醪糟汁、料酒、醋、泡红辣椒段、葱段、姜片，煮沸后改用小火，加盖煮至鱼熟入味，放入蒸好的大蒜，烧至汁浓时，将鱼铲入盘中摆好。

4.锅中原汤煮至浓稠，烹入醋，起锅淋在鱼身上，香菜段摆在盘中即可。

三色鱼丸汤

【食材】鲤鱼肉250克，菠菜汁25克，鸡蛋清3个，鸡蛋黄1个。

Tips

巧手蒸鸡蛋羹（1）用凉开水蒸鸡蛋羹，会使营养免遭损失，也会使蛋羹表面光滑，口感鲜美。（2）蒸鸡蛋羹时锅盖不要盖严，留一点空隙，边蒸边跑气。（3）鸡蛋羹蒸熟后用刀在蛋羹表面划几刀，加入少许酱油或盐水以及葱末、香油。这样蒸出来的蛋羹味美、质嫩，营养不受损。

【调料】色拉油10克，精盐5克，味精2克，胡椒粉1克，高汤1000克。

【做法】1.将鲤鱼肉剁成肉蓉，放入碗内，加入色拉油、鸡蛋清、精盐、清水搅成鱼肉糊。再把鱼肉糊分成相等的三份，盛入三个小碗内，调成三种颜色：一碗不加色，成为白色；另一碗加入鸡蛋黄，搅拌均匀成黄色；第三碗加入菠菜汁，搅匀成绿色备用。

2.将汤锅置于旺火上，倒入清水烧开，改用小火，把鱼肉糊按白、黄、绿色分别做成鱼丸，放入汤内煮熟。

3.另取一汤锅置于旺火上，放入高汤烧开，放入鱼丸焯一下，把汤倒出另作他用。把汤锅重放高汤，加入精盐、胡椒粉烧开，下入鱼丸，待汤烧开，加入味精，盛入大汤碗内即可。

菠菜鱼片汤

【食材】鲤鱼肉250克，火腿片25克，菠菜100克。

【调料】色拉油100克，味精2克，精盐5克，料酒20克，葱段10克，姜片5克。

【做法】1.将鲤鱼肉切成片，用精盐、料酒拌匀，腌半个小时；火腿片切末、菠菜洗净切成段。

2.将锅置于旺火上，放入色拉油烧热，放

入葱段、姜片爆香,再放入鱼片略煎,然后加水煮沸,改用小火焖煮半小时,再加入菠菜段,加入精盐、味精、料酒调味,撒上火腿末,煮沸后,盛入汤盆中即可。

蔬菜鱼汤

【食材】鱼肉500克,鱼骨头400克,芹菜150克(分2次用),土豆250克,胡萝卜150克(分3次用)。

【调料】洋葱100克(分3次用),香叶2片(分2次用),胡椒粉3克,胡椒粒3克,干红椒2克,醋10克,精盐20克(分2次用),清汤800克,柠檬汁50克(分2次用),黄油100克。

【做法】1.将洗净的鱼骨头放在锅内加冷水煮沸,撇净浮沫,放入胡萝卜、洋葱、芹菜等小火煮2个小时。

2.将鱼肉切成每份2块,先用开水煮烫去其腥味,把水倒掉,放入清汤、胡椒粉、香叶、洋葱、芹菜、胡萝卜、柠檬汁、精盐煮熟。

3.将胡萝卜切成斜花片,洋葱切丝,加上香叶、胡椒粒、干红椒,用黄油焖熟后,放入切好的土豆条加鱼汤煮沸,待土豆条熟时,放上精盐、柠檬汁、醋调好口味,起锅时在盘内放上两块煮好的鱼肉,盛汤即可食用。

萝卜丝鲫鱼汤

【食材】鲫鱼1条(约400克),白萝卜100克,

豌豆苗30克。

【调料】植物油50克,精盐4克,味精4克,料酒20克,葱段10克,姜片10克。

【做法】1.将鲫鱼整理干净,从鱼鳃一侧靠下部处下刀,切成半月牙形,把内脏掏出,用清水冲洗干净,然后在鲫鱼身两侧各剞数刀(刀口相距2.5厘米);白萝卜去皮、洗净、切成细丝;豌豆苗择取嫩尖,洗净备用。

2.将锅置于旺火上,倒入植物油,烧热后放入鲫鱼,把鲫鱼的两面煎成金黄色,接着倒入开水,放入料酒、精盐、味精、葱段、姜片,烧开,再改用小火煮半小时。

3.鲫鱼快煮好时,把白萝卜丝放入开水锅中烫一下,然后放入汤锅中煮一会儿,沸后盛入大碗中,撒上豌豆苗尖即可。

鲫鱼汤

【食材】鲫鱼1条(约400克),火腿50克,冬笋

巧做蛋饺 按500克蛋加25克食用油的比例,把食用油加到蛋液里调匀,这样做蛋饺时,就不必每做1只蛋饺就往锅里抹一下猪油了,并且这样的蛋液下锅也不会粘底。蛋饺馅按500克肉末加3个蛋清的比例配制,用这样的肉馅做出的蛋饺特别鲜嫩。

Tips

厨房小窍门

50克,青萝卜150克。

【调料】高汤400克,植物油20克,料酒25克,酱油15克,精盐4克,味精1克,姜汁5克,姜片5克,大茴香4个,花椒粒2克,葱段10克。

【做法】1.将鲫鱼处理干净,两面均匀地剞上十字花刀;火腿与青萝卜(洗净刮皮)均切成片;冬笋切成同样大小的长条片。用开水分别将冬笋片和青萝卜片焯熟捞出。

2.将锅置于旺火上,倒入植物油,烧热后放入大茴香、花椒粒炸出香味,再放入鲫鱼煎成两面微黄,烹入料酒,倒入清水,放入葱段、姜片、精盐,加盖焖10分钟,捞出放入大碗中待用。

3.将锅再置于旺火上,倒入高汤,放入火腿片、冬笋片、青萝卜片、姜汁、味精、酱油、精盐,烧开后撇净浮沫,盛入大汤碗内,把另一个汤碗里的鲫鱼捞出,放入大汤碗内即可。

雪花鱼羹

【食材】胖鱼头500克,鸡蛋清2个。

【调料】清汤300克,精盐4克,味精3克,胡椒粉1克,葱段10克,姜片8克,香油3克。

【做法】1. 将胖鱼头洗净入锅,放入葱段、姜

柴鸡蛋比饲养鸡的蛋好吗 多数消费者认为散养的土鸡生的柴鸡蛋是纯天然的,营养价值高,喜欢买柴鸡蛋。实际上,目前市场上真正意义的柴鸡蛋非常少,而且即使是土鸡产的蛋,没有经过相关部门的认证,也很难说是安全、可靠的。

厨房小窍门

片,用水煮5分钟,用筷子把鱼肉剔下来(去净头、刺、内脏);鸡蛋清搅成雪花状。

2.将锅置于旺火上,倒入清汤,加上鱼肉、精盐、香油、味精烧开,再浇上鸡蛋清,放入葱段,撒上胡椒粉,出锅盛入汤碗即可。

雪菜鲫鱼汤

【食材】鲫鱼1条(约400克),雪里蕻梗100克,熟冬笋50克。

【调料】葱段10克,姜片8克,料酒20克,精盐3克,味精1克,植物油50克,胡椒粉1克。

【做法】1.将鲫鱼去鳞、鳃、内脏,洗净;雪里蕻梗洗净,切成段;熟冬笋切成片待用。

2.将锅置于旺火上,倒入植物油,烧热后将鲫鱼放入锅内略煎,然后放入葱段、姜片、料酒、雪里蕻梗段、冬笋片、精盐、味精和清水,待汤烧开后起锅盛入大汤碗内,撒上胡椒粉即可。

萝卜半汤鱼

【食材】鲜鲤鱼1条(约600克),白萝卜300克。

【调料】葱段15克,姜片10克,植物油15克,料酒10克,精盐3克,胡椒粉2克,味精1克。

【做法】1.将鲜鲤鱼收拾干净,切片;白萝卜洗净,切丝。

2.将锅置于旺火上,倒入植物油烧热,放入白萝卜丝稍炸,捞出沥油,倒出余油;鲤鱼片、白萝卜丝同放锅中,烹入料酒,倒入白开水烧开,再把葱段、姜片、精盐、味精、胡椒粉放入锅中,煮至鲤鱼片熟汤白即可。

醋椒鲜草鱼

【食材】鲜草鱼1条(约600克),香菜50克。

【调料】葱丝30克,姜片15克,醋20克,植物油15克,料酒10克,胡椒粉4克,精盐3克,味精1克。

【做法】1.将鲜草鱼收拾干净,切成大块,放入热油中稍煸;香菜切成段。

2.将植物油烧热,加入姜片,倒入开水,放进草鱼块、料酒、精盐、味精,烧开后,煮至汤汁微白,再放入胡椒粉、醋调匀,撒上香菜段、葱丝,出锅即可。

熬黄花鱼

【食材】黄花鱼1条(约750克),猪肥瘦肉50克,青蒜段15克,青菜20克。

【调料】精盐5克,料酒5克,葱段25克,姜片25克,酱油5克,醋10克,清汤500克,香油2克,花生油25克。

【做法】1.将黄花鱼去鳞、鳃、内脏,在鱼身两面剖上斜刀,用精盐稍腌;猪肥瘦肉切丝;青菜切段。

2.将锅内置于中火上,倒入花生油,烧至六成热,用葱段、姜片爆锅,加猪肥瘦肉丝煸炒,加入料酒、醋,然后加入酱油、清汤、精盐烧开,将黄花鱼入锅内慢火煮20分钟,撒上青菜段、青蒜段,淋入香油,盛盘即可。

沙锅鱼头丸子

【食材】鲤鱼头250克,猪肉100克,菠菜叶50克,鸡蛋1个。

【调料】植物油200克,葱末10克,姜末5克,蒜片5克,味精2克,精盐4克,胡椒粉1克,料酒30克,面粉50克。

【做法】1.将鱼头洗净,去鳃、鳞,蘸匀面粉;将猪肉洗净剁成蓉,放入碗内,加入料酒、味精、

高汤的分类 高汤种类繁多,按制汤原料可分为荤料的鸡鸭汤、牛肉汤、猪肉汤、鱼汤以及西餐用的奶油汤;素料的有黄豆汤、黄豆芽汤、蘑菇笋汤。按汤的等级又可分为头汤、二汤,还有加海鲜和植物鲜料的顶汤、高汤等。按汤的色泽来分有清汤、奶汤,但以使用清汤的居多。

Tips

厨房小窍门

精盐、葱末、姜末、磕入鸡蛋,搅拌成馅。菠菜叶择洗干净,切成段。

2.将锅置于旺火上,倒入植物油,烧热后将鲤鱼头放入锅内,煎至颜色深黄捞出。

3.将沙锅倒入清水烧开,放入葱末、姜末和鲤鱼头,加入精盐、胡椒粉,再将猪肉馅挤成10个丸子放入,待汤开后放入菠菜叶段、味精,起锅盛入汤碗内即可。

葱油鲜鲢鱼

【食材】鲢鱼1条(约1000克)。

【调料】精盐5克,料酒25克,酱油10克,鸡精1克,葱丝8克,姜丝5克,花椒2克,姜片4克,葱段6克,干红椒丝3克,香菜末10克,植物油20克。

【做法】1.将鲢鱼去鳞、鳃、内脏,洗净,在鱼身两侧剖上"人"字花刀。

2.将锅置于旺火上,倒入清水,烧开后加入精盐、酱油、鸡精、料酒、花椒、姜片、葱段煮一会儿,再放入鲢鱼用小火煮13分钟,取出装入盘中,撒入精盐、葱丝、姜丝、干红椒丝。

3.将锅置于中火上,倒入植物油,烧至六成热,放入葱段、姜片炸出香味,拣出葱段、姜片不用,将油淋在鲢鱼身上,撒上香菜末即可。

墨鱼煲

【食材】墨鱼300克,益母草10克。

【调料】料酒10克,葱10克,姜5克,精盐3克,味精2克,香油少许。

【做法】1.墨鱼发好去骨,洗净,切成3厘米见方的块。

2.益母草洗净,用纱布袋好,扎紧袋口;姜切片,葱切段。

3.将益母草袋、墨鱼、姜片、葱段、料酒同放煲锅内,加水1800克,置旺火上烧沸,再用小火煲45分钟,加入精盐、味精、香油即成。

涮椒鳝丝

【食材】鳝鱼300克,香芹75克,香菜25克,银芽(豆芽)、鲜蘑、杭椒各50克。

【调料】精盐5克,白糖4克,味精2克,鸡精1克,醋10克,酱油12克,蒜蓉8克,姜

鉴别鸡肉生熟的技巧 可采用一看、二摸、三刺的方法:一看,即在保持一定水温的情况下,在经过预定的烹煮时间后,见鸡体浮起,说明鸡肉已熟。二摸,即将鸡捞出,用手捏一下鸡腿,如果肉已变硬,有轻微离骨感,也说明熟了。三刺,即用牙签刺一下鸡腿,没有血水流出即熟。

厨房小窍门

末5克,葱末5克,胡椒粉1克,干红椒10克,花椒粉1克,香油4克。

【做法】1.将鳝鱼洗净切丝,蒜蓉、姜末、葱末、香菜、精盐、白糖、味精、鸡精、醋、酱油调制成汁;杭椒、干红椒切碎备用。

2.将锅置于旺火上,倒入清水,水开后将银芽、香芹、鲜蘑烫后装入盘中待用。

3.将黄鳝丝用水涮熟后放在三丝上,再放入蒜蓉、花椒粉、胡椒粉、干红椒末、杭椒末,将香油烧热后浇在上面即可。

鲈鱼汤

【食材】鲈鱼1条(500克)。

【调料】女贞子、料酒、葱各10克,生姜5克,精盐3克,味精、胡椒粉各2克,香油少许。

【做法】1.鲈鱼宰杀后,去鳃、鳞及肠杂,洗净。

2.女贞子洗净,去杂质;生姜切片,葱切段。

3.将女贞子、鲈鱼、生姜、葱、料酒同放炖锅内,加水1800克,置旺火上烧沸,再用小火煮25分钟,加入精盐、味精、胡椒粉、香油即成。

鲈鱼莼菜汤

【食材】鲈鱼肉500克,莼菜200克,鸡肉20克,鸡蛋清15克。

【调料】料酒10克,葱段、陈皮、姜汁各5克,

什么是剞 剞是厨师加工原料的刀法之一。即用刀在原料上切上横、直、斜等不同刀纹,但不切断(其切入深度一般为原料厚度的3/5或4/5)。这些刀纹在加热过程中有两种作用:一是便于入味,二是经过沸水余或过油滑炒时能收缩变为花形。由于用油滑炒的较多,故有"油里开花"之说。

厨房小窍门

精盐3克,味精、胡椒粉各2克,水淀粉、植物油、清汤各适量。

【做法】1.莼菜入沸水中焯一下,捞出细切;鸡肉去皮,洗净切丝;陈皮切丝。

2.鲈鱼洗净,去鳞、鳃和血筋,切成长丝,加入蛋清和适量精盐、味精、料酒,用水淀粉调匀上浆。

3.坐锅点火,下油烧至四成熟,放入鲈鱼丝,用筷子划散,待鱼丝成白色时捞出。

4.锅洗净置旺火上,加植物油少许,放入葱段煸炒,然后下料酒、精盐、清汤,烧沸后放入鲈鱼丝、莼菜、鸡丝拌匀,调入味精、姜汁,撒上陈皮丝、胡椒粉即可。

草鱼豆腐汤

【食材】净草鱼1条,豆腐250克,小青菜心6棵。

【调料】姜、葱各10克,料酒5克,精盐3克,胡椒粉2克,味精1克,植物油、清汤各适量。

【做法】1.草鱼去鳞、鳃和骨刺,洗净,切成薄片。

Tips

莲子的加工 市场供应的莲子大部分是带皮和苦心的，使用时要进行加工。其方法是：将干莲子(500克)放到容器中加碱面(10~15克)和开水(500毫升)，用竹帚快速刷擦莲子外皮。当莲子的大部分外皮脱落时，捞出皮，另换新开水加碱面再刷擦(动作要快)，2~3次即可将外皮去掉。再用牙签捅出莲心即可。

厨 房 小 窍 门

2.豆腐洗净，切成片；小青菜心洗净；姜切片，葱切段。

3.炒锅上火，放植物油烧热，下入葱段、姜片炝锅，放鱼片煸炒几下，放料酒、清汤、精盐、味精、胡椒粉及豆腐，烧开后放入小青菜心，再煮5分钟即成。

鲢鱼丝瓜汤

【食材】鲢鱼1条，丝瓜200克。

【调料】料酒10克，葱、姜各5克，精盐3克，胡椒粉少许。

【做法】1.鲢鱼去鳞、鳃、内脏，洗净切成段。

2.丝瓜去皮、瓤，洗净切条；葱切段，姜切片。

3.锅内注入适量清水，放入鲢鱼、丝瓜、料酒、精盐、葱段、姜片，先用旺火烧开，撇净浮沫，然后改中火煮至鱼熟，加入丝瓜条，待丝瓜熟烂，拣去葱、姜不要，用胡椒粉调味即可。

山斑鱼芡实汤

【食材】山斑鱼4条，芡实80克，红枣6枚。

【调料】姜10克，精盐3克，植物油适量。

【做法】1.山斑鱼去鳞、腮、内脏，洗净后放入热油锅内，煎至呈微黄色。

2.芡实淘洗干净，放入清水中浸泡，捞出沥水；红枣洗净去核；姜去皮切片。

3.锅内注入适量清水，用旺火煮至水开，放入山斑鱼、芡实、红枣、姜片，改用中火继续煮2小时，下精盐调味即可。

鳝鱼竹笋汤

【食材】鳝鱼300克，笋肉100克，瘦肉50克，香菇20克，鸡蛋1个。

【调料】陈皮5克，酱油10克，植物油8克，香油3克，精盐2克，料酒3克，高汤适量。

【做法】1.香菇用温水泡发回软，去蒂洗净，沥干水切丝；笋肉切丝；陈皮用冷水浸软，去瓤洗净；鸡蛋打入碗中搅匀。

2.鳝鱼摔昏，剖腹去内脏，放入沸水锅中焯10分钟至熟，剔去骨，撕成细丝；猪瘦肉洗净，也切成丝。

3.笋丝、肉丝先后放入沸水锅中余烫一下，捞出沥干。

4.坐锅点火，下入植物油烧热，注入高汤，放入香菇丝、笋丝、陈皮丝、鳝丝煮滚，下入酱油、精盐、料酒调味，焖煮片刻后下入肉丝，浇入鸡蛋液拌匀，淋上香油即可。

山药百合白鳝汤

【食材】白鳝鱼1条（约500克），山药、百合各20克。

【调料】陈皮25克，精盐适量。

【做法】1.将白鳝摔昏，剖腹，去掉内脏，放进冷水中漂去血水，捞出切段。

2.山药洗净去皮，切成片；百合洗净，用清水浸透；陈皮洗净去瓤。

3.炖锅内注入适量清水，将鳝鱼段、山药、百合、陈皮放入，先用旺火煮开，然后改小火炖2小时，加入精盐调味即可。

红花黑豆鲶鱼汤

【食材】鲶鱼1条，川红花12克，黑豆150克。

【调料】陈皮1块，精盐适量。

【做法】1.将黑豆放入铁锅内（不加油），上火炒至豆皮裂开，洗净沥水。

2.鲶鱼去鳞、鳃、内脏，冲洗干净；川红花漂洗干净，装入纱布袋内；陈皮择洗干净。

3.锅内注入适量清水烧开，放入黑豆、川红花、陈皮、鲶鱼，水开后撇净浮沫，改用中火续煮至黑豆熟烂、鱼肉酥烂，放精盐调味即可。

乌鱼木瓜汤

【食材】乌鱼1条（约500克），木瓜1个，红枣6枚。

【调料】生姜1片，精盐、花生油各适量。

【做法】1.先将乌鱼净膛，去鳞、鳃，洗净血污，擦干鱼身。

2.炒锅上火，放油，烧至六成热，将鱼煎至微黄色。

3.将木瓜剥皮去籽，洗净切块；红枣洗净去核；生姜去皮洗净切片。

4.将煎好的鱼、木瓜、枣、姜片一齐放入已经烧开的沙锅内，用中火继续煮2小时左右，加精盐少许调味即成。

龙井鲷鱼清汤

【食材】鲷鱼1条，龙井茶叶20克。

【调料】姜丝5克，精盐3克。

【做法】1.鲷鱼去鳞、鳃及内脏，以清水洗净，切成片，用姜丝和少许精盐腌渍20分钟。

2.炖锅里加入适量清水煮开，调成小火，加入龙井茶叶煮5分钟。

3.捞除茶叶渣，将鲷鱼片放入，改中火煮10分钟，下精盐调味即可。

炖猪肉要放适量蔬菜 猪肉含有丰富的脂肪和蛋白质，如果单独食用它，会觉得腻，而蔬菜含有丰富的矿物质和维生素等，食之清淡爽口，但没有香味，鲜味也不足。如果在炖猪肉时放入蔬菜，就能起到相互弥补各自缺陷的作用。另外，猪肉是酸性食物，蔬菜是碱性食物，它们互相搭配，能使菜肴酸碱趋于平衡。

Tips

水产煮菜／鱼类煮菜

黑豆芝麻泥鳅汤

【食材】泥鳅400克,黑豆50克,黑芝麻40克。

【调料】精盐适量,植物油50克。

【做法】1.泥鳅放冷水锅内,加盖上火烫死,洗净,放入烧油锅内煎至稍黄时取出。

2.黑豆、黑芝麻均择洗干净备用。

3.将泥鳅放入炖锅内,加清水适量,再放入黑豆、黑芝麻,用旺火煮开,撇净浮沫,改小火煮至黑豆熟烂,下精盐调味即可。

泥鳅木耳竹笋汤

【食材】泥鳅200克,黑木耳30克,竹笋25克。

【调料】料酒、葱、姜各10克,精盐3克,味精2克,植物油适量。

【做法】1.将泥鳅用精盐揉搓,再用开水焯去黏液,剖腹去内脏,放油锅内煎至呈微黄色。

2.黑木耳用温水泡发1小时,去蒂、杂质,撕成瓣状;竹笋洗净切片;姜切片;葱切段。

3.锅中注入适量清水,放入泥鳅、料酒、精盐、葱段、姜片、黑木耳、笋片,煮至鱼肉熟烂,下味精调味即成。

川芎鱼头汤

【食材】鳙鱼头1个(500克),川芎10克。

【调料】料酒10克,葱10克,姜5克,精盐3克,味精2克,香油少许。

【做法】1.鳙鱼头洗净,去鳞、鳃,剁成4块。

2.川芎用清水浸软,切薄片;姜切片,葱切段。

3.将川芎、鱼头、姜片、葱段、料酒同放炖锅内,加水1800克,置旺火上烧沸,再用小火炖煮35分钟,加入精盐、味精、香油即成。

陈皮黄鱼汤

【食材】黄花鱼1条(约500克),猪瘦肉150克,红枣20枚,枸杞20克。

【调料】陈皮10克,花生油50克,姜10克,精盐5克。

【做法】1.将黄花鱼去鳞、鳃、内脏,洗净;猪瘦肉洗净,切片;红枣洗净,去核;姜去皮切片。

2.将锅置于旺火上,倒入花生油,烧至七成热,放入黄花鱼,两面均剪成微黄色,取出备用。

3.将锅内放水,放在火上烧开,把黄花鱼、猪瘦肉片、姜片、陈皮、枸杞、红枣放进锅内,烧开后改用小火,煮至肉片酥烂,加入精盐调好口味即可。

猪肉不宜长时间在水内浸泡 很多人喜欢把买回来的新鲜猪肉放在盆内,用冷水或热水长时间浸泡,以求干净。这样处理会使猪肉失去很多营养成分,鲜味淡薄,风味降低。因为猪肉里大量的肌溶蛋白极易溶于水,这样肌溶蛋白里含有的肌酸、谷氨酸等鲜味成分就会被浸出,从而严重影响猪肉的味道。

厨房小窍门

其他水产煮菜

什锦海参汤

【食材】水发海参300克，虾仁50克，鸭肫50克，精肉50克，水发冬菇30克，玉兰片50克，火腿30克，丝瓜100克。

【调料】姜片5克，葱段10克，精盐3克，葱末15克，料酒8克，胡椒粉5克，高汤1000克，湿淀粉15克，猪油8克，香油10克。

【做法】1. 先将水发海参切为指甲片大小，然后放锅内，倒入沸水，加入姜片、葱段、精盐、料酒与海参片放在一起煮2分钟，倒入漏勺，拣去姜片、葱段不用。以上的什锦配料除虾仁外，其他料全部切为指甲片。

2. 将锅置于中火上，倒入清水，放进鸭肫片、精肉片，将冬菇片、丝瓜片、玉兰片放入锅内，稍煮一会捞出沥水。

3. 将锅置于旺火上，倒入高汤，放入海参、精盐、味精、虾仁和其他配料，见汤稍滚时去净汤面沫，然后放入胡椒粉、火腿片，淋入猪油、香油即可。

枸杞海参煮鸽蛋

【食材】鸽蛋12个，水发海参2个，枸杞15克。

【调料】姜片、葱段各10克，精盐3克，料酒10克，味精1克，酱油10克，胡椒粉2克，干淀粉30克，鸡汤500克，植物油60克。

【做法】1.将水发海参内壁洗净，用汤氽两遍，再用刀尖在腔壁切棱形花刀，不要切透。

2.鸽蛋放入凉水锅，用小火煮熟，捞出，入凉水浸过，剥去壳。

3.将锅置于旺火上，倒入植物油，烧至八成热时将鸽蛋滚上干淀粉，放入油锅中炸至呈黄色捞出。

4.将锅烧热，倒入植物油，烧至五成热时放入葱段、姜片煸炒后，倒入鸡汤，煮3分钟，捞出葱段、姜片不用，再加入酱油、料酒、胡椒粉、枸杞、海参，烧沸后撇净浮沫，改用小火煮

油滑、焯水的尺度 原料经过油滑、焯水后，还要回锅进行正式烹调，所以只要达到断生的程度就可以了。如果焯透或滑透，再入锅烹调，菜肴质地就会变得老硬或散碎不成形，颜色变暗，失去鲜味；如果达不到断生的程度，就会延长烹调时间，造成色泽不艳，异味除不净，影响成菜质量。只有刚至断生，才有利于进一步烹调。

厨房小窍门

10分钟,把海参、枸杞捞出入盘,鸽蛋放在海参周围。

5.汤内加入味精,再淋上植物油,把汁淋在海参和鸽蛋上即可。

灌蟹鱼圆

【食材】青鱼肉300克,蟹粉150克,熟猪肥膘50克,熟火腿片15克,熟春笋片25克,水发木耳15克,熟菜心50克,鸡蛋清50克。

【调料】猪油75克,料酒25克,精盐2克,葱末10克,姜末10克,葱姜汁10克,鸡清汤250克。

【做法】1.将锅置于旺火上,放入猪油,烧至五成热时,放入葱末、姜末煸香,再投入蟹粉,加料酒煸炒,加精盐炒匀,起锅装入盘中,凉后,

团成莲子大小的丸子做馅心。

2.将青鱼肉、猪肥膘肉分别斩成蓉,同放入碗中,加入鸡蛋清、葱姜汁、鸡清汤搅匀,放入精盐、料酒上劲搅拌后,再加入猪油,搅匀成鱼蓉。

3.用手抓起鱼蓉,将蟹粉馅心塞入,挤成鱼圆,放入冷水锅中,将锅置于旺火上,烧至鱼圆变熟,捞入清水中待用。

4.将锅置于旺火上,放入鸡清汤,加入精盐、熟火腿片、水发木耳、熟春笋片、熟菜心、烧沸后放入鱼圆,再沸后,起锅装入汤碗中即可。

氽虾蘑海参

【食材】净大虾100克,水发海参100克,水发口蘑50克。

【调料】香菜5克,葱丝3克,料酒15克,味精2克,精盐3克,酱油15克,清汤250克,鸡油2克,胡椒粉1克。

【做法】1.将大虾去肠洗净,片成片;水发口蘑、水发海参均片成小片,香菜切成段。

2.将锅置于旺火上,倒入清水烧开,投入虾片,氽透捞出;海参片亦氽透放入汤盘内,撒上香菜段、葱丝。

3.将锅置于旺火上,加入清汤、味精、料酒、酱油、精盐、虾片、口蘑片、烧开后撇净浮沫,浇在汤盘内,淋入鸡油,撒上胡椒粉即可。

识别新鲜河蚌 新鲜的河蚌,蚌壳盖是紧密关闭,用手不易掰开,闻之无异臭的腥味,用刀打开蚌壳,内部颜色光亮,肉呈白色。如蚌壳关闭不紧,用手一掰就开,有一股腥臭味,肉色灰暗,则是死河蚌。死河蚌细菌最易繁殖,肉质容易分解产生腐败物,这种河蚌不能食用。

厨房小窍门

识别优质鲍鱼干 鲍鱼干，以质地干燥、呈卵圆形的元宝锭状、边上有花带一环、中间凸出、体形完整、无杂质、味淡者为上品。鲍鱼干有紫鲍、明鲍、灰鲍三种：紫鲍个体大，呈紫色，有光亮，质量好；明鲍个体大，色泽发黄，质量较好；灰鲍个体小，色泽灰黑，质量次。

厨房小窍门

酸辣海参

【食材】海参500克，火腿40克，冬菇40克，鸡肉20克，冬笋40克。

【调料】白糖15克，醋8克，胡椒粉15克，味精10克，料酒15克，酱油8克，精盐3克，葱丝、姜丝各5克，鸡汤200克，猪油50克。

【做法】1.将海参发好，切成长宽条；将冬笋、火腿、鸡肉、冬菇分别洗净切片。

2.将海参条用沸水氽一下，捞出控干水分。

3.将锅内放猪油烧热，放入葱丝、姜丝炸出香味捞出不用，将海参条、料酒、酱油、精盐、白糖、醋、味精、胡椒粉等倒入锅内，加鸡汤，用小火烧15分钟即可。

椰汁煮海鲜

【食材】冻青口、中虾各200克，鲜鱿鱼300克，洋葱、西红柿各50克。

【调料】椰汁500克，葱末50克，咖喱酱15克，盐15克，白糖5克，植物油45克。

【做法】1.青口解冻、冲净，沥干水；中虾去肠、剪去长须、冲净、抹干；鲜鱿鱼切圈，入沸水锅余烫片刻，捞出备用；洋葱洗净切条；西红柿洗净切角。

2.炒锅下植物油烧热，爆香葱末及咖喱酱，放入青口、中虾翻炒均匀，下洋葱条、西红柿角及鱿鱼圈，倒入椰汁，再下盐、白糖，汤滚后用文火煮20分钟即成。

盐水大虾

【食材】鲜大虾10只（约750克）。

【调料】精盐3克，味精2克，葱段5克，姜片3克，清汤100克。

【做法】1.将鲜大虾剪去虾须、虾爪、虾尾，挑去沙包和沙线，冲洗干净，沥净水分。

2.锅内放入清汤烧开，加入精盐、味精、葱段、姜片，煮6分钟，捞出葱段、姜片不用，将大虾放入煮熟，捞出摆入盘内，浇上少许汤水上桌即可。

海虾白菜鸡蛋煲

【食材】鲜海虾100克，白菜100克，鸡蛋2个。

【调料】味精1克，精盐4克，葱丝5克，姜丝3

克,料酒15克,鸡汤300克,做菜剩余的鸡骨架、鱼骨、肉皮等下脚料若干,葱末5克,香油3克。

【做法】1.先将下脚料全部洗净,放入鸡汤中烧开,撇净浮沫,加入葱丝、姜丝、料酒、精盐烧开,改用小火熬至汤浓,滗出高汤待用。白菜切成片;鸡蛋磕入碗中搅匀。

2.高汤上火烧开,下海虾稍煮,随即放入白菜片,再烧开,放入鸡蛋液,加入味精、葱末、香油,调好口味即可。

海鲜煮粉皮

【食材】带子100克,鲜鱿鱼100克,虾仁100克,鱼肉(品种任选)100克,粉皮150克,蛋白50克,生菜150克。

【调料】姜8克,葱6克,淀粉10克,五香粉20克,生抽15克,白糖20克,料酒10克,盐10克,植物油100克,高汤60克,香油20克。

【做法】1.粉皮放水中浸泡30分钟后放入沸水锅略烫,捞起切粗条;生菜洗净择好;姜、葱拍扁。

2.带子冲洗干净,以毛巾吸干水分,滚上一层淀粉及五香粉,放入热油锅稍微炸一下,捞出沥油。

3.鲜鱿鱼洗净,以刀刻花纹,沾上少许淀粉,放入热油锅稍微炸一下,捞出沥油。

4.虾仁挑泥肠后,用淀粉及五香粉拌匀。

5.鱼肉洗净,切厚片吸干水分,以蛋白、生抽、白糖、五香粉及香油和匀腌片刻,放入热油锅稍微炸一下,捞出沥油。

6.炒锅再下植物油烧热,爆香姜、葱,投入带子、鱿鱼、虾仁、鱼肉翻炒均匀,下料酒、高汤,煮30分钟后放入粉皮及生菜,以生抽、白糖、盐、五香粉调味,再煮10分钟,淋香油即成。

响螺猪骨汤

【食材】带壳响螺1000克,山药30克,枸杞20克,猪棒子骨250克。

【调料】料酒、生姜各10克,精盐3克。

【做法】1.响螺用沸水浸泡,除去头盖和尾肉,捞出洗净后切块。

2.枸杞洗净,去杂质,用温水浸泡回软。

3.猪棒子骨洗净,锤破;山药洗净去皮,切

面筋的加工 面筋因食法不同,熟制加工方法也不一样,所以名称也就不同。面筋洗好后,投入沸水锅中煮80分钟后捞出,即是"水面筋";面筋用手摘成球形,投入热油锅内炸呈金黄色,有光泽,即是"油面筋";面筋放入盛器内,让其自然发酵起泡,再取出上屉用旺火蒸熟,即是"烤麸"。

成小丁;生姜去皮切片。

4.猪骨置炖锅内,加入适量清水烧开,下螺肉、山药、枸杞煮2小时,下姜片、料酒、精盐即可。

田螺蚌肉汤

【食材】田螺500克,蚌肉250克。

【调料】姜10克,精盐4克,味精2克,香油25克,料酒15克,高汤适量。

【做法】1.田螺去壳、肠杂,放入沸水中烫一下,洗净切薄片。

2.蚌肉洗净泥沙;姜去皮切片。

3.锅内加入高汤,置旺火上烧开,下姜片、料酒、田螺及蚌肉,改用中火煮至蚌肉熟透,放精盐、味精、香油调味即可。

螺肉丝瓜汤

【食材】螺肉400克,丝瓜500克,红枣3枚。

【调料】鲜荷花3朵,生姜10克,精盐适量。

【做法】1.将螺肉用淡盐水浸泡,洗净。

2.丝瓜用水洗净,去边皮,对半剖开,切块。

3.荷花、生姜、红枣用水洗净,荷花取瓣,生姜去皮切片,红枣去核。

4.锅内注入适量清水,用旺火煮至水开,然后加入丝瓜、响螺片、生姜和红枣,改用中

Tips

怎样洗面筋 面筋主要是由麦胶原蛋白和麦谷蛋白组成的。怎样洗面筋呢? 将面粉加入清水和精盐,搅匀上劲,使面粉浆有韧性,形成面团;稍饧后,用清水反复搓洗,把面团中的淀粉和其他杂质全部洗掉后,剩下的就是面筋。

厨 房 小 窍 门

火烧2小时,再放入荷花瓣,稍煮片刻,加精盐调味即成。

响螺春笋汤

【食材】响螺肉400克,春笋100克,豌豆苗50克。

【调料】料酒25克,葱段10克,精盐5克,味精1克,清汤适量。

【做法】1.将螺肉除去头盖和尾肉,盛在碗内,加入少许精盐腌渍片刻, 洗净后切成连刀荷叶片,下沸水锅焯至八成熟,捞出。

2.春笋用清水浸软洗净,切去两头,再用清水漂洗干净,捞出切段;豌豆苗择洗干净。

3.清汤倒入锅内,上火烧开,放入春笋,加入精盐、味精,然后放入螺片,待烧沸后再烹入料酒,放入豌豆苗、葱段,煮开后起锅装碗即可。

田螺荷叶汤

【食材】田螺500克,荷叶1张。

【调料】料酒10克,姜5克,葱10克,精盐3克,味精2克,香油少许。

【做法】1.田螺去壳、肠杂,洗净切薄片。

2.荷叶洗净,剪成4厘米见方的小块;姜切片,葱切段。

3.将荷叶、田螺、姜片、葱段、料酒同放炖锅内,加入清水1500克,置旺火上烧沸,再用小火煮30分钟,加入精盐、味精、香油即成。

田螺菠芥汤

【食材】田螺肉400克,菠菜250克,芥菜150克。

【调料】料酒6克,精盐、味精各3克,鸡油30克。

【做法】1.菠菜去根洗净,入沸水锅中焯过,用凉水冲一下,捞出切段。

2.芥菜洗净切段;田螺肉用开水烫过,洗净切片。

3.炒锅置旺火上烧热,加入鸡油,烧至六成热时,放入田螺炒至变色,注入清水炖煮15分钟,下入菠菜,用料酒、精盐、味精调味即成。

三蔬蛤蜊汤

【食材】蛤蜊肉500克,胡萝卜100克,土豆80克,洋葱20克。

【调料】川芎10克,精盐少许。

【做法】1.将蛤蜊用清水浸发开,去杂质,洗净。

2.胡萝卜、土豆洗净去皮,均切成丁块;洋葱洗净,对切两刀,分成四大瓣;川芎切成薄片。

3.锅内注入适量清水烧开,放入川芎、胡萝卜、土豆、洋葱约煮30分钟,待蔬菜均熟软后,加入蛤蜊煮至熟烂,下精盐调味即可。

蘑菇鲜贝煲

【食材】鲜贝150克,鲜蘑菇400克。

【调料】葱、姜各10克,料酒10克,精盐3克,味精1克,植物油、熟鸡油、高汤各适量。

【做法】1.干贝去筋,洗净后放入碗内,加适量清水,上屉蒸20分钟。

2.蘑菇用清水浸透,去蒂洗净,撕成片;姜切片,葱切段。

3.炒锅上火,放植物油烧热,下葱段、姜片爆香,加入高汤、料酒、精盐、鲜贝、蘑菇,烧后撇净浮沫,移至煲内用小火炖约1小时,淋入熟鸡油、放入味精即成。

牡蛎墨鱼汤

【食材】墨鱼500克,牡蛎60克,红枣8枚。

【调料】白芷4克,精盐适量。

【做法】1.墨鱼去皮、内脏和头,洗净,鱼肉及骨留用。

2.牡蛎洗净后用干净纱袋装好;红枣洗净去核;白芷洗净。

3.锅内注入适量清水,将墨鱼、牡蛎、红枣、白芷放入,先用旺火烧开,撇净浮沫,再改用小火煮约2小时,下精盐调味即可。

丝瓜海蜇汤

【食材】海蜇250克,丝瓜250克,西瓜皮150克,荷叶50克,白扁豆50克,竹叶心15克。

【调料】精盐各适量。

【做法】1.海蜇用盐水浸泡30分钟,捞出沥干,切4厘米长的段。

2.西瓜皮、丝瓜洗净切块;荷叶、竹叶心、扁豆分别洗净。

3.锅内注入适量清水,放入西瓜皮、海蜇、扁豆、荷叶、竹叶心,用旺火煮开,改用小火继续煮1小时,然后放入丝瓜,再煮片刻,用精盐调味即可。

丹参海蜇煲

【食材】海蜇500克,丹参15克。

【调料】料酒10克,精盐3克,味精2克,姜5克,葱10克,香油少许。

【做法】1.海蜇用盐水浸泡30分钟,捞出沥干,切4厘米长的段。

2.丹参洗净润透,切薄片;姜切片,葱切段。

3.将丹参、姜片、葱段、料酒放入炖锅内,加水500克,置旺火上烧沸,用小火煲20分钟,加入海蜇、精盐、味精、香油煮熟即成。

姜汁蚌肉汤

【食材】净蚌肉500克。

【调料】姜100克,米酒50克,精盐适量。

【做法】1.姜洗净去皮,捣烂绞取汁液备用。

2.蚌肉洗净泥沙,放清水中浸泡,捞出备用。

3.锅内注入适量清水烧开,放入蚌肉,倒入米酒和姜汁,煮至蚌肉熟后下精盐调味即可。

枸杞菜蚌肉汤

【食材】枸杞菜500克,蚌肉(干品)100克,鸡蛋2个。

【调料】姜10克,精盐适量。

【做法】1.枸杞菜取叶片,枸杞梗捆成一扎,用

怎样炸肉皮 (1)先将肉皮上油刮去,再用温水清洗干净,然后晾干或晒干。(2)炸制时,先在锅内放冷油,待油温升到三成热时,放入肉皮,肉皮受热后可向外卷块,吹起小白泡时捞出,稍冷却,待油温升高时再入锅回炸至膨胀捞出。用这种方法炸出的肉皮再经烹制,松软厚实,味美可口。

Tips

厨房小窍门

清水洗净;蚌肉用温水浸开,洗净。

2.鸡蛋打入碗内,用筷子搅匀;姜去皮切片。

3.锅内注入适量清水,先将枸杞梗、姜片和蚌肉放入,用旺火煮至水开,再改用中火煮1小时,取出枸杞梗,放入枸杞叶再煮30分钟,淋入鸡蛋液,下精盐调味即可。

海参阿胶汤

【食材】水发海参300克,阿胶80克,山药30克,红枣4枚。

【调料】姜10克,精盐少许。

【做法】1.阿胶用温水浸透发开,洗净切块;海参浸透后择洗干净,切成3厘米长、1厘米宽的条。

2.山药洗净去皮,切片;红枣洗净去核;姜去皮切片。

3.锅内注入适量清水,用旺火烧开,放入山药、海参、阿胶、红枣、姜片,改用中火煮2小时,下精盐调味即可。

海参肉片汤

【食材】水发海参100克,猪瘦肉300克,何首乌30克,桂圆肉15克,红枣6枚。

【调料】精盐适量。

【做法】1.猪肉去筋膜洗净,切块,放入沸水锅

内煮片刻,捞出后用清水洗净。

2.海参去泥肠,洗净后切丝;红枣洗净去核;何首乌、桂圆肉分别洗净。

3.锅中注入适量清水,将猪瘦肉、海参、何首乌、桂圆肉、红枣一齐放入,用旺火煮开,然后改中火煮2小时,下精盐调味即可。

豆花虾仁

【食材】虾仁、鱼肉各50克,豆腐花250克,干紫菜20克,青豆10克,草菇50克。

【调料】精盐3克,胡椒粉2克,清汤适量,香油少许。

【做法】1.紫菜撕碎,放在冷水里浸泡去腥;草菇洗净后对切,入沸水锅焯一下水,沥干水分备用。

2.虾仁、鱼肉洗净切粒,用精盐、胡椒粉拌匀;青豆淘洗干净。

3.锅中注入适量清水烧开,将青豆、虾仁及鱼肉分别余水烫透,取出。

4.锅中注入清汤及适量清水,加豆腐花及紫菜煮滚,再加入草菇、虾仁、鱼肉、青豆,稍煮片刻,淋入香油即可。

带皮的原料要刮、燎、洗净 带皮面的原料如猪蹄、尾、肘等,由于形状特异,外表凹凸不平,屠宰时或多或少地带有残余的毛根、皮膜和污物,既不美观又不卫生。所以,带皮的原料在加工的时候,要先进行刮、燎、浸、漂等初步加工,这样才会色泽洁白,清爽无腻,烹制出来后色泽鲜艳,没有异味。

厨房小窍门

水产煮菜／其他水产煮菜

白豆角煮鱼鳔

【食材】鱼鳔200克，白豆角250克。

【调料】植物油20克，蒜2克，姜4克，料酒5克，胡椒粉1克，盐、生抽各3克，白糖2克，水30克。

【做法】1.白豆角摘洗干净，切成段，用油、盐略炒出水。

2.锅烧热，加入植物油，下姜片及鱼鳔，慢火煎至两面金黄色，加入蒜爆香，取出放碟上。

3.锅留底油，加白豆角、料酒炒熟，加入鱼鳔、胡椒粉、盐、白糖、生抽及清水煮滚，即可上盆。

豉椒煮生蚝

【食材】生蚝250克，菠菜400克。

【调料】豆豉15克，青辣椒10克，红辣椒15克，蒜蓉10克，葱15克，姜片5克，盐10克，料酒10克，白糖5克，老抽5克，淀粉10克，香油20克，胡椒粉10克，植物油60克。

【做法】1.生蚝洗净，放入滚水中煮至蚝唇张开，捞起沥干水，加香油、胡椒粉、淀粉拌匀，略腌；菠菜洗净，放入滚水中焯软。

2.炒锅下植物油，烧至三四成热时，放入腌好的生蚝略炸，取出沥油。

3.原锅留少许底油，下姜片、蒜蓉、豆豉、青红辣椒煸炒出香味，下生蚝、料酒，翻炒均匀，再下盐、白糖、老抽、水，煮30分钟，然后下菠菜、葱，再淋入熟植物油，煮滚即可。

蛤肉木耳煮豆腐

【食材】蛤肉150克，木耳20克，豆腐1000克，韭菜100克。

【调料】植物油30克，姜丝20克，葱段10克，蒜片5克，香油10克，盐30克。

【做法】1.将蛤肉用盐水洗净，沥干水；木耳泡水后洗净；豆腐洗净，切成8块；韭菜洗净，切段。

2.炒锅下植物油，烧热后下姜丝、葱段、蒜片，炒出香味后下蛤肉、木耳翻炒均匀，然后放入豆腐，添适量清水，再下韭菜、香油，煮30分钟加盐调味即可。

干贝云丝豆腐

【食材】大干贝两粒(40克)，南豆腐250克，咸肉50克。

【调料】植物油20克，姜、葱末各10克，高汤10克，鸡精5克，盐4克，淀粉8克，料酒10克，香油5克，水800克。

【做法】1.干贝温水泡发洗净，切成丝细；咸肉洗净切丝。

2.葱姜洗净，拍松后用水浸泡20分钟，取出葱姜，留水待用；豆腐切细丝。

3.坐锅点火，倒入植物油，放干贝翻炒几

修割猪肘时皮面要留长一点 猪肘的皮面含有丰富的胶质，加热后收缩性较大，而肌肉组织的收缩性则较小。如果皮面与肌肉并齐或是皮面小于肌肉，加热后皮面会收缩变小而脱落，致使肌肉裸露而散碎。因此皮面要适当地留长一点，加热后皮面收缩，恰好包裹住肌肉又不至于脱落，菜肴有形体整齐美观。

Tips

厨房小窍门

水产煮菜＼其他水产煮菜

下,加入高汤、料酒、盐、鸡精、葱姜水。

4.水开后先用淀粉勾芡,再将豆腐丝和咸肉轻轻放入搅匀,煮15分钟,待咸肉熟后放几片香菜叶即可出锅。

沙锅甲鱼汤

【食材】甲鱼1只(约500克)。

【调料】料酒20克,葱、生姜、精盐各5克,植物油适量。

【做法】1.将甲鱼宰杀后去壳,整理干净,切成6大块。

2.葱切段,生姜切片。

3.锅内放入植物油,烧至七成热时放入葱段、姜片和甲鱼块,炒约5分钟至甲鱼肉呈灰白色时,将甲鱼捞出放入沙锅,再放入料酒、精盐和适量清水,先用旺火煮半小时,然后改小火煮至甲鱼肉熟烂即可。

虫草玉竹甲鱼汤

【食材】甲鱼1只(约500克),玉竹30克,冬虫夏草6克。

【调料】精盐5克。

【做法】1.冬虫夏草、玉竹分别洗净,放入清水中浸泡1小时。

2.将甲鱼宰杀后从头颈处割开,剖腹抽去气管,去内脏,斩去脚爪,入沸水锅中焯透,取出剁块。

3.炖锅内注入清水2000克,放入甲鱼及冬虫夏草、玉竹,用旺火煮滚后改小火煮3小时,加精盐调味即可。

甲鱼双耳汤

【食材】甲鱼1只(约750克),银耳30克,黑木耳30克。

【调料】葱段、姜片各10克,精盐、料酒、香油各适量。

【做法】1.先将甲鱼宰杀后从头颈处割开,剖腹抽去气管,去内脏,斩去脚爪,入沸水锅中焯透,取出刮去背壳黑黏膜,剁成块,甲鱼壳与甲鱼肉一同放在汤锅内炖煮。

2.银耳与黑木耳水发后择洗干净。

3.锅内加入适量清水,放入甲鱼、银耳、黑木耳、精盐、料酒、葱段、姜片,先用旺火烧沸,撇净浮沫,再改用小火,直至甲鱼肉熟烂入味,拣去葱、生姜,淋入香油即成。

甲鱼百合红枣汤

【食材】甲鱼1只(约500克),百合50克,红枣30克。

【调料】冰糖适量。

【做法】1.甲鱼宰杀后斩去头、足,剖开龟壳,除去内脏,洗净切成4块。

2.百合放入清水中泡发,洗净;红枣洗净去核。

3.锅内注入适量清水,放入龟肉煮沸,再捞出洗净,放入沙锅内,下百合、红枣继续煮至龟肉烂熟,加入冰糖煮溶即成。

其他煮菜

水煮白菜

【食材】白菜心500克,猪瘦肉100克。

【调料】葱段25克,姜片15克,干红椒15克,花椒2克,精盐3克,味精5克,胡椒粉1克,香油20克,豆瓣辣酱50克,酱油50克,料酒15克,鸡蛋1个,高汤250克,干淀粉2克,植物油50克。

【做法】1.将白菜心洗净撕成块;猪瘦肉洗净切成片,放入料酒、酱油、精盐、鸡蛋、干淀粉,把猪瘦肉片抓匀;干红椒切成段。

2.将锅置于旺火上,倒入植物油,烧至五成热时放入花椒略炸,再放入干红椒段炸至黑色一同捞出,用刀剁碎。

3.在热油中放入豆瓣辣酱、姜片炸出香味,倒入高汤,开锅后去掉杂物,加入葱段、酱油、料酒、精盐、胡椒粉、味精,调好口味。

4.将猪肉片放入锅中,加入白菜块,待猪肉片煮熟后倒入大碗中,放进花椒末、干红椒末,将烧热后的香油淋在碗中即可。

百合煮香芋

【食材】香芋头400克,百合75克。

【调料】精盐4克,鸡精1克,白糖5克,椰酱10克,清汤500克,植物油15克。

【做法】1.将香芋头去皮,切成小三角块,用热植物油炸熟待用。

2.将锅置于火上,放入植物油,烧热后倒入百合爆炒,再加入清汤、香芋头块煮10分钟,最后放入精盐、鸡精、白糖、椰酱,再煮1分钟即可。

豆腐熬白菜

【食材】豆腐250克,白菜500克。

【调料】植物油50克,葱末10克,酱油10克,高汤250克,姜丝5克,精盐3克,味精1克。

【做法】1.将豆腐、白菜切成块。

鉴别松花蛋 观察其外观是否完整,有无破损、霉斑等;也可用手掂动,感觉其弹性,或握蛋摇晃听其声音。良质皮蛋外表泥状包料完整、无霉斑,包料剥掉后蛋壳亦完整无破损;去皮后有弹性;摇晃时无水荡声。劣质皮蛋包料破损不全或发霉;剥去包料后,蛋壳有斑点或破、漏现象;摇晃后有水荡声。

Tips

2.将锅置于中火上，倒入植物油烧热，放入葱末、姜丝爆香，放入精盐、白菜块翻炒几下，加入酱油、高汤；开锅后放入豆腐块，熬20分钟，待汤汁收浓后加入味精，出锅即可。

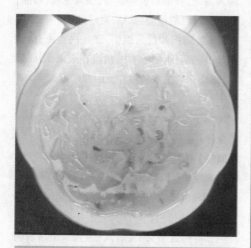

清汤萝卜丝

【食材】白萝卜500克，黄豆芽500克。

【调料】香菜末25克，干淀粉50克，植物油100克，精盐4克，味精2克，料酒25克，胡椒粉1克。

【做法】1. 将黄豆芽洗净放入锅中，倒入清水，用小火煮至酥烂，沥出清汤，加入精盐、味精、料酒调为素清汤。

2.将白萝卜洗净，去皮，切成丝，拌上干淀粉。

3.将炒锅置于旺火上，放入植物油，烧至八成热，把浮在萝卜丝上的干淀粉抖落掉，分次下入油内，略炸捞出沥油。

4.将汤锅置于火上，倒入素清汤，下入萝卜丝，用小火煮酥，调入油面酱、精盐、胡椒粉调味，撒上香菜末即可。

竹荪莲子丝瓜汤

【食材】干竹荪25克，鲜莲子50克，笋片50克，嫩丝瓜500克。

【调料】精盐4克，味精2克，高汤400克。

【做法】1.将干竹荪用清水发好洗净，剪去两头，切成斜形块，放在清水中浸泡；鲜莲子放入沸水锅中焯5分钟，去莲衣后捞出，洗净用清水浸泡后去莲心；嫩丝瓜刮去外皮，去瓤切成菱形片。

2.将汤锅置于旺火上，倒入清水烧沸，下入竹荪块、莲子、笋片、丝瓜片煮半小时捞出，放入汤碗内。

3.将精盐、味精、高汤放入另一锅内，煮沸出锅，盛入放竹荪块、丝瓜片、莲子、笋片的汤碗内即可。

煮蔬菜泥汤

【食材】圆白菜300克，胡萝卜50克，土豆75克，芹菜50克。

【调料】清汤500克，精盐5克，味精1克，炸面包丁30克，牛奶50克，油炒面50克。

Tips

海鲜搭配的禁忌(一) 海味食品忌与洋葱、菠菜、竹笋同食。海味食品含有丰富的蛋白质和钙，而洋葱、菠菜、竹笋等蔬菜含有较多的草酸。食物中的草酸会分解、破坏蛋白质，还会使蛋白质发生沉淀，凝固成不易消化的物质。海味中的钙还会与蔬菜中的草酸形成草酸钙结石。

厨房小窍门

海鲜搭配的禁忌(二) 食用海鲜时饮用大量啤酒,会产生过多的尿酸。尿酸过多,会沉积在关节或软组织中,从而引起关节和软组织发炎,即痛风。痛风发作时,不但被侵犯的关节红肿热痛,甚至会引起全身高热,状似败血症,久而久之,患者部分关节逐渐被破坏,甚至还会引起肾结石和尿毒症。

厨房小窍门

【做法】1.将各种蔬菜摘洗干净,用钢锅放入水煮烂后捞出,再用绞肉机绞3遍,过粗箩待用。

2.将锅置于旺火上,倒入清汤,烧开后加入油炒面搅匀,再加入牛奶过箩,然后将蔬菜泥放入汤中,用小火煮开放入精盐、味精,出锅时撒在炸面包丁上即可。

西红柿爆蛋煲

【食材】西红柿200克,鸡蛋150克,黄瓜75克。

【调料】花椒粉1克,精盐3克,鸡精2克,香油3克,葱末10克。

【做法】1.将黄瓜切成片,香菜切成段,西红柿用开水烫后去皮。

2.将鸡蛋摊成一个整的鸡蛋饼,加入西红柿、开水(500毫升)、鸡精、精盐、花椒粉,煲20分钟后关火,放入葱末、黄瓜片、香菜段,淋上香油即可。

什锦蔬菜汤

【食材】圆白菜150克,净洋葱50克,净胡萝卜100克,净芹菜50克,土豆100克,西红柿100克。

【调料】蒜瓣8克,葱丝8克,鸡汤100克,熟牛油20克,干红椒5克,香叶2克,胡椒粒1克,精盐5克,味精1克,奶油30克,油炒面50克。

【做法】1.将净洋葱、净胡萝卜切成瓣状;净芹菜切成段;土豆去皮后与圆白菜切成三角块;蒜瓣切成蓉;西红柿放入开水中稍烫,捞出后剥皮切块。

2.将锅置于旺火上,倒入熟牛油,旺火烧开后放入干红椒、胡椒粒、香叶、洋葱瓣、胡萝卜块,焖至六成熟时加入油炒面、鸡汤,放进圆白菜块、土豆块、芹菜段、葱丝、蒜蓉和西红柿块,用旺火烧开后改用小火,将蔬菜煮烂,再加精盐和味精调匀,盛入汤盘中,淋上奶油即可。

雪菜煮冬瓜

【食材】冬瓜(去皮去瓤)300克,雪里蕻100克。

【调料】香油4克,精盐4克,高汤1000克,味精2克。

【做法】1.将冬瓜洗净切成块;雪里蕻洗净,切成末。

2.将冬瓜块放入沸水锅中煮4分钟,捞出浸在凉水里,捞出。

3.将锅置于旺火上,倒入高汤,放入冬瓜块和雪里蕻末,烧开后撇净浮沫,加入精盐、味精，盖上锅盖烧2分钟，淋上香油即可。

奶油番茄汤

【食材】西红柿300克，洋葱50克，胡萝卜75克，芹菜50克。

【调料】香叶2克，黄油15克，精盐5克，胡椒粉2克，油面酱20克，番茄酱25克，清汤750克。

【做法】1.将西红柿洗净，切开去籽；胡萝卜、洋葱去皮切片；芹菜去叶，洗净后切段。

2.将锅置于中火上，放入黄油烧热，放入胡萝卜片、洋葱片、芹菜皮炒至淡黄色时，加入番茄酱继续煸炒，然后同西红柿一起倒入清汤锅内，用旺火烧开，加入精盐、胡椒粉、香叶和油面酱，搅匀，改用小火煮2个小时，再用纱布滤清即可。

土豆丁汤

【食材】土豆350克，西红柿100克。

【调料】黄油15克，葱白6克，胡椒粉1克，清鸡汤750克，番茄酱20克，精盐3克，味精1克，油炒面50克。

【做法】1.将土豆洗净去皮，切成丁；净西红柿放入开水锅内烫5分钟，捞出剥去皮，剖开去籽，切成丁；葱白切成同样大小的片。

2.将锅置于旺火上，放入黄油烧热，放

入葱白片和土豆丁焖至断生，加番茄酱炒出红油，再加入油炒面搅匀，倒入清鸡汤煮1小时，然后加精盐、味精、胡椒粉和西红柿丁调匀，煮开后立即盛在汤盘内趁热食用。

熬冬瓜海米

【食材】冬瓜500克，海米50克。

【调料】葱末10克，味精2克，精盐4克，高汤800克，香油3克。

【做法】1.将冬瓜去皮、去瓤，切成片；海米用温水洗去灰沙。

2.将锅置于旺火上，放入高汤，烧开后加入冬瓜片、海米和精盐，煮20分钟，待冬瓜片煮熟，加入葱末、味精，淋上香油即可。

雪菜煮蚕豆

【食材】水发蚕豆75克，腌雪里蕻75克，猪瘦肉50克。

【调料】熟猪油25克，姜丝5克，高汤750毫升，盐5克，香油5克。

【做法】1.水发蚕豆去皮洗净；腌雪里蕻用清水泡去咸味，洗净后切成条；猪瘦肉切成细丝。

2.炒锅置旺火上，放入熟猪油烧热，下姜丝煸炒出香味，然后再下猪瘦肉丝炒至变色，倒入蚕豆、雪里蕻翻炒均匀,倒入高汤烧沸,改用小火煮15分钟,蚕豆熟烂后,加入盐调味,最后淋上香油即可。

荠菜荸荠汤

【食材】荠菜200克,荸荠200克,水发冬菇100克。

【调料】香油5克,精盐4克,味精2克。

【做法】1.将荠菜洗净切小;荸荠去皮切成丁;水发冬菇洗净切丁。

2.将锅烧热后,锅置火上加入香油,油热后倒入荸荠丁、冬菇丁翻炒加水煮沸,再倒入荠菜,加入精盐、味精,调好口味后即可。

绿豆煮冬瓜

【食材】冬瓜500克,绿豆100克。

【调料】高汤500克,姜块5克,葱段5克,精盐4克。

【做法】1.将锅置于旺火上,倒入高汤,烧沸后撇净浮沫;绿豆淘洗干净,去掉浮于水面的豆皮,放入汤锅内炖熟。

2.将冬瓜去皮、去瓤,洗净后切块投入汤锅内,加入葱段、姜块,烧至熟而不烂时加入精盐,出锅即可。

酸菜煮芋头

【食材】酸菜200克,嫩芋头300克。

【调料】香油3克,精盐6克,味精1克,高汤800克。

【做法】1.将酸菜用清水泡一下,洗净,沥干水,切成丝;将嫩芋头刮洗干净,切成块。

2.将锅置于旺火上,倒入高汤烧开,放入芋头块、泡酸菜丝、香油、精盐同炖,待芋头块软时,加味精调味即可出锅。

煮青豆泥

【食材】干青豆250克,土豆75克,芹菜50克,洋葱50克,小红肠1根。

【调料】清汤750克,精盐3克,胡椒粉1克,香油3克,黄油15克,火腿皮适量。

【做法】1.将干青豆用冷水泡软(约12小时),土豆去皮,一起放入清汤内,加入芹菜、洋葱、香油、火腿皮,用小火煮烂。

2.将青豆汤过筛搓成豆泥,再加入精盐、

烹饪虾仁时如何不碎不糊 (1)剥出虾仁后,立即用冷水洗去虾仁表层的污物及泥沙。(2)用洁净的纱布将虾仁中的水绞干取出,然后加一勺精盐拌匀,放上半个小时。(3)打入1~2个蛋清,放虾仁搅拌透,再入油锅翻炒。由于虾仁外面都裹上了一层薄薄的蛋清膜,烹饪时自然不易碎了。

胡椒粉、黄油搅匀,用旺火烧沸即可。食用时,将切好的小红肠放入汤内,然后起锅装盆。

西红柿萝卜汤

【食材】白萝卜300克,番茄酱50克,西红柿200克。

【调料】精盐3克,味精1克,面粉40克,植物油20克。

【做法】1.将白萝卜洗净,切丝;西红柿洗净,切丁。

2.将锅置于旺火上,倒入植物油,烧至三成热时拌入面粉,搅匀成糊,再放番茄酱炒出红油,加清水、白萝卜丝,改用小火煮至酥软,最后放入西红柿丁、精盐、味精调味煮沸,出锅即可。

火腿烩豌豆

【食材】豌豆粒300克,面粉50克,洋葱50克,火腿丁50克。

【调料】姜末4克,蒜末8克,咖喱粉15克,茴香粉1克,香菜籽粉1克,辣椒粉3克,精盐3克,植物油15克,鸡汤100克。

【做法】1.将豌豆粒挑洗干净,洋葱切末。

2.将锅置于旺火上,倒入植物油烧热,放入面粉炒至微黄,用鸡汤调匀过箩,然后与豌豆粒、火腿丁合在一起煮至微沸。

3.将锅内放入植物油烧热,放入洋葱末、

蒜末、姜末、咖喱粉、茴香粉、香菜籽粉、辣椒粉炒黄,与汤混合在一起用精盐调剂口味,出锅即可。

家居浓汤

【食材】圆白菜300克,洋葱50克,白萝卜150克,胡萝卜150克,蘑菇片、熟鸡丝、火腿丝各50克。

【调料】精盐8克,胡椒粉2克,高汤500克,香叶4克,番茄酱40克,黄油15克。

【做法】1.将圆白菜、洋葱、白萝卜、胡萝卜洗净,切成丝,用黄油炒至嫩黄色,再加入番茄酱、香叶继续煸炒片刻,倒入高汤内,改用小火煮半小时,再加入蘑菇片、精盐和胡椒粉,调好口味。

2.将熟鸡丝和火腿丝分别装入汤碗中,食用时加入调好的浓汤即可。

Tips

再冻肉不宜吃 畜肉常常被冷冻保存,在解冻时若方法不当,会使营养素流失。肉在解冻后因未使用或未用完,继续冷冻,此时即为再冻肉,再解冻则是重复解冻,因肉中的大部分水被冻结成冰,将细胞膜胀破,使肉的弹性降低,如再经结冻和解冻时,肉内的液汁有部分损失,肉的质量也就降低了。

厨房小窍门

其他煮菜

长寿汤

【食材】南瓜100克,胡萝卜100克,玉米粒50克,青豆50克,什香草5克。

【调料】精盐4克,白糖5克,黄油15克,面粉40克,鸡精1克。

【做法】1.将南瓜、胡萝卜洗净,剁成蓉。

2.将锅置于旺火上,倒入清水烧开,将胡萝卜蓉、南瓜蓉煮一下,再将玉米粒、青豆放入煮开,倒出。

3.将锅置于中火上,放入黄油,化开后将面粉放入炒成金黄色,再将煮好的汤倒入烧开,加精盐、白糖、鸡精、什香草即可。

芙蓉口蘑

【食材】口蘑300克,鸡蛋100克,素火腿片75克,冬笋片50克。

【调料】精盐4克,味精1克,胡椒粉1克,高汤500克,植物油20克。

【做法】1.将口蘑洗净,切成薄片;鸡蛋去黄留清于碗内,加入清水和精盐,搅拌起泡,上笼蒸熟取出。

2.将锅置于旺火上,放入植物油烧热,加入高汤、味精、胡椒粉,同时放入口蘑片、素火

腿片、冬笋片,待煮沸入味时倒入碗内,然后将蒸熟的蛋清用汤匙片成薄片,放在口蘑片上即可。

煮三冬

【食材】冬瓜500克,水发冬菇100克,罐头冬笋100克,植物油50克。

【调料】植物油20克,盐5克,味精2克,高汤1000克。

【做法】1.将冬瓜削去皮,去瓤洗净,切成片;冬笋漂净切成片;冬菇去蒂,片成薄片。

2.炒锅置旺火上,倒入植物油烧至七成热时,放入冬瓜翻炒均匀,加入高汤。

3.汤沸后,下冬笋片、冬菇片,煮30分钟,加入盐、味精调味即可。

蒜头煮花生

【食材】花生米300克,蒜头100克。

【调料】高汤适量,盐2克,味精1克。

【做法】1.花生米洗净;蒜头去皮洗净。

2.锅内添高汤,将花生米、蒜头一起放入,武火煮沸,改用文火煮至花生米烂熟,加盐、味精调味即可。

兰花豆腐干

【食材】五香豆腐干500克。

【调料】白糖30克,酱油23克,老抽23克,精盐5克,味精3克,丁香10粒,大料2粒,桂皮1片,花椒5克,植物油300克,香油5克。

【做法】1.将每件豆腐干两面斜切18刀,切2/3深,不可切断;将切好的豆腐干挂起晾干。

2.将豆腐干放入滚水中,煮5分钟捞出,沥干水分,放入烧滚的植物油中,炸至稍硬捞出。

自剁肉馅的简便方法 很多菜肴都要用到自制肉馅,但在剁肉馅时往往费时费力。有种简便方法:将准备做馅的肉放入冰箱内冷冻,待肉完全冻实后取出,然后用擦菜板擦肉,很容易就能把肉擦成细条,这时只需再用刀轻轻地剁几下就行了。

厨房小窍门

3.将全部调味煮滚，放入豆腐干用小火煮5分钟，煮时不要盖上锅盖，熄火浸15分钟，食用时切小刀，淋上香油即可。

酸菜豆花

【食材】豆腐1块，酸菜75克，牛肉末100克，土豆100克，胡萝卜50克。

【调料】精盐3克，料酒20克，泡椒丝20克，醋8克，花椒粉1克，高汤200克，鸡精1克，酱油10克，植物油15克。

【做法】1.将豆腐放到蒸锅中蒸5分钟取出，晾凉后切成丁；酸菜洗净切成末；土豆洗净，去皮切丁；胡萝卜切成丁，用开水焯一下备用。

2.将锅置于旺火上，放入植物油烧至四成热，倒入牛肉末，炒出香味时，烹入料酒，放入泡椒丝、酸菜末炒匀，再加高汤、花椒粉、酱油、醋、精盐、土豆丁、胡萝卜丁、豆腐丁，待大火开锅后改为小火煮10分钟加入鸡精即可。

豆腐煮海带

【食材】豆腐500克，海带100克，白肉50克。

【调料】植物油50克，葱10克，姜10克，高汤300克，精盐4克，味精1克。

【做法】1.将豆腐切成小块；白肉切片；海带切丝；葱切末；姜切丝。

Tips

蔬菜做馅勿挤汁 蔬菜在做馅时不要挤汁。因为菜汁中含大量维生素C和其他营养物质，挤去实在可惜。比如包白菜肉馅饺子，可先在肉馅中加入调料，然后和面，最后剁白菜馅，加入肉中混匀，立即开始包即可。这样的饺子营养价值会大大提高。

厨房小窍门

2.将锅置于中火上，倒入植物油烧热，放入豆腐块煎一下，捞出控油。

3.锅内放入植物油烧热，加入葱末、姜丝、精盐，放入白肉片、海带丝翻炒几下，加入高汤，放入豆腐块，煮10分钟，加入味精调味即可。

素牛肉

【食材】硬豆腐500克。

【调料】酱油150克，白糖50克，桂皮4克，茴香2克，植物油300克。

【做法】1.将豆腐切成小块，放在锅中油炸。

2.将一碗清水中加入酱油、白糖、桂皮、茴香，倒入炸豆腐的锅中，用小火慢煮至水分将干时即可。

酸辣豆腐

【食材】豆腐500克，冬笋15克，胡萝卜15克。

【调料】醋25克，白糖25克，植物油15克，葱丝、姜丝、蒜丝共10克，干红椒5克，精盐3克。

【做法】1.将豆腐切成小块，过油，炸至呈金黄色；干红椒、冬笋、胡萝卜均切成丝。

2.将锅置于旺火上，倒入植物油烧热，加入干红椒丝、冬笋丝、胡萝卜丝、葱丝、姜丝、蒜丝一起翻炒,加入精盐、白糖,倒入醋和清水,即成高汤,再放入炸过的豆腐块,用小火煮透即可。

蘑菇豆腐

【食材】嫩豆腐750克,鲜蘑菇50克,笋片25克。

【调料】料酒15克,酱油10克,清汤500克,精盐2克,香油4克,味精2克。

【做法】1.将嫩豆腐切成小块,放入冷水锅内,加料酒,用旺火煮至豆腐块起孔,倒掉水。

2.在豆腐锅内加入笋片、鲜蘑菇、酱油、精盐和清汤,用小火煮20分钟,加入味精、香油即可。

豉汁熬豆腐

【食材】嫩豆腐1块,圆白菜100克,豆豉20克,紫菜末10克。

【调料】蒜片10克,姜片8克,植物油15克,精盐3克,味精2克,湿淀粉15克。

【做法】1.将圆白菜切丝;嫩豆腐切成片。

2.将锅置于旺火上,放入植物油烧热,放入蒜片、姜片爆香,放入豆豉炒匀,再倒入圆白菜丝翻炒,倒入清水,水沸后煮5分钟,再下入嫩豆腐片,煮沸后加入味精、精盐,然后撒上紫菜末即可出锅。

陈皮煮冬瓜

【食材】冬瓜300克,陈皮25克,冬菇50克。

【调料】姜5克,香油3克,白糖8克,盐5克,高汤适量。

【做法】1.冬瓜去皮洗净,切成马碲形,在沸水中焯过,捞出沥干;陈皮浸软洗净;冬菇去蒂浸软洗净。

2.取锅倒入高汤煮沸,放入冬瓜、陈皮、冬菇、姜、白糖,加盖文火煮约40分钟,加入盐、香油调味即可。

巧手煮骨头汤 (1)加一小匙醋,可使骨头中的磷、钙溶解于汤中,并可保存汤中的维生素。(2)放入几块新鲜橘皮,不仅味道鲜美,还可减少油腻。(3)煮骨头汤的时候,把几个鸡蛋洗干净,放在里面。等煮熟了,把鸡蛋壳敲破。这样煮的鸡蛋味道好,而且能吸收骨头汤中的钙。

Tips

厨房小窍门

附录

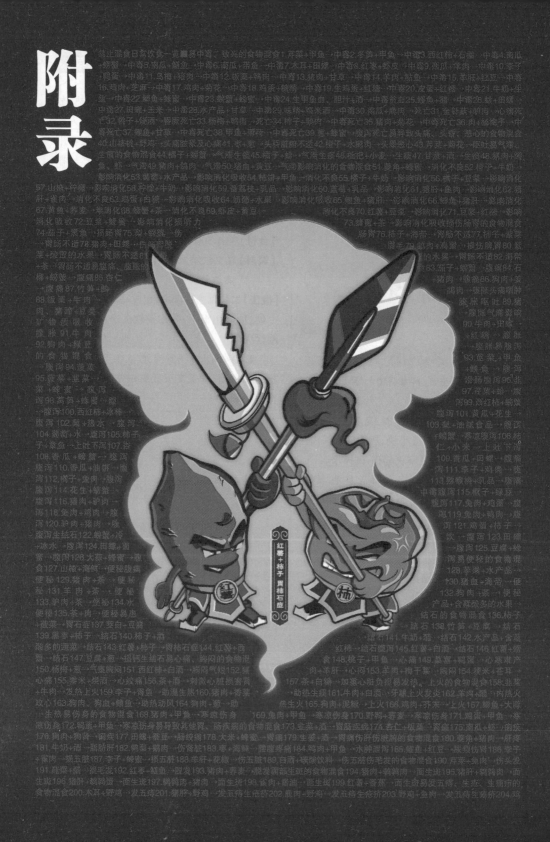

红薯+柿子 胃柿石症

家庭食物禁止混食一览

易中毒、致死的混食

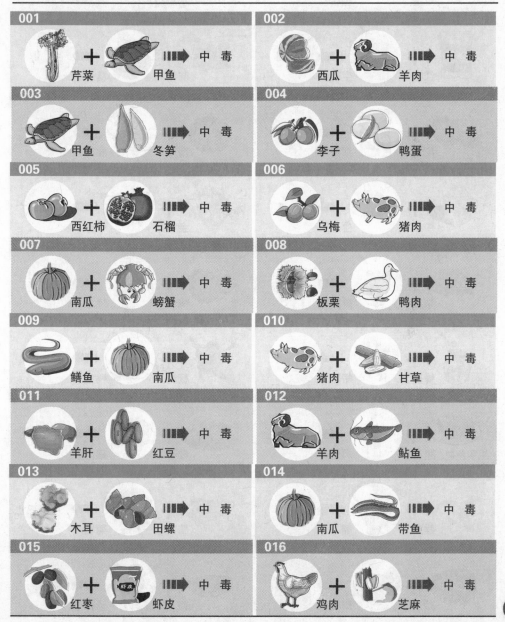

001 芹菜 + 甲鱼 ➠ 中毒

002 西瓜 + 羊肉 ➠ 中毒

003 甲鱼 + 冬笋 ➠ 中毒

004 李子 + 鸭蛋 ➠ 中毒

005 西红柿 + 石榴 ➠ 中毒

006 乌梅 + 猪肉 ➠ 中毒

007 南瓜 + 螃蟹 ➠ 中毒

008 板栗 + 鸭肉 ➠ 中毒

009 鳝鱼 + 南瓜 ➠ 中毒

010 猪肉 + 甘草 ➠ 中毒

011 羊肝 + 红豆 ➠ 中毒

012 羊肉 + 鲇鱼 ➠ 中毒

013 木耳 + 田螺 ➠ 中毒

014 南瓜 + 带鱼 ➠ 中毒

015 红枣 + 虾皮 ➠ 中毒

016 鸡肉 + 芝麻 ➠ 中毒

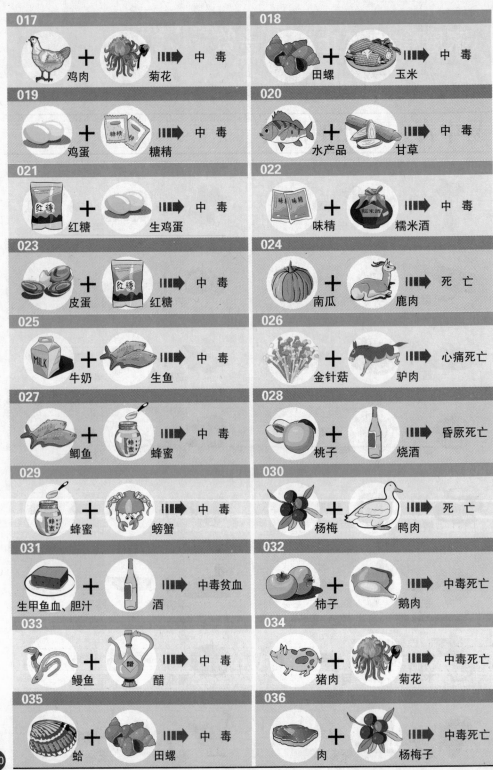

017		018	
鸡肉 + 菊花 ⟹ 中毒		田螺 + 玉米 ⟹ 中毒	
019		020	
鸡蛋 + 糖精 ⟹ 中毒		水产品 + 甘草 ⟹ 中毒	
021		022	
红糖 + 生鸡蛋 ⟹ 中毒		味精 + 糯米酒 ⟹ 中毒	
023		024	
皮蛋 + 红糖 ⟹ 中毒		南瓜 + 鹿肉 ⟹ 死亡	
025		026	
牛奶 + 生鱼 ⟹ 中毒		金针菇 + 驴肉 ⟹ 心痛死亡	
027		028	
鲫鱼 + 蜂蜜 ⟹ 中毒		桃子 + 烧酒 ⟹ 昏厥死亡	
029		030	
蜂蜜 + 螃蟹 ⟹ 中毒		杨梅 + 鸭肉 ⟹ 死亡	
031		032	
生甲鱼血、胆汁 + 酒 ⟹ 中毒贫血		柿子 + 鹅肉 ⟹ 中毒死亡	
033		034	
鳗鱼 + 醋 ⟹ 中毒		猪肉 + 菊花 ⟹ 中毒死亡	
035		036	
蛤 + 田螺 ⟹ 中毒		肉 + 杨梅子 ⟹ 中毒死亡	

260

037		

鲤鱼 + 甘草 ⟹ 中毒死亡

葱 + 蜂蜜 ⟹ 腹泻死亡

易导致头痛、头昏、恶心的混食

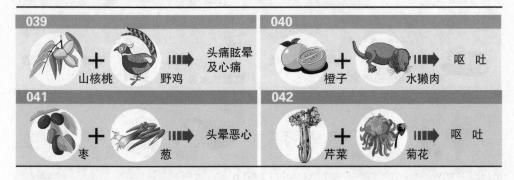

039			040		
山核桃 + 野鸡	⟹	头痛眩晕及心痛	橙子 + 水獭肉	⟹	呕吐
041			042		
枣 + 葱	⟹	头晕恶心	芹菜 + 菊花	⟹	呕吐

易气滞、生痰的混食

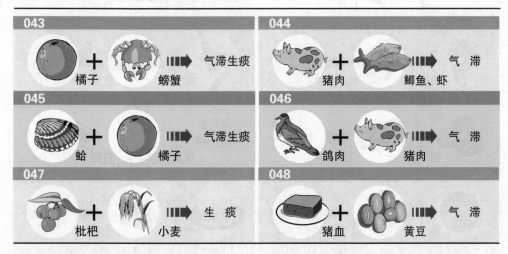

043			044		
橘子 + 螃蟹	⟹	气滞生痰	猪肉 + 鲫鱼、虾	⟹	气滞
045			046		
蛤 + 橘子	⟹	气滞生痰	鸽肉 + 猪肉	⟹	气滞
047			048		
枇杷 + 小麦	⟹	生痰	猪血 + 黄豆	⟹	气滞

损伤肠胃、影响消化的混食

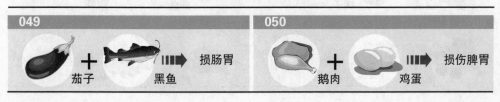

049			050		
茄子 + 黑鱼	⟹	损肠胃	鹅肉 + 鸡蛋	⟹	损伤脾胃

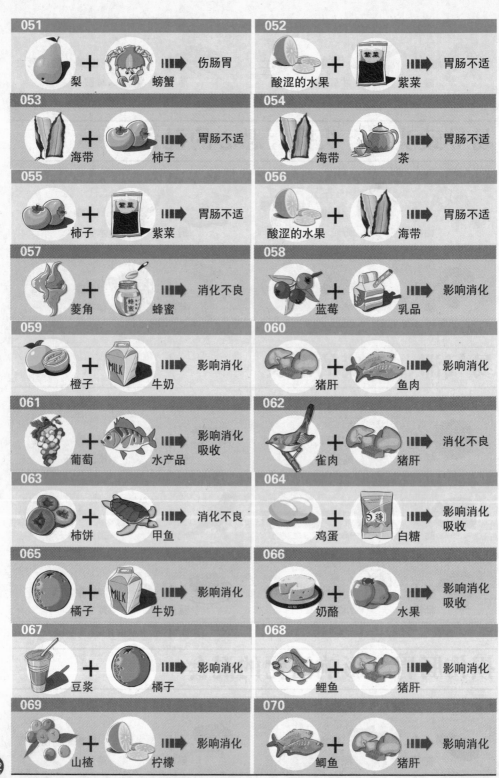

| 051 | 梨 + 螃蟹 ⟹ 伤肠胃 | 052 | 酸涩的水果 + 紫菜 ⟹ 胃肠不适 |

051 梨 + 螃蟹 ⟹ 伤肠胃

052 酸涩的水果 + 紫菜 ⟹ 胃肠不适

053 海带 + 柿子 ⟹ 胃肠不适

054 海带 + 茶 ⟹ 胃肠不适

055 柿子 + 紫菜 ⟹ 胃肠不适

056 酸涩的水果 + 海带 ⟹ 胃肠不适

057 菱角 + 蜂蜜 ⟹ 消化不良

058 蓝莓 + 乳品 ⟹ 影响消化

059 橙子 + 牛奶 ⟹ 影响消化

060 猪肝 + 鱼肉 ⟹ 影响消化

061 葡萄 + 水产品 ⟹ 影响消化吸收

062 雀肉 + 猪肝 ⟹ 消化不良

063 柿饼 + 甲鱼 ⟹ 消化不良

064 鸡蛋 + 白糖 ⟹ 影响消化吸收

065 橘子 + 牛奶 ⟹ 影响消化

066 奶酪 + 水果 ⟹ 影响消化吸收

067 豆浆 + 橘子 ⟹ 影响消化

068 鲤鱼 + 猪肝 ⟹ 影响消化

069 山楂 + 柠檬 ⟹ 影响消化

070 鲫鱼 + 猪肝 ⟹ 影响消化

262

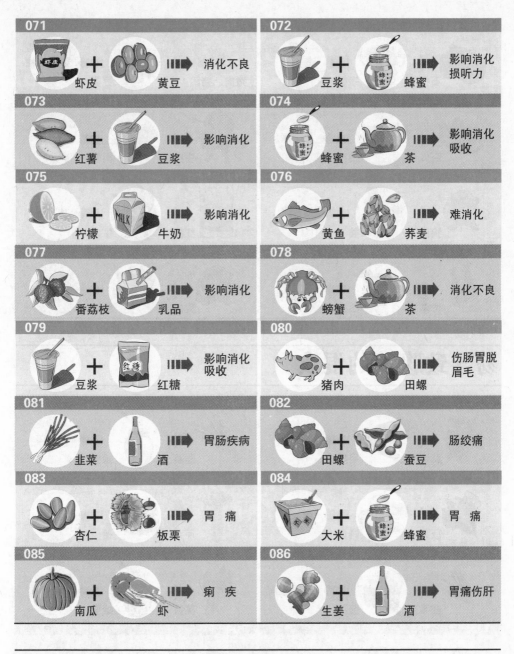

| 071 虾皮 + 黄豆 ▪▪▪▶ 消化不良 | 072 豆浆 + 蜂蜜 ▪▪▪▶ 影响消化 损听力 |

易导致腹痛、腹胀的混食

| 087 茄子 + 螃蟹 ▪▪▪▶ 腹 痛 | 088 板栗 + 牛肉 ▪▪▪▶ 腹胀呕吐 |

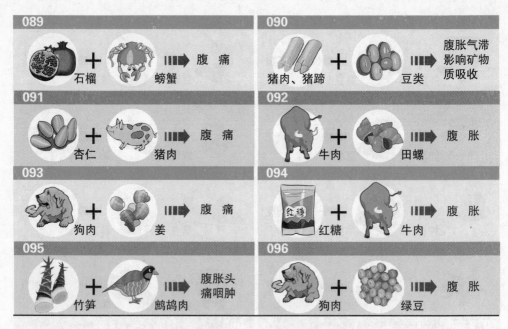

089 石榴 + 螃蟹 ⮕ 腹痛	090 猪肉、猪蹄 + 豆类 ⮕ 腹胀气滞 影响矿物 质吸收
091 杏仁 + 猪肉 ⮕ 腹痛	092 牛肉 + 田螺 ⮕ 腹胀
093 狗肉 + 姜 ⮕ 腹痛	094 红糖 + 牛肉 ⮕ 腹胀
095 竹笋 + 鹧鸪肉 ⮕ 腹胀头 痛咽肿	096 狗肉 + 绿豆 ⮕ 腹胀

易导致腹泻的混食

097 苋菜 + 甲鱼 ⮕ 腹泻	098 韭菜 + 蜂蜜 ⮕ 腹泻
099 菠菜 + 鳝鱼 ⮕ 腹泻	100 芹菜 + 蛤 ⮕ 腹泻
101 韭菜 + 菠菜 ⮕ 滑肠腹泻	102 莴笋 + 蜂蜜 ⮕ 腹泻
103 西红柿 + 螃蟹 ⮕ 腹泻	104 田螺 + 香瓜 ⮕ 腹痛腹泻
105 冰棒 + 西红柿 ⮕ 腹泻	106 香瓜 + 油饼 ⮕ 腹泻

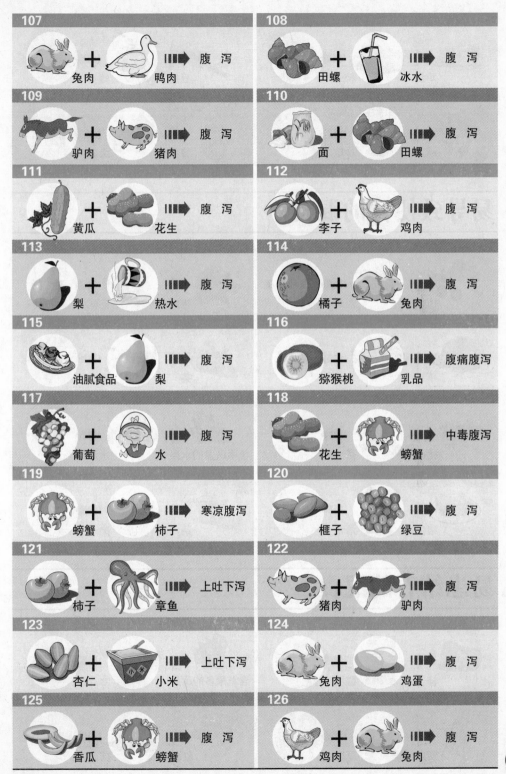

107	108
兔肉 + 鸭肉 ⅠⅠⅠ➡ 腹 泻	田螺 + 冰水 ⅠⅠⅠ➡ 腹 泻
109	110
驴肉 + 猪肉 ⅠⅠⅠ➡ 腹 泻	面 + 田螺 ⅠⅠⅠ➡ 腹 泻
111	112
黄瓜 + 花生 ⅠⅠⅠ➡ 腹 泻	李子 + 鸡肉 ⅠⅠⅠ➡ 腹 泻
113	114
梨 + 热水 ⅠⅠⅠ➡ 腹 泻	橘子 + 兔肉 ⅠⅠⅠ➡ 腹 泻
115	116
油腻食品 + 梨 ⅠⅠⅠ➡ 腹 泻	猕猴桃 + 乳品 ⅠⅠⅠ➡ 腹痛腹泻
117	118
葡萄 + 水 ⅠⅠⅠ➡ 腹 泻	花生 + 螃蟹 ⅠⅠⅠ➡ 中毒腹泻
119	120
螃蟹 + 柿子 ⅠⅠⅠ➡ 寒凉腹泻	榧子 + 绿豆 ⅠⅠⅠ➡ 腹 泻
121	122
柿子 + 章鱼 ⅠⅠⅠ➡ 上吐下泻	猪肉 + 驴肉 ⅠⅠⅠ➡ 腹 泻
123	124
杏仁 + 小米 ⅠⅠⅠ➡ 上吐下泻	兔肉 + 鸡蛋 ⅠⅠⅠ➡ 腹 泻
125	126
香瓜 + 螃蟹 ⅠⅠⅠ➡ 腹 泻	鸡肉 + 兔肉 ⅠⅠⅠ➡ 腹 泻

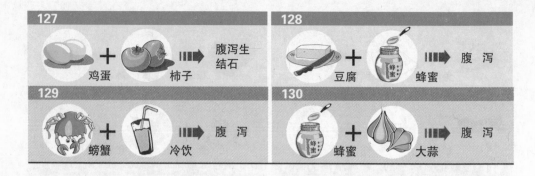

127 鸡蛋 + 柿子 ➡ 腹泻生结石	**128** 豆腐 + 蜂蜜 ➡ 腹泻
129 螃蟹 + 冷饮 ➡ 腹泻	**130** 蜂蜜 + 大蒜 ➡ 腹泻

易导致便秘的混食

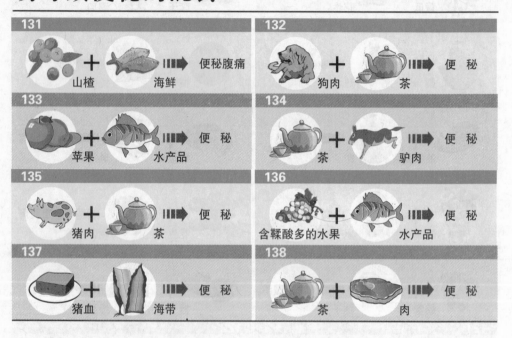

131 山楂 + 海鲜 ➡ 便秘腹痛	**132** 狗肉 + 茶 ➡ 便秘
133 苹果 + 水产品 ➡ 便秘	**134** 茶 + 驴肉 ➡ 便秘
135 猪肉 + 茶 ➡ 便秘	**136** 含鞣酸多的水果 + 水产品 ➡ 便秘
137 猪血 + 海带 ➡ 便秘	**138** 茶 + 肉 ➡ 便秘

易患结石的混食

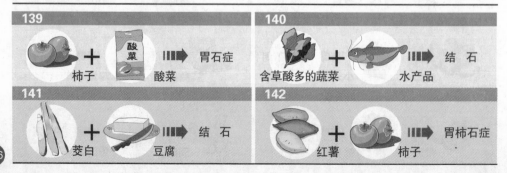

139 柿子 + 酸菜 ➡ 胃石症	**140** 含草酸多的蔬菜 + 水产品 ➡ 结石
141 茭白 + 豆腐 ➡ 结石	**142** 红薯 + 柿子 ➡ 胃柿石症

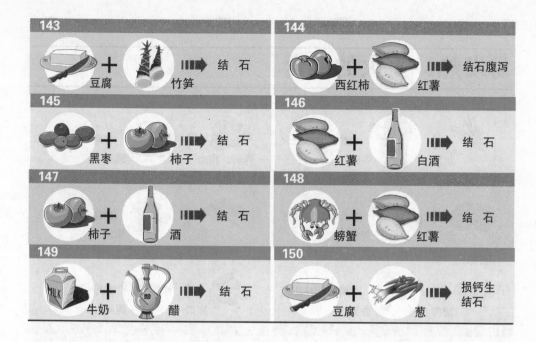

143	豆腐 + 竹笋 ➠ 结 石	144	西红柿 + 红薯 ➠ 结石腹泻
145	黑枣 + 柿子 ➠ 结 石	146	红薯 + 白酒 ➠ 结 石
147	柿子 + 酒 ➠ 结 石	148	螃蟹 + 红薯 ➠ 结 石
149	牛奶 + 醋 ➠ 结 石	150	豆腐 + 葱 ➠ 损钙生结石

易导致心痛、胸闷的混食

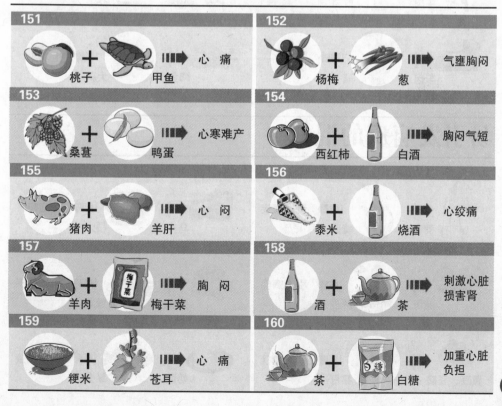

151	桃子 + 甲鱼 ➠ 心 痛	152	杨梅 + 葱 ➠ 气壅胸闷
153	桑葚 + 鸭蛋 ➠ 心寒难产	154	西红柿 + 白酒 ➠ 胸闷气短
155	猪肉 + 羊肝 ➠ 心 闷	156	黍米 + 烧酒 ➠ 心绞痛
157	羊肉 + 梅干菜 ➠ 胸 闷	158	酒 + 茶 ➠ 刺激心脏损害肾
159	粳米 + 苍耳 ➠ 心 痛	160	茶 + 白糖 ➠ 加重心脏负担

267

易发热、上火的混食

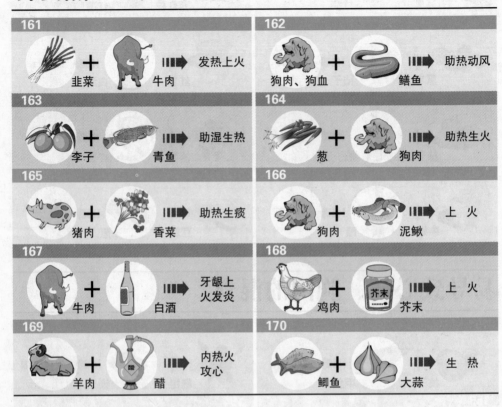

161 韭菜 + 牛肉 ⟹ 发热上火			162 狗肉、狗血 + 鳝鱼 ⟹ 助热动风		
163 李子 + 青鱼 ⟹ 助湿生热			164 葱 + 狗肉 ⟹ 助热生火		
165 猪肉 + 香菜 ⟹ 助热生痰			166 狗肉 + 泥鳅 ⟹ 上火		
167 牛肉 + 白酒 ⟹ 牙龈上火发炎			168 鸡肉 + 芥末 ⟹ 上火		
169 羊肉 + 醋 ⟹ 内热火攻心			170 鲫鱼 + 大蒜 ⟹ 生热		

易引发痼疾的混食

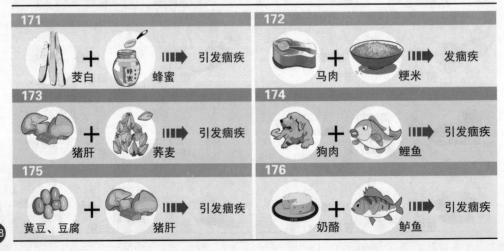

171 茭白 + 蜂蜜 ⟹ 引发痼疾		172 马肉 + 粳米 ⟹ 发痼疾
173 猪肝 + 荞麦 ⟹ 引发痼疾		174 狗肉 + 鲤鱼 ⟹ 引发痼疾
175 黄豆、豆腐 + 猪肝 ⟹ 引发痼疾		176 奶酪 + 鲈鱼 ⟹ 引发痼疾

易伤身的混食

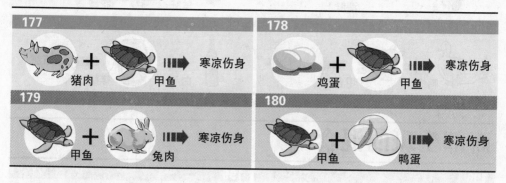

177 猪肉 + 甲鱼 Ⅲ➡ 寒凉伤身

178 鸡蛋 + 甲鱼 Ⅲ➡ 寒凉伤身

179 甲鱼 + 兔肉 Ⅲ➡ 寒凉伤身

180 甲鱼 + 鸭蛋 Ⅲ➡ 寒凉伤身

伤毛发的混食

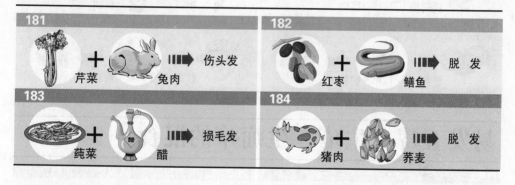

181 芹菜 + 兔肉 Ⅲ➡ 伤头发

182 红枣 + 鳝鱼 Ⅲ➡ 脱发

183 莼菜 + 醋 Ⅲ➡ 损毛发

184 猪肉 + 荞麦 Ⅲ➡ 脱发

伤脏腑的混食

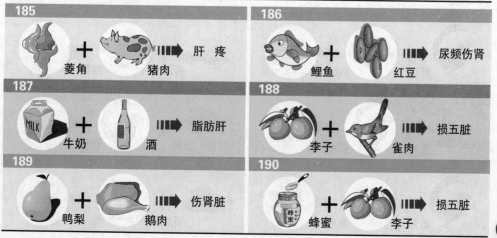

185 菱角 + 猪肉 Ⅲ➡ 肝疼

186 鲤鱼 + 红豆 Ⅲ➡ 尿频伤肾

187 牛奶 + 酒 Ⅲ➡ 脂肪肝

188 李子 + 雀肉 Ⅲ➡ 损五脏

189 鸭梨 + 鹅肉 Ⅲ➡ 伤肾脏

190 蜂蜜 + 李子 Ⅲ➡ 损五脏

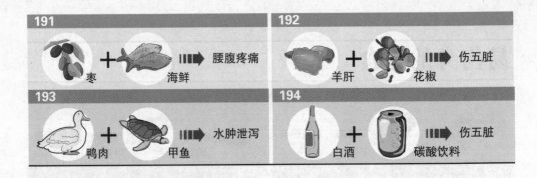

191		192	
枣 + 海鲜 ⇒ 腰腹疼痛		羊肝 + 花椒 ⇒ 伤五脏	
193		194	
鸭肉 + 甲鱼 ⇒ 水肿泄泻		白酒 + 碳酸饮料 ⇒ 伤五脏	

面部生斑的混食

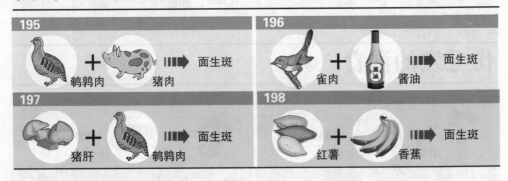

195		196	
鹌鹑肉 + 猪肉 ⇒ 面生斑		雀肉 + 酱油 ⇒ 面生斑	
197		198	
猪肝 + 鹌鹑肉 ⇒ 面生斑		红薯 + 香蕉 ⇒ 面生斑	

易发五痔、生疮、生痈疖的混食

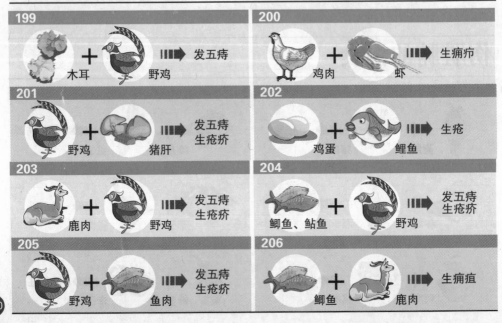

199		200	
木耳 + 野鸡 ⇒ 发五痔		鸡肉 + 虾 ⇒ 生痈疖	
201		202	
野鸡 + 猪肝 ⇒ 发五痔 生疮疥		鸡蛋 + 鲤鱼 ⇒ 生疮	
203		204	
鹿肉 + 野鸡 ⇒ 发五痔 生疮疥		鲫鱼、鲇鱼 + 野鸡 ⇒ 发五痔 生疮疥	
205		206	
野鸡 + 鱼肉 ⇒ 发五痔 生疮疥		鲫鱼 + 鹿肉 ⇒ 生痈疽	

| 207 | 鸡肉 + 甲鱼 ➡ 生痈疖 | 208 | 菌类 + 鹌鹑肉 ➡ 长痔疮 |

易导致其他疾患的混食

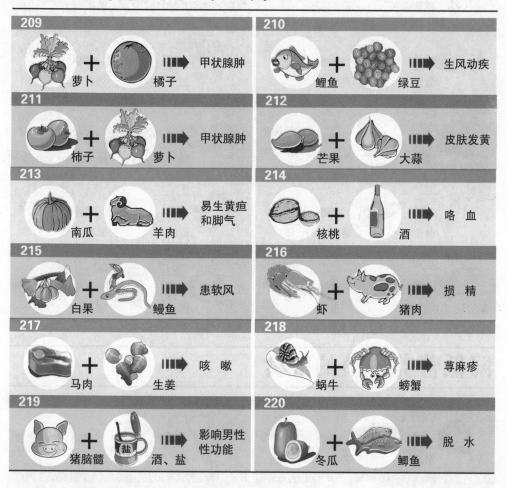

209	萝卜 + 橘子 ➡ 甲状腺肿	210	鲤鱼 + 绿豆 ➡ 生风动疾
211	柿子 + 萝卜 ➡ 甲状腺肿	212	芒果 + 大蒜 ➡ 皮肤发黄
213	南瓜 + 羊肉 ➡ 易生黄疸和脚气	214	核桃 + 酒 ➡ 咯血
215	白果 + 鳗鱼 ➡ 患软风	216	虾 + 猪肉 ➡ 损精
217	马肉 + 生姜 ➡ 咳嗽	218	蜗牛 + 螃蟹 ➡ 荨麻疹
219	猪脑髓 + 酒、盐 ➡ 影响男性性功能	220	冬瓜 + 鲫鱼 ➡ 脱水

破坏维生素吸收的混食

| 221 | 竹笋 + 羊肝 ➡ 破坏维生素A | 222 | 芹菜 + 黄瓜 ➡ 破坏维生素C |

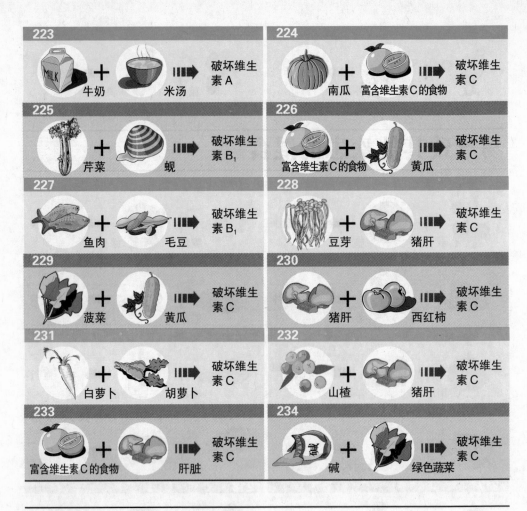

223	牛奶 + 米汤 ⟹ 破坏维生素 A	224	南瓜 + 富含维生素C的食物 ⟹ 破坏维生素 C
225	芹菜 + 蚬 ⟹ 破坏维生素 B₁	226	富含维生素C的食物 + 黄瓜 ⟹ 破坏维生素 C
227	鱼肉 + 毛豆 ⟹ 破坏维生素 B₁	228	豆芽 + 猪肝 ⟹ 破坏维生素 C
229	菠菜 + 黄瓜 ⟹ 破坏维生素 C	230	猪肝 + 西红柿 ⟹ 破坏维生素 C
231	白萝卜 + 胡萝卜 ⟹ 破坏维生素 C	232	山楂 + 猪肝 ⟹ 破坏维生素 C
233	富含维生素C的食物 + 肝脏 ⟹ 破坏维生素 C	234	碱 + 绿色蔬菜 ⟹ 破坏维生素 C

降低营养价值的混食

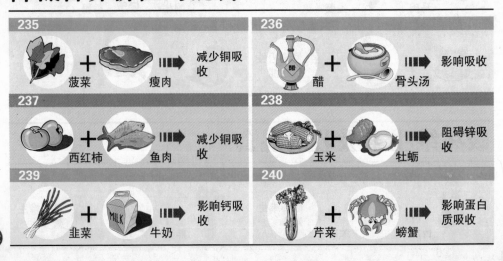

235	菠菜 + 瘦肉 ⟹ 减少铜吸收	236	醋 + 骨头汤 ⟹ 影响吸收
237	西红柿 + 鱼肉 ⟹ 减少铜吸收	238	玉米 + 牡蛎 ⟹ 阻碍锌吸收
239	韭菜 + 牛奶 ⟹ 影响钙吸收	240	芹菜 + 螃蟹 ⟹ 影响蛋白质吸收

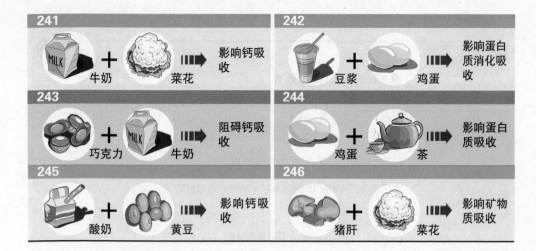

241	牛奶 + 菜花 ⟹ 影响钙吸收	242	豆浆 + 鸡蛋 ⟹ 影响蛋白质消化吸收
243	巧克力 + 牛奶 ⟹ 阻碍钙吸收	244	鸡蛋 + 茶 ⟹ 影响蛋白质吸收
245	酸奶 + 黄豆 ⟹ 影响钙吸收	246	猪肝 + 菜花 ⟹ 影响矿物质吸收

降低食疗功效的食物混食

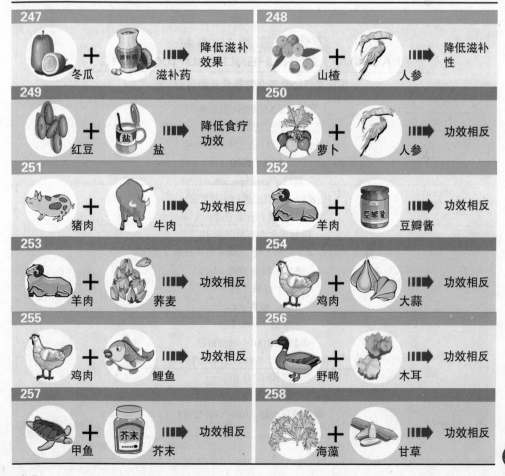

247	冬瓜 + 滋补药 ⟹ 降低滋补效果	248	山楂 + 人参 ⟹ 降低滋补性
249	红豆 + 盐 ⟹ 降低食疗功效	250	萝卜 + 人参 ⟹ 功效相反
251	猪肉 + 牛肉 ⟹ 功效相反	252	羊肉 + 豆瓣酱 ⟹ 功效相反
253	羊肉 + 荞麦 ⟹ 功效相反	254	鸡肉 + 大蒜 ⟹ 功效相反
255	鸡肉 + 鲤鱼 ⟹ 功效相反	256	野鸭 + 木耳 ⟹ 功效相反
257	甲鱼 + 芥末 ⟹ 功效相反	258	海藻 + 甘草 ⟹ 功效相反

图书在版编目（CIP）数据

家常炖蒸煮1000样/中国烹饪协会美食营养专业委员会著.
—北京：北京出版社，2005
ISBN 7-200-06274-X

I.家… II.中… III.菜谱 IV.TS972.12

中国版本图书馆 CIP 数据核字（2005）第 135137 号

□ 全案策划 [[]] 唐码书业 (北京) 有限公司
WWW.TANGMARK.COM
□ 责任编辑 毛白鸽
□ 装帧设计 刘　畅

家常炖蒸煮 1000 样
JIACHANG DUN ZHENG ZHU 1000YANG

中国烹饪协会美食营养专业委员会　著

出版 / 北京出版社出版集团

北京出版社

地址 / 北京·北三环中路 6 号

邮编 / 100011

网址 / www.bph.com.cn

发行 / 北京出版社出版集团

经销 / 新华书店

印制 / 北京市梨园彩印厂

版次 / 2006 年 1 月第 1 版　2006 年 4 月第 2 次印刷

开本 / 787×1092　1/16

印张 / 18

插页 / 4

字数 / 490 千字

印数 / 20,001—40,000 册

书号 / ISBN 7-200-06274-X/TS·87

定价：19.80 元

质量投诉电话 / 010—58572393